Poker de dames

PATRICIA HAGAN

Violences et passions	*J'ai lu* 3201/**K**
Folies et passions	*J'ai lu* 3272/**J**
Gloires et passions	*J'ai lu* 3326/**K**
Fureurs et passions	*J'ai lu* 3398/**J**
Splendeurs et passions	*J'ai lu* 3541/**J**
Rêves et passions	*J'ai lu* 3682/**K**
Honneur et passions	*J'ai lu* 3756/**J**
Triomphe et passions	*J'ai lu* 3847/**J**
L'esclave blanche	*J'ai lu* 4171/**J**
L'héritière de l'amour	*J'ai lu* 4505/**J**
Pour un collier de saphirs	*J'ai lu* 5338/**J**
Poker de dames	*J'ai lu* 5699/**J**
Passion dans le bayou	*J'ai lu* 5807/**L**

Patricia Hagan

Poker de dames

Traduit de l'américain
par Nadège Mège

Éditions J'ai lu

Titre original :

STARLIGHT
Harper Collin Inc., New York, 1994

Prologue

Paris, 1867

La frêle silhouette n'attira pas particulièrement l'attention des fidèles pénétrant dans la chapelle du Val-de-Grâce pour assister à la messe du matin. Ce garçon débraillé n'était sans doute qu'un mendiant comptant profiter de leur visite chez les bénédictines pour leur soutirer quelques pièces après l'office...

Il marchait tête baissée, les épaules voûtées. Et lorsqu'il disparut soudain parmi les haies épaisses bordant l'allée, les ouailles ne le remarquèrent pas non plus. Ils étaient aussi bien loin de soupçonner que celui qu'ils prenaient pour un mendiant était en réalité une fille. Sur quoi Samantha Labrune, qui avait adopté le sobriquet de Sam lorsqu'elle avait résolu de se faire passer pour un homme, s'installa tranquillement dans sa cachette. L'église était l'endroit rêvé pour dérober les réticules, ces petites bourses en soie ou en tissu. Les personnes âgées du quartier Port-Royal assistaient volontiers à l'office dans la chapelle du couvent tout proche, ce qui leur évitait un long trajet jusqu'à une autre église. Sam n'avait qu'à se dissimuler parmi les arbustes pour attendre l'arrivée d'une retardataire. En l'absence de témoins, la jeune fille pouvait opérer, puis s'enfuir vers l'entrée des catacombes située sur la place

Denfert-Rochereau toute proche. Elle était certaine que personne ne saurait la retrouver dans ce labyrinthe de tunnels s'étirant dans les profondeurs de la capitale.

Malgré tout, Sam ne pouvait s'empêcher de se sentir coupable. Elle n'aimait pas jouer les voleuses, surtout aux alentours d'une église : le péché ne lui en paraissait que plus grand. Mais, d'un autre côté, la faim lui tenaillait l'estomac : elle n'avait rien mangé depuis des lustres. Dieu comprendrait peut-être que c'était le désespoir qui la poussait au brigandage, et sans doute le lui pardonnerait-il.

Au bout d'un moment, elle entendit les premiers accords d'un cantique. La messe avait enfin commencé. Elle jeta un œil à travers le feuillage. Zut. La rue était déserte. Si aucune retardataire ne se présentait, il lui faudrait attendre le lendemain pour accomplir son larcin. Et comment manger d'ici là ? Elle pouvait tenter de dérober de la nourriture à ceux qui, comme elle, vivaient dans les catacombes, mais cela n'allait pas sans risques. Là, il ne s'agissait plus de vieilles femmes. Ses compagnons d'infortune étaient parfaitement capables de se mettre à sa poursuite et, s'ils la rattrapaient et découvraient qu'elle n'était pas un garçon, elle n'aurait plus qu'à faire ses prières.

Un claquement de sabots sur le pavé. Sam se raidit, partagée entre espoir et appréhension. Un attelage s'arrêta à sa hauteur. Le cocher se précipita pour aider sa passagère à descendre. Quelque peu déçue, Sam constata qu'il ne s'agissait pas d'une vieille dévote, mais d'une jeune fille qui devait avoir son âge. Néanmoins, à voir l'élégance de sa mise et l'opulence de son équipage, il y avait fort à parier que le butin permettrait de manger pendant plusieurs jours.

La jeune fille, dont le bonnet de satin bleu laissait entrevoir de longs cheveux dorés, se hâta en direction de la chapelle tandis que la voiture repartait.

De sa cachette, Sam attendit le moment propice puis elle plongea en avant, s'emparant du réticule de soie. Elle s'éloigna au pas de course mais, au lieu des habituels cris outragés, ce fut un bruit de pas précipités qui retentit derrière elle, accompagné d'un hurlement :

– Arrêtez ! Arrêtez ! Vous ne pouvez pas me prendre mon argent ! C'est pour le rosaire de ma Mariette. Rendez-le moi !

Sam n'en crut pas ses oreilles. Cette fille avait-elle perdu la tête ? La plupart des voleurs étaient armés et n'hésiteraient pas à blesser ou même à tuer une victime récalcitrante. De toute évidence, la jeune fille n'y avait même pas songé. En outre, elle courait vite : Sam ne réussit qu'à grand-peine à conserver son avance.

Elle parvenait à un carrefour, toujours au pas de course, lorsqu'elle aperçut deux hommes assis par terre qui se partageaient une bouteille de vin. Ceux-ci l'encouragèrent en la voyant passer. Ils avaient compris ce qui se passait.

Lorsqu'elle entendit le cri, elle avait presque atteint l'entrée des catacombes. Tournant la tête, elle vit que les deux hommes s'étaient saisis de sa poursuivante et tentaient de l'entraîner dans une ruelle toute proche.

Sam interrompit sa course. Un flot de souvenirs l'assaillit : une autre ruelle ; une autre époque ; une autre jeune fille qui se débattait en hurlant tandis qu'on lui arrachait ses vêtements. Sam avait assisté à cette scène dissimulée derrière un tonneau. C'est à la suite de cet épisode qu'elle avait décidé de se déguiser en garçon, afin de ne jamais subir le même sort.

Une vague de nausée la submergea. Elle sut soudain avec certitude qu'elle ne pouvait abandonner la jeune fille. Pour ce qui était de voler, elle s'arrangeait avec sa conscience, puisqu'il s'agissait de ne pas mourir de faim ; mais être à l'origine d'un viol, c'était tout autre chose. Se retournant, Sam repartit en direction des cris.

– Laissez-la, bon sang ! Laissez-la ! s'écria-t-elle en se précipitant dans la ruelle.

Surpris devant cette intrusion, les deux hommes obtempérèrent ; la jeune fille se dégagea, appelant à l'aide de toutes ses forces.

Les agresseurs, furieux, décidèrent sur-le-champ de s'en prendre à Sam, mais cette dernière avait prévu leur réaction. Elle fonça sur le premier tête baissée et lui asséna un coup à l'estomac. L'homme s'effondra, pantelant. Sam se redressa pour s'attaquer au second, lui écrasant l'entrejambe de ses deux poings serrés. Il tomba à genoux.

Lorsque Sam battit en retraite, tenant toujours fermement le réticule, ce fut pour tomber dans les bras d'un agent de police alerté par les cris de sa victime.

La fille aux cheveux d'or la désigna du doigt, ses yeux bleus brillant d'excitation.

– C'est lui ! s'exclama-t-elle. C'est mon sauveur.

– Mais c'est aussi votre voleur, déclara le policier qui tenait Sam par le cou.

Il lui arracha le réticule, ajoutant :

– Maintenant, ce petit polisson va finir en prison.

Sam gesticulait et se débattait, mais en vain. Soudain, la jeune inconnue fit un pas en avant.

– Non ! Attendez. Laissez-le partir.

Le gendarme se figea.

– Mais, mademoiselle, il n'en est pas question ! Il a commis un vol. Je dois l'amener au dépôt.

Cependant, la jeune fille ne céda pas.

– J'exige que vous le laissiez partir !

– Vous ne savez pas ce que vous dites, soupira le gendarme en secouant la tête.

– Et vous, vous ne savez pas à qui vous avez affaire. Je suis Céleste de Manca, fille du marquis Antoine Vallois de Manca, et c'est à mon père que vous devrez rendre compte si vous persistez dans votre refus.

Le gendarme lâcha son prisonnier avec un haussement d'épaules. Quelle importance, après tout, si la noblesse choisissait de laisser la liberté à un criminel ? Le caniveau regorgeait d'autres types du même acabit, et les prisons étaient surpeuplées.

– Comme il vous plaira, mademoiselle, laissa-t-il tomber avant de s'éloigner.

Sam fut tentée de s'enfuir, mais la curiosité s'avéra la plus forte :

– Pourquoi avez-vous fait cela ? s'enquit-elle.

La jeune fille détailla Sam des pieds à la tête.

– Parce que vous m'avez probablement sauvé la vie. Je n'ose imaginer ce que ces deux hommes auraient fait de moi... Et j'ai besoin d'une amie et d'une confidente, ajouta-t-elle avec un sourire effronté. Ma Mariette est morte il y a peu. Je me rendais à la chapelle afin d'assister à son rosaire, après la messe. Accepteriez-vous de m'y accompagner ? Après quoi je vous amènerai chez moi. Vous m'avez tout l'air d'avoir besoin d'un toit.

Ainsi formulée, la phrase ressemblait davantage à une accusation qu'à une question.

– Mais je suis un garçon ! s'esclaffa Sam, soucieuse de préserver son secret.

– Ta ta ta. ! Pas à moi.

Surprise, Sam bafouilla :

– Qu'est-ce qui... Pourquoi dites-vous ça ?

– Je ne sais pas... Quelque chose dans le regard, je pense. Ou peut-être votre voix. Allons, avouez, vous êtes bien une fille, n'est-ce pas ?

Combattant sa réticence, Sam opina.

– Et vous êtes la première qui s'en rende compte.

– Normal. Personne n'a jamais dû réussir à vous rattraper. Bon, acceptez-vous ma proposition de venir vous installer au manoir ? Si vous refusez, il y a de fortes chances pour que vous finissiez en prison d'une façon ou d'une autre, j'imagine que vous en êtes consciente.

Sans doute les parents de cette jeune écervelée mettraient-ils très vite Sam à la porte... mais, d'ici là, elle aurait au moins fait un bon repas.

– Très bien. J'accepte. Mais je ne peux pas rester longtemps.

Céleste lui avait pris la main d'un geste possessif et lui faisait rebrousser chemin en direction de la chapelle.

– Vous n'avez nulle part où aller.

– Comment le savez-vous ?

Étonnant comme cette Céleste n'avait pas douté une seconde de parvenir à ses fins.

– De la même façon que j'avais percé votre déguisement. Bon, maintenant, dépêchons-nous, ou nous allons manquer la fin de la messe. Nous aurons tout le temps de discuter ensuite.

Et, en effet, tout se déroula selon les prévisions de Céleste. Le soir venu, après que Sam eut dévoré les mets les plus délicieux qu'il lui ait été donné de goûter depuis des années, toutes deux étaient devenues amies. En réalité, Céleste se sentait aussi seule que Sam. Sa mère était décédée. Quant à son père, expliqua-t-elle amèrement, il passait tout son temps en compagnie de ses nombreuses maîtresses. Voilà pourquoi Mariette lui manquait tant. La jeune femme n'avait pas été pour elle une simple demoiselle de compagnie, mais une sœur, en quelque sorte. Et à présent, c'était à Sam que Céleste demandait de jouer ce rôle.

Sam accepta de rester dormir. Après avoir emprunté une chemise de nuit à Céleste, elle s'ouvrit à son tour sur son passé. Allongée à côté de sa nouvelle amie dans l'immense lit à baldaquin couvert de dentelle, elle entreprit de lui raconter sa vie. Celle-ci n'avait pas toujours été placée sous le signe du crime et du désespoir, expliqua-t-elle. À une certaine époque, son père, François Labrune, était un homme riche et respecté.

– S'il n'y avait pas eu la guerre de Sécession, poursuivit-elle, il est probable que ma famille et moi-même serions encore en Amérique, dans les vertes vallées de Virginie, dont je ne me souviens que trop bien.

Ses parents y avaient émigré avant sa naissance. Grâce à l'énorme héritage reçu de son père, François avait pu quitter la France, emportant de beaux étalons ainsi que plusieurs juments. En l'espace de quelques années, son élevage était devenu prospère.

– Mais quand la guerre a éclaté, poursuivit-elle, le gouvernement confédéré a réquisitionné tout le troupeau pour équiper l'armée. Mes parents n'étaient pas impliqués dans ce conflit, pourtant il leur a fait perdre tous leurs biens.

Céleste écarquilla les yeux, compatissante.

– Qu'ont-ils fait après ?

– Il leur restait à peine de quoi payer le voyage de retour, mais ils devaient revenir, ils n'avaient pas le choix..., expliqua Sam en cillant pour chasser les larmes qui jaillissaient à chaque fois qu'elle évoquait cette terrible époque. Je n'avais que huit ans quand nous sommes arrivés. Avant de partir, notre famille était l'une des plus aisées de Paris. Ma mère n'a pas pu supporter cette honte, cette humiliation. Elle est morte le cœur brisé. Dès lors, mon père a cessé de lutter, et il ne s'est plus préoccupé de son sort ni du mien.

Ils avaient tous deux fini par échouer parmi les épaves humaines qui hantaient les catacombes, ces souterrains datant des Romains, où l'on entreposait les ossements exhumés des cimetières. François et Sam avaient trouvé refuge au sein des recoins les plus éloignés de ces macabres lieux.

Son père passait le plus clair de son temps noyé dans l'alcool, mendiant à l'extérieur de quoi acheter son vin, laissant Sam livrée à elle-même. Après avoir assisté impuissante au viol de sa meilleure amie alors que toutes deux avaient à peine neuf ans, Sam avait coupé ses longs cheveux blond cendré et s'était travestie en garçon. C'est ainsi qu'elle avait pu échapper aux hommes qui venaient dans les souterrains en quête de jeunes filles à mettre sur le trottoir. Mais, dès lors, pour survivre, elle était devenue experte dans l'art de détrousser les paroissiens.

Et puis un soir, son père s'était endormi pour ne jamais se réveiller. Sam s'était alors retrouvée véritablement seule.

– Et voilà, conclut-elle. J'ai survécu en ne comptant que sur moi, et j'ai bien l'intention de continuer. Mais une chose est sûre, ajouta-t-elle avec un sourire forcé destiné à adoucir l'atmosphère : Je dois m'en tenir aux vieilles dames et éviter de m'attaquer à des jeunettes qui courent aussi vite que moi !

Céleste ne lui retourna pas son sourire, bien au contraire. La jeune fille la dévisageait avec solennité. Au bout d'un moment, Sam finit par se sentir mal à l'aise. Peut-être en avait-elle trop dit ? Céleste préférait sans doute qu'elles s'en tiennent là. Sam s'apprêtait à suggérer qu'elle ferait mieux de partir quand sa nouvelle amie la prit une fois de plus au dépourvu.

– Tu ne peux pas continuer ainsi, Sam, déclara-t-elle, pleine d'assurance. Tu vas rester avec moi.

Sam éclata d'un rire nerveux. Céleste ne pouvait être sérieuse.

– Mais, votre père...

– Mon père... – Céleste se tut un instant pour ponctuer sa réplique d'un grognement bien peu féminin – ...mon père est si occupé avec ses femmes qu'il ne se rend même pas compte que j'existe. Et il sera bientôt débarrassé de moi. Je pars étudier en Suisse la semaine prochaine. Mariette devait m'accompagner, mais désormais, c'est toi qui vas prendre sa place.

Sam tenta de protester.

– Non, je ne peux pas...

– Mais si. Et tu vas le faire. Pour quelle raison refuserais-tu ? Je t'offre une existence de richesse et de luxe à la place d'une vie à te battre dans le caniveau. Et si tu n'es pas d'accord, je vais être forcée de rappeler cet agent, non pas pour t'emmener en prison, mais pour te faire enfermer à l'asile, parce qu'il faudrait être folle pour refuser !

Céleste plaisantait au sujet du gendarme, mais son offre était sérieuse. La jeune fille avait raison. Décliner cette proposition aurait été pure folie. Et, du reste, Sam avait-elle vraiment le choix ?

1

Paris, 1869

Sam savait qu'elle aurait dû apprécier cette excellente soirée, mais au fond d'elle-même, elle se sentait perdue.

Durant les deux années qui venaient de s'écouler, elle avait eu droit à une existence presque princière. Vivant dans le luxe et la culture, plongée dans un environnement raffiné, elle n'avait manqué de rien. On lui avait créé sur mesure des tenues somptueuses, elle avait pris des cours de musique, de langues, de dessin, et même de maintien...

A présent qu'elle et Céleste étaient de retour de leur pensionnat suisse, un festin était donné en leur honneur. On n'avait reculé devant aucune dépense : des bougies brûlaient dans les chandeliers de cristal ; il y avait du Limoges et des couverts en argent. Une énorme coupe emplie de roses parfumées, fraîchement coupées, occupait le centre de la table recouverte d'une nappe damassée.

Les serviteurs se pressaient autour de Sam, prêts à exaucer le moindre de ses désirs ; le menu promettait bien des délices : une bisque d'écrevisse et du consommé aux raisins, puis un canard en sauce. Le dessert, une crème renversée caramélisée, était l'un des préférés de la jeune fille. La soirée aurait dû s'avérer plaisante, et pourtant, ce n'était pas le cas. Sam ressentait une gêne horrible devant le père de Céleste, le marquis Antoine Vallois Bruis de la Manca.

Lorsque que celui-ci lui avait effleuré la poitrine de sa main en l'installant à ses côtés, elle s'était dit que c'était par accident. Ensuite, elle n'avait pas prêté attention à la main qui touchait son genou sous la table.

Mais non, ne sois pas idiote ! s'était-elle morigénée. Il ne peut pas voir sous tes vêtements. Qui plus est, tu ne le connais pas assez pour pouvoir deviner ses pensées.

Elle n'avait rencontré le marquis qu'en une occasion, et en coup de vent, juste avant leur départ pour la Suisse. L'homme l'avait considérée d'un regard dénué d'intérêt. Mais maintenant, tout avait changé. Durant les deux années qui venaient de s'écouler, Sam s'était métamorphosée en femme – et quelque chose lui disait que le marquis en était conscient.

Céleste racontait les épisodes marquants de sa vie à l'école, et parlait, maintenant, des leçons de voltige à cheval :

– Moi, j'ai sauté, mais pas lui, et après, je n'ai pu m'asseoir de toute une semaine, n'est-ce pas, Sam ?

Son amie s'était tournée vers elle, quêtant son approbation. Sam parvint à hocher la tête et sourit, soulagée que Céleste prenne plaisir à cette soirée. Elle savait parfaitement que la jeune fille avait, elle aussi, son lot de problèmes. Celle-ci, dès son arrivée, n'avait eu de cesse de reprendre son idylle avec Jacques Onfroy, le fils du jardinier en chef.

Pour compliquer encore les choses, Céleste vivait sous le couperet d'une promesse de mariage remontant à un pacte conclu entre son grand-père maternel et le meilleur ami de celui-ci, qui avait juré de marier son premier petit-fils avec la première petite-fille de l'aïeul.

Si le marquis honorait la parole donnée, Céleste se verrait obligée d'épouser un homme qu'elle n'avait jamais rencontré.

– Je n'aime pas que vous vous adressiez ainsi à votre amie, Céleste.

Les deux jeunes filles échangèrent un regard étonné.

– Sam, expliqua Antoine d'un air dégoûté. Ce n'est pas un prénom convenable pour une aussi belle jeune femme. Elle se nomme Samantha, et c'est ainsi que nous devons l'appeler.

Il leva son verre pour porter un toast. Sam frissonna intérieurement.

– Alors, mesdemoiselles, poursuivit-il tout enjoué, quels sont vos projets maintenant que vous êtes de retour ?

– Nous avons l'intention de monter beaucoup à cheval.

Céleste ponctua sa remarque d'un clin d'œil à l'adresse de Sam. L'immense propriété regorgeait de sentiers dissimulés où elle pourrait donner rendez-vous à son amoureux.

– En tous cas, évitez le saut d'obstacles. Il semble que ce ne soit pas votre fort. Bon, à présent, si vous voulez bien m'excuser, j'ai à faire ce soir.

Le marquis se leva pour partir. Sam sentit un nouveau frisson glacé lui parcourir l'échine. L'homme venait de se passer la langue sur les lèvres, tel un animal se léchant les babines avant de dévorer sa proie.

Céleste n'avait pas remarqué la gêne qui avait gagné son amie.

– Oublie le dessert, annonça-t-elle dès qu'elles se retrouvèrent seules. J'ai réussi à parler à Jacques. Je lui ai donné rendez-vous à neuf heures, et il est déjà la demie passée. Il faut faire semblant de nous retirer dans nos chambres.

Sam se sentit obligée de la prévenir.

– Tu vas t'attirer de terribles ennuis, tu sais. S'il apprend votre liaison, ton père est capable du pire.

– Tu ne comprends pas ! se récria Céleste, les larmes aux yeux. Nous nous aimons, Jacques et moi. Cela fait si longtemps que nous ne nous sommes vus !

– Votre amour est impossible, tu le sais aussi bien que moi.

– Nous trouverons un moyen. Il le faut. A présent retire-toi dans ta chambre, je t'en prie.

Sam n'aimait pas plus la solitude que Céleste, mais elle n'avait aucune intention de se promener seule dans le vaste château ; elle la suivit donc hors de la salle à manger.

– Papa n'a pas reparlé du mariage, poursuivit son amie dans l'escalier. Les dernières nouvelles que nous ayons reçues de la famille Ballard remontent à quatre ans. Si seulement ce Jarman avait pu en épouser une autre !

– Quatre ans sans donner aucun signe de vie ?

– Oh, il n'y a pas de quoi s'inquiéter. Ils sont loin, tu sais. M. Ballard a émigré en Amérique avant même la naissance de Jarman, c'est une raison supplémentaire pour qu'ils aient tout oublié, à mon avis. C'était une idée absurde, de toute façon.

– Mais voyons, Céleste, les mariages arrangés sont monnaie courante. Tu ne réagis ainsi que parce que tu es concernée.

– Peut-être. Tout ce que je demande, c'est que nous n'entendions plus jamais parler de la famille Ballard, et que je trouve le moyen d'épouser Jacques.

Sam ne partageait pas son optimisme. Si le marché était tombé aux oubliettes, il était probable que le marquis ne consentirait jamais à laisser sa fille s'unir à un roturier. Cependant, Céleste était entêtée et passionnément amoureuse... Bien que Sam ne se fût jamais éprise d'aucun homme, elle avait eu maintes occasions de comprendre, à l'école, combien les sentiments ne favorisaient pas les raisonnements rationnels.

– Bonne nuit, souffla Céleste comme elles parvenaient à l'étage. A demain matin...

Une fois dans ses appartements, Sam s'efforça de chasser le marquis de son esprit. Elle avait d'autres sujets de préoccupation : entre autres son avenir, maintenant qu'elle avait fini ses études. Elle ne possédait pas un sou, n'avait pas un endroit où aller. Il restait à espérer que, quel que soit le sort qui attendait Céleste, Sam puisse y être associée.

Elle finit par sombrer dans un sommeil agité. Quelques heures plus tard, elle s'éveilla en sursaut, terrifiée. Quelqu'un pressait une main contre sa bouche.

– Ne criez pas, ordonna-t-on à voix basse. Je ne vous ferai aucun mal.

Sa peur fit place à de la stupeur lorsqu'elle comprit qu'il s'agissait du marquis.

Celui-ci ôta sa main.

– Pardonnez-moi de vous avoir fait peur, mais votre porte était fermée à clé, expliqua-t-il sans lui laisser le temps de se mettre en colère. Comme je ne voulais pas réveiller toute la maisonnée, je suis entré par la terrasse. Je ne voulais pas que vous criiez. J'ai à vous parler.

Sam s'adossa à l'oreiller, prenant bien soin de remonter les draps de satin jusqu'au cou.

– Cela ne pouvait pas attendre demain matin ? demanda-t-elle, méfiante. Ce n'est pas convenable de pénétrer ainsi dans mes appartements.

– Je vous réitère mes excuses, mais je voulais connaître le contenu de cette lettre avant de la faire lire à Céleste.

Le marquis alluma la lampe à pétrole qui se trouvait sur la table de nuit et sortit une enveloppe de la poche de sa veste.

– C'est en anglais, expliqua-t-il en la lui tendant. Je n'y comprends rien. J'ai besoin de votre aide.

Sam se rasséréna quelque peu. Une appréhension nouvelle succéda à sa crainte : quel était donc le contenu de la lettre ?

– Cela vient de l'homme que Céleste doit épouser ?

Il hocha la tête en précisant :

– Elle est arrivée hier.

Sam se mit à lire à haute voix, sentant son cœur se serrer au fil des mots. Jarman Ballard avait posté sa missive de Fort Leavenworth, dans le Kansas, où il était capitaine de l'armée des États-Unis. Il serait bientôt démobilisé et avait décidé qu'il était temps de procéder au mariage convenu, sa promise ayant presque atteint ses dix-sept ans.

– Mon Dieu, mais c'est tout ce qu'elle redoute ! laissa échapper Sam.

– Malheureusement, son avis ne compte pas, commenta distraitement Antoine avant de la presser, un sourire à la bouche, de relire la partie concernant la dot.

Sam s'exécuta :

« J'entends que vous pourvoyiez Céleste d'une dot confortable. Soyez assuré que pour ma part j'assurerai son avenir, bien entendu ; mais à sa mort, mon père a laissé des dettes considérables. Étant un homme d'honneur, je me suis attaché à les rembourser, ce qui fut pour moi un lourd fardeau. Je m'emploierai toutefois à faire fructifier cette dot. J'ai en effet l'intention, après ma démobilisation, d'aller m'installer à Abilene, une ville en pleine expansion créée pour accueillir les troupeaux de bétail en provenance de l'Ouest, et véritable carrefour ferroviaire pour ceux qui partent pour l'Est. Il est dans mes projets de faire construire un hôtel, et... »

– C'est amplement suffisant.

Ainsi, songeait Antoine, amusé, c'était l'espoir d'une dot substantielle qui poussait Jarman Ballard à quérir son épouse. Eh bien, il en serait quitte pour une belle surprise, car la somme promettait d'être modeste. Après tout, quelle importance ? Antoine ne reverrait jamais sa fille, une fois qu'elle aurait quitté la France.

Sam parcourut la lettre une nouvelle fois, vérifiant la date à laquelle Jarman souhaitait l'arrivée de Céleste. Elles avaient un bon mois de répit. Mais cela suffirait-il pour que Céleste persuade son père de renoncer ?

Sam s'enhardit au point d'intervenir :

– Vraiment vous avez l'intention de laisser partir votre fille aussi loin ? Vous devriez écrire à ce monsieur pour lui dire que vous avez décidé de ne pas honorer cet accord. Après tout, vous n'avez pas eu votre mot à dire dans cette affaire, et...

– Ridicule ! L'honneur de la famille est en jeu. Je n'y songerais même pas, et Céleste le sait bien. De plus, ajouta-t-il avec un regard concupiscent, il me restera encore une fille – même si j'ai de plus en plus de difficultés à vous considérer comme telle, Samantha.

Il avait posé sa main sur le rebord du drap.

– Arrêtez ! intima-t-elle en se reculant sur l'oreiller, effrayée.

Ainsi, son imagination ne lui jouait pas de tours. Antoine entretenait bien des intentions coupables à son égard. Seigneur, qu'allait-elle faire ?

Son interlocuteur arborait un sourire inébranlable.

– Peut-être devriez-vous revenir à une attitude plus conciliante, ma chère. Que va-t-il advenir de vous une fois que ma fille sera partie en Amérique ? Vous ne pouvez plus revenir à votre déguisement, ni retourner dans la rue. Une belle femme comme vous ne survivrait pas longtemps toute seule, j'en ai bien peur.

– Eh bien, j'irai avec elle, évidemment... lâcha Sam, prise au dépourvu.

– Oh, mais je ne saurai le permettre.

La jeune fille sentit son cœur bondir dans sa poitrine.

– Il le faudra. Céleste a besoin d'une dame de compagnie pour ce voyage, et...

– Exact, mais ce ne sera pas vous, Samantha. Ce serait du gaspillage. Comprenez que j'entretiens des projets vous concernant, maintenant que vous êtes devenue une belle jeune fille. Lorsque j'aurai terminé votre éducation, les hommes les plus riches du monde seront à vos pieds, mais alors vous m'appartiendrez, et...

– C'est hors de question ! s'exclama Sam d'une voix rauque et tremblante.

Le marquis éclata d'un petit rire moqueur et se mit à lui caresser la gorge d'une main ferme, sans doute pour l'empêcher de crier.

– Mais vous n'avez pas le choix, ma chère. Et ne songez pas un instant à prévenir Céleste, ou je me verrai forcé de lui dire que je vous ai surprise à me voler. Comme elle serait blessée et déçue de voir que vous n'avez finalement pas changé ! Quelle ne serait pas sa tristesse si vous étiez incarcérée à la prison Saint-Lazare !

Sam le dévisagea, incrédule et horrifiée.

– Connaissez-vous cet endroit ? poursuivit le marquis. C'est là que l'on envoie les prostituées atteintes de syphilis. Alors, à moins que vous n'ayez envie d'y passer le restant de votre vie, vous feriez mieux de réfléchir à ma proposition. Céleste partie, je saurai m'occuper de vous comme il convient.

Écartant sa main, il lui tapota la joue.

– A présent, rendormez-vous, et cessez de craindre pour votre avenir. Vous pourrez continuer à vivre comme la princesse que vous êtes.

Il se pencha pour déposer un baiser sur sa bouche.

Sam recula, prête se débattre et à crier à pleins poumons, quand un coup fut frappé à la porte.

– Sam, c'est moi ! fit la voix de Céleste. Laisse-moi entrer.

Le marquis se rejeta en arrière.

– Sam, tu dors ? insista Céleste. Il faut que je te parle !

Il agrippa la jeune fille par les épaules.

– Souvenez-vous, pas un mot, ordonna-t-il en la secouant. Céleste va partir sous peu. Nous reparlerons de tout cela en temps voulu.

Ces derniers mots prononcés, il se fondit parmi les ombres nocturnes.

Comment trouver une échappatoire ? Sam se précipita vers la porte, submergée par l'angoisse. Mais Céleste, trop agitée pour remarquer le malaise de son amie, se pelotonna sur le lit sans attendre.

– Je mourais d'envie de te raconter la merveilleuse soirée que je viens de passer avec Jacques, expliqua-t-elle en soupirant d'aise. Oh, Sam ! Je l'aime tant ! Nous sommes prêts à tout pour faire accepter notre union à papa. Cela prendra sans doute du temps, mais...

Céleste poursuivit son monologue d'une voix rêveuse sans remarquer les larmes que ravalait Sam.

Pourvu qu'elles parviennent toutes deux à échapper à la folie qui fondait si rapidement sur elles ! suppliat-elle en silence.

2

Le matin suivant, Sam redoutait de descendre à la table du petit déjeuner. Elle prit tout son temps pour se vêtir afin de reculer le moment inévitable où elle devrait affronter le marquis. Difficile de se comporter comme si de rien n'était... Néanmoins, il le faudrait bien. Il était exclu d'ajouter au trouble de Céleste en lui apprenant quel monstre était en réalité son père.

De plus, songea-t-elle avec tristesse, de nombreux problèmes attendaient déjà son amie. Lorsqu'elle apprendrait l'arrivée de la lettre de Jarman, tous ses rêves s'écrouleraient. Autant éviter d'aggraver son chagrin.

Assise à sa coiffeuse, Sam considéra l'opulence qui l'entourait : le vaste lit recouvert d'une courtepointe au crochet, la causeuse Régence, la commode Louis XVI en bois précieux et l'énorme armoire courant sur la presque totalité du mur, emplie de tenues ravissantes. Elle était consciente d'avoir bénéficié d'un luxe inimaginable. Jusqu'à la soirée de la veille, où la réalité était revenue la frapper de plein fouet, elle en avait ressenti une gratitude immense.

Sam se dirigea vers la porte-fenêtre donnant sur la terrasse, qu'elle avait fermée à clé et qui resterait ainsi désormais. Tant pis s'il régnait une chaleur étouffante.

Cette journée de printemps s'annonçait magnifique, mais elle n'en avait cure, tant elle manquait d'allant.

Quelle idiote. ! Comment avait-elle pu faire preuve de tant d'arrogance et de stupidité ? Pourquoi avoir cru que cette existence de conte de fées pouvait lui être offerte sans contrepartie ? Elle n'avait écouté que sa joie, se refusant à envisager l'avenir, se satisfaisant de la bonne fortune qui l'avait arrachée à la rue.

Mais tout cela était terminé, à présent. Elle resterait au château jusqu'au départ de Céleste, et éviterait le plus possible de se trouver seule avec le marquis. Ensuite, elle s'enfuirait pour retourner se perdre dans les catacombes, où elle pourrait réfléchir à tête reposée sur ce qu'elle allait faire du reste de sa vie.

Elle finit par se forcer à descendre.

Lorsqu'elle pénétra dans la salle à manger, Céleste et son père étaient déjà installés à la table du petit déjeuner. L'immense baie vitrée donnait sur un jardin prodigieux, véritable tapis de tulipes en fleurs, mais la détresse empêcha Sam d'en apprécier la splendeur.

Céleste, perdue dans ses pensées, rêvait déjà à sa prochaine rencontre avec Jacques, prévue en fin de matinée, et ne remarqua pas l'air abattu de Sam. Antoine, quant à lui, ne semblait pas prêt à l'ignorer.

– Vous avez mauvaise mine, ma chère, remarqua-t-il. Auriez-vous mal dormi ?

– Non, je vais bien, répondit Sam en évitant son regard.

– C'est ma faute ! s'esclaffa Céleste. Je l'ai tenue éveillée jusque tard dans la nuit.

Réprimant un sourire, Antoine feignit la surprise :

– Ah, vraiment ? J'avais cru vous voir vous retirer chacune de votre côté hier soir ?

Quel hypocrite ! songea Sam.

Céleste hocha négativement la tête, inconsciente de la tension qui régnait dans la pièce.

– Non, j'ai perdu l'habitude de passer mes soirées seule.

– Eh bien, répondit-il, voilà un souci que vous n'aurez bientôt plus.

Retenant son souffle, Sam fixa la coupelle de fraises placée devant elle. Elle distinguait, avec peine, les yeux écarquillés de Céleste qui dévisageait son père.

– Que voulez-vous dire ? fit son amie d'une voix blanche.

Antoine leva sa tasse comme pour porter un toast.

– J'ai d'excellentes nouvelles à vous annoncer. Jarman est prêt à vous épouser. D'ici un mois tout au plus, vous partirez en Amérique le rejoindre.

Céleste laissa échapper sa fourchette d'entre ses doigts tremblants. Ignorant son désarroi, Antoine poursuivit :

– J'aurais préféré qu'il vienne vous chercher et que la cérémonie se déroule ici, mais il veut que ce soit vous qui le rejoigniez, ce que je peux comprendre...

Il continua d'une voix monocorde. Sam observait toujours du coin de l'œil, pleine de pitié pour Céleste. La jeune fille écouta son père puis secoua la tête, horrifiée.

– Non ! Père, vous ne pouvez pas m'obliger à cela ! explosa-t-elle.

Elle tourna la tête vers Sam, quêtant son approbation, mais celle-ci gardait les yeux baissés.

Du dos de sa cuiller, Antoine tapotait son œuf à la coque.

– Pourquoi jouez-vous les étonnées ? répondit-il presque distraitement. Vous avez eu toute la vie pour vous y préparer. Vous avez toujours su que vous épouseriez Jarman. Seigneur Dieu, c'était convenu avant même votre naissance !

– Je sais, je sais. Mais souvenez-vous de ce que répétait toujours Maman. Elle trouvait injuste que mon grand-père m'ait choisi un époux. Et nous sommes restés si longtemps sans nouvelles des Ballard... Je supposais qu'il n'était plus question de ce marché ridicule. Dites-moi que vous ne songez pas à l'honorer ! C'est moi qui devrais choisir, prendre pour mari un homme que j'aime, et...

– Céleste.

Elle se tut subitement, effondrée, luttant contre les larmes.

Antoine reposa sa cuiller et posa sa main sur celle, tremblante, de sa fille.

– Je ne permettrai pas que vous réagissiez ainsi. Et je veux que vous commenciez dès maintenant à préparer votre départ.

– Mais cela ne vous fait donc rien ? implora-t-elle, pâle comme un linge. Voici deux ans que je suis partie, et vous voulez déjà m'envoyer au loin. Qui sait si nous nous reverrons jamais ?

– Ne soyez pas ridicule. Bien sûr que cela me touche, chère enfant, et j'aurai le cœur brisé de vous voir partir, mais je n'ai pas le choix. Il est impensable de déshonorer le nom de notre famille. Absolument impossible.

– Papa, je vous en prie, ne m'obligez pas à le faire. Je ne connais même pas cet homme. Je ne serai jamais capable de l'aimer.

– Cela n'a pas la moindre d'importance. Ce qui compte, c'est de perpétuer l'honneur de notre nom en faisant votre devoir.

Céleste jeta un regard désespéré à Sam, qui était, elle aussi, émue jusqu'aux larmes, et ne pouvait que compatir de tout son cœur.

– Au moins Sam ira-t-elle avec moi, murmura misérablement Céleste.

– Oui, hélas, il semble bien que je doive perdre mes deux filles en même temps.

Sam sursauta et tourna la tête pour le dévisager. Un instant, elle se laissa aller à espérer qu'il ait dit la vérité, mais l'étincelle qu'elle lut dans le regard du marquis lui apprit qu'il n'en était rien. Non, il n'avait aucune intention de la laisser partir. Il projetait simplement de prévenir Céleste au dernier moment. Voilà ce qu'il en coûte de croire au Paradis ! se réprimanda amèrement la jeune fille.

Dès que son père fut parti, Céleste tomba dans les bras de Sam.

– J'aime Jacques. Je ne peux pas épouser un autre homme, et je ne le ferai pas. Tu dois m'aider à trouver une échappatoire !

Sam tenta en vain de trouver quelques paroles de réconfort. Elle ne détenait aucune réponse, elle qui se demandait déjà comment affronter les semaines à venir. Si elle s'écoutait, elle s'enfuirait sur le champ. Pourtant, elle ne pouvait abandonner son amie dans un moment aussi difficile.

Le cœur lourd, Sam prit conscience qu'elle n'avait personne, aucun recours. Une fois de plus, elle se retrouvait désespérément seule.

3

Durant les semaines qui suivirent, tandis que Céleste s'arrangeait pour passer autant de temps que possible auprès de Jacques, Sam s'efforça de ne jamais se trouver seule et vulnérable en présence du marquis.

Céleste et Sam feignirent souvent d'aller se promener à cheval. Dès qu'elles étaient hors de vue, Céleste rejoignait Jacques et Sam poursuivait son chemin jusqu'à ce qu'il fût l'heure de retrouver son amie. Elle passait les soirées avec elle, ou seule, enfermée dans sa chambre.

Ce fut une période malheureuse et éprouvante. Elle se demandait chaque jour comment elle parvenait à tenir. Le marquis prenait visiblement plaisir à jouer au chat et à la souris avec elle ; il avait pris l'habitude de la fixer lascivement à l'insu de Céleste, et ce message caché n'était que trop clair : il mourait d'envie d'avoir Sam pour lui seul.

Près de deux mois s'écoulèrent. Un soir, alors que les deux jeunes filles pénétraient dans la salle à manger pour dîner, elles se figèrent à la vue d'une lettre placée bien en évidence à côté de l'assiette de Céleste. Avec un cri angoissé, cette dernière se saisit du billet.

– Je n'ai aucune idée de ce que dit Jarman, énonça calmement Antoine. Il n'y a personne qui lise l'anglais dans cette maison, et je n'ai pas réussi à trouver Samantha.

Il adressa un regard de reproche à Sam. Celle-ci considéra Céleste, dont les yeux s'emplissaient de larmes au fur et à mesure qu'elle découvrait le contenu de la lettre.

– Eh bien ? s'enquit Antoine. Que dit-il ?

– Selon lui, je dois partir dès que possible.

– C'est bien ce que je pensais, et j'ai pris les devants. J'ai contacté la Compagnie générale transatlantique. Un paquebot, le *Napoléon-III*, appareille du Havre pour New York la semaine prochaine. J'organiserai les préparatifs dans la matinée.

– Papa, je vous en prie, ne m'obligez pas à cela !

– Cessez tout de suite. Je refuse de vous entendre geindre. C'est décidé.

Céleste regarda Sam avec une lueur d'espoir.

– Au moins, tu seras avec moi, murmura-t-elle.

– Non, elle n'ira pas.

– Quoi ? Mais que dites-vous ? s'écria Céleste.

– Vous ne comptez tout de même pas que je me sépare de mes deux filles ? rétorqua-t-il en feignant la surprise.

Sam crispa douloureusement les mâchoires pour ne pas exploser de rage.

Céleste dévisageait son père, stupéfaite.

– Mais enfin, que voulez-vous dire ?

Il haussa les épaules.

– Eh bien, ma chère, Samantha est devenue une véritable fille à mes yeux. J'ai pris conscience que si elle part avec vous, je n'aurai plus aucune famille. C'est donc impensable. Vous n'aurez qu'à emmener Francine.

– Francine ? Mais c'est ma femme de chambre !

Il leva un sourcil.

– Et après ? Toute jeune fille de bonne famille se doit d'en posséder une. Jarman s'attend à ce que vous arriviez avec la vôtre, et elle fait parfaitement l'affaire. Elle n'a aucune famille. Lorsque je lui ai parlé de partir avec vous, elle y était plus que disposée.

Impuissante, Sam vit Céleste se décomposer sous ses yeux. Les paroles de désespoir de la jeune fille furent à peine audibles :

– Oh Seigneur, comment pouvez-vous me faire cela, papa ?

– Allons, réprimanda gentiment Antoine en se levant pour l'entourer de ses bras, vous ne pouvez pas continuer à vous comporter ainsi, ma chérie. L'honneur de la famille est en jeu, vous devez vous soumettre.

– L'honneur est plus important que mon bonheur ?

– Le bonheur, c'est l'honneur, ma chérie, ne l'oubliez jamais. A présent, séchez vos larmes et calmez-vous. Nos invités de ce soir ne vont pas tarder à arriver, et je ne veux pas qu'ils vous voient dans cet état.

Sam était stupéfaite. Elle n'avait jamais vu le marquis recevoir qui que ce soit. Elle espérait qu'il n'avait pas eu la cruauté de célébrer le départ de sa fille !

Céleste se tamponna le nez avec sa serviette et, comme si elle avait entendu les pensées de Sam :

– Oh, ne me dites pas que vous avez prévu une fête !

– Non, non, rien de tel, expliqua-t-il en se rasseyant. Ce n'est que la marquise Églantine.

Céleste se moucha.

– Encore une séance de spiritisme ! Il ne manquait plus que cela. Une vieille folle qui tente de réveiller les morts alors que je n'ai qu'une envie : reposer au fond de la tombe !

– Assez ! ordonna Antoine en abattant un poing sur la table.

Céleste sursauta, mais Sam ne fut guère étonnée. Elle

observait la scène du coin de l'œil et avait senti venir le geste.

– A présent, vous ferez ce que je vous ordonne, conclut-il en les congédiant toutes deux d'un revers de main.

Céleste se leva comme mue par un ressort. Sam se précipita à sa suite, soucieuse de la réconforter et d'éviter un tête-à-tête avec le marquis. De plus, elle avait conçu un plan dont elle voulait s'entretenir avec Céleste, à présent qu'Antoine avait dévoilé le sien. Elle pouvait maintenant révéler qu'elle-même avait l'intention de partir. Plutôt que de fuir à l'aveuglette, elle se glisserait sur le navire en partance pour l'Amérique.

Mais Céleste n'était pas d'humeur à écouter Sam. Elle courut s'enfermer dans sa chambre, refusant de laisser entrer son amie.

– Je t'en prie, Céleste, supplia Sam à la porte, il faut que nous parlions.

– Laisse-moi tranquille, et va dire à papa que je n'assisterai pas à cette idiotie de séance.

Sam persista un moment, puis finit par renoncer. Dans sa chambre, elle trouva Francine occupée à lui préparer son lit.

Une conversation légère chasserait peut-être de son esprit les problèmes qui s'annonçaient.

– Francine, qu'est-ce qu'une séance ? s'enquit-elle en se laissant tomber sur un fauteuil.

La femme de chambre se mit en devoir de le lui expliquer :

– C'est une réunion où l'on tente d'invoquer les esprits des morts. Ceux qui y croient disent que les défunts parlent à un médium – une personne douée d'un don spécial.

– Et tu y crois, toi ?

Sur le visage rond de Francine, un grand sourire se dessina.

– Aucun risque. Le médium auquel fait appel la marquise Églantine était une amie de ma mère, alors je la connais bien. C'est truqué, mais elle a du talent. Les clients en ont pour leur argent...

Elle s'interrompit un instant.

– Sauf la Marquise Églantine, se reprit-elle sur un ton d'excuse. Cette dame me fait vraiment pitié. Cela fait près de quinze ans qu'elle essaie de communiquer avec son défunt mari, feu le marquis Dominique. Madame Félice en fait juste assez pour qu'elle croie le contact possible, mais il n'y a jamais aucune communication verbale.

– Pourquoi ?

Bien qu'elles fussent seules, Francine baissa instinctivement la voix : si quelqu'un d'autre l'entendait, les conséquences pouvaient être terribles.

– Eh bien, c'est le marquis Dominique qui a fait construire cette maison. Ce soir, c'est le vingtième anniversaire de sa mort. Il a été assassiné dans la bibliothèque, et le meurtrier court toujours. Certains disent qu'il s'agirait de l'amant jaloux d'une de ses maîtresses, ou d'un père voulant réparer l'honneur perdu de sa fille, voire d'une vengeance pour une dette de jeu. Mais tout Paris sait que la marquise refuse d'accepter ces théories. Elle se plaît à croire qu'il ne s'agissait que d'un voleur pris sur le fait par son mari.

Francine poursuivit ses explications. D'après elle, lorsque la marquise avait entendu parler de la vogue des séances de spiritisme, elle s'était intéressée au sujet, convaincue de pouvoir découvrir la vérité en communiquant avec son époux, et donc de faire définitivement taire ces horribles rumeurs.

– Elle organise toujours les séances à la bibliothèque, conclut-elle, parce qu'elle pense que l'esprit a pu y rester prisonnier, pris entre ici-bas et l'au-delà et tourmenté que l'on ignore la vérité.

– Je suis surprise que le marquis la laisse faire, fit Sam, pleine de pitié pour cette pauvre veuve.

– C'est qu'il n'a pas le choix ! C'était l'une des conditions qu'elle avait posées à la vente de cette demeure. Mais attendez, il y a mieux ! – Francine se pencha, le regard brillant – J'ai discuté avec madame Félice lorsqu'elle est passée hier tout préparer pour ce soir, et elle m'a confié que le marquis veut que ce soit la dernière fois. A elle de trouver un moyen ! Ce qui signifie que les circonstances du meurtre seront révélées par le marquis Dominique ce soir. Ainsi, la marquise sera satisfaite... Je meurs d'envie de savoir ce qui va se passer. Je voudrais tant que Céleste et vous me racontiez tout dès que ce sera fini !

– Céleste n'ira pas.

Francine applaudit des deux mains.

– Merveilleux ! Je peux donc prendre sa place !

– Ah, si tu pouvais me remplacer moi aussi !

– Pourquoi ? Vous ne supportez pas l'idée d'avoir à tenir la main du marquis ?

Sam la regarda, stupéfaite.

– Eh oui, je sais ce qui se passe, expliqua Francine sur un ton compatissant. Les autres serviteurs aussi. Nous ne sommes pas aveugles, et nous voyons bien que vous faites tout pour l'éviter. Et je sais aussi que c'est vous que mademoiselle Céleste veut emmener avec elle en Amérique. Ah, madame, je vous plains de tout mon cœur.

– Bah, il doit bien y avoir un moyen de s'en sortir, répondit Sam avec plus d'assurance qu'elle n'en ressentait vraiment. Il le faut.

Antoine se montra mécontent d'apprendre que sa fille refusait d'assister à la séance, mais il permit à Francine de prendre sa place. Lui-même avait hâte d'en finir avec cette soirée.

Tous les participants se rassemblèrent dans la bibliothèque. On avait disposé au centre un guéridon couvert d'un drap blanc et six chaises. La pièce n'était éclairée que par la lueur d'une chandelle. Sam renâcla intérieurement en sentant le marquis l'agripper par l'épaule pour l'inviter à s'asseoir à côté de lui.

– Celle qui est habillée en blanc, c'est madame Félice, expliqua Francine tandis qu'Antoine accueillait les invités. La vieille dame à côté d'elle, c'est la marquise Églantine, et la troisième, c'est juste une amie.

Sam remarqua les vêtements noirs de la marquise.

– Elle porte donc encore le deuil ?

– Oui, et elle a promis de continuer tant qu'elle n'aura pas élucidé le meurtre de son mari.

– Eh bien, qu'elle attende encore un peu et elle pourra lui poser directement la question, ironisa Sam sur un ton désabusé.

Francine s'esclaffa.

– A mon avis, elle doit penser qu'elle ne se retrouvera pas au même endroit que lui !

Malgré ses préoccupations, Sam ne put s'empêcher de rire à son tour. Pour toute réaction, les autres les dévisagèrent froidement. Le marquis ne se donna pas la peine de présenter les deux jeunes filles, mais Sam n'en avait cure. Elle s'intéressa à ce qui se passait, heureuse que la marquise leur demande de s'asseoir et de se prendre tous par la main. Bien qu'elle détestât la moiteur des doigts du marquis, la sensation était largement préférable à celle de sa main sous la table.

Elle sursauta, entendant soudain le son étrange d'un violon résonner en dehors de la pièce.

– La musique des sphères, murmura la marquise avec un sourire.

Francine se pencha en avant, chuchotant :

– N'ayez pas peur. Cela fait partie de la mise en scène.

Sam répondit à voix basse qu'elle s'en doutait.

– Silence ! ordonna madame Félice. Que chacun ferme les yeux.

Lorsque ses exigences furent satisfaites, la femme se mit à ânonner ; les minutes qui suivirent passèrent, bercées par ces étranges incantations. Sam, qui commençait à s'ennuyer ferme, risqua un coup d'œil rapide en direction de la marquise. La tête de la dame dodelinait en arrière comme sous l'effet d'une transe.

Antoine serra la main de Sam avec brusquerie pour la châtier de n'avoir pas les yeux fermés. Elle fit une rapide grimace à son attention. Il ne l'aurait jamais remarqué, si lui-même avait respecté la règle !

Un bruit étrange lui parvint, qui semblait provenir de dessous la table. Elle se raidit.

– Elle fait craquer ses orteils, chuchota Francine en se penchant dans sa direction. C'est un truc vieux comme le monde.

– Nous entendez-vous ? demanda soudain la voix aiguë de madame Félice.

Sam sentit passer un souffle. La bougie s'éteignit, et la pièce fut plongée dans l'obscurité.

– Est-ce vous, marquis Dominique ? demanda madame Félice. Manifestez-vous, je vous en prie.

Sam réprima le fou rire qu'elle sentait monter. A son côté, Francine tentait elle aussi de garder son sérieux. Plus que la respiration hachée de la marquise, c'était le ronflement régulier de sa compagne qui avait failli déclencher leur hilarité. Sur ces entrefaites, une voix retentit directement derrière elles, chassant leur bonne humeur :

– Je suis ici...

La marquise poussa un léger cri ; Madame Félice lui intima l'ordre de rester silencieuse si elle ne voulait pas effaroucher l'esprit.

– Ce soir, je ne partirai pas sans avoir dit la vérité.

– Mon Dieu ! s'écria la marquise, ignorant les recommandations du médium. Oh, cher époux, combien j'ai attendu ce moment !

– Silence ! siffla Madame Félice, agacée. C'est à moi qu'il répondra, et à personne d'autre.

Sam était fascinée. Bien calée sur son siège, ses yeux s'accoutumant à l'obscurité, elle vit effectivement s'élever une forme fantomatique, une ombre blanche qui survola lentement la table.

La musique se mit à jouer plus fort. Francine observait elle aussi. Soucieuse de communiquer ce qu'elle savait, elle se pencha une fois de plus vers Céleste, chuchotant :

– Il y a un homme sous le drap, et il le soulève à l'aide d'un bâton pour donner l'illusion de quelque chose qui flotte.

– Racontez-nous, pressait madame Félice avec des accents suppliants – si elle était devenue l'un des meilleurs médiums de Paris, c'est que les dons d'actrice ne lui faisaient pas défaut. Pourquoi vous a-t-on assassiné ? Qui vous a ôté la vie, et pourquoi ?

La marquise eut un petit gémissement.

– Je vous en prie, mon bien-aimé, dites qu'il n'en est rien ! implora-t-elle. Dites qu'il ne s'agissait pas d'un mari jaloux ! Je marche la tête basse depuis des années, car votre mémoire a été souillée. Dites-nous...

– Il ne répondra qu'à moi, répéta madame Félice sur le ton de l'impatience la plus glacée.

Il était crucial qu'elle conservât une maîtrise absolue du déroulement de la séance, faute de quoi sa cliente, à bout de nerfs, risquait de tout gâcher en sautant de sa chaise pour s'emparer du drap.

– Racontez-moi, marquis Dominique. Dites-moi pour quelle raison on vous a ôté la vie.

– C'est très simple, fut la réponse. Un voleur. Je l'ai pris sur le fait. Je ne pense pas qu'il ait eu l'intention de me tuer. Il a eu peur. Ainsi donc, ni souillure, ni honte à avoir. Je regrette simplement que vos pouvoirs n'aient pas été assez forts pour m'atteindre plus tôt. Les souffrances de mon épouse bien-aimée auraient pu prendre fin bien avant.

Le « fantôme » disparut aussi vite qu'il était venu. La marquise poussa un soupir de soulagement, puis s'évanouit.

Dès qu'elles le purent, Sam et Francine se précipitèrent hors de la bibliothèque, courant d'une seule traite jusqu'à la chambre de la jeune fille où elles s'écroulèrent, laissant enfin libre cours à leur hilarité.

– Elle a été excellente, admit Sam. Si tu ne m'avais pas prévenue, j'aurais pu y croire.

– Oh, mais ce n'était rien ! Attendez que je vous dise tous les trucs qu'utilise Madame.

Captivée, Sam l'écouta expliquer les nombreux artifices employés pour faire croire que l'on communiquait avec les morts. Francine lui expliqua également que les clubs de ce genre, appelés « cercles spirites », se multipliaient un peu partout sous l'égide d'une certaine madame Hayden, le médium américain à l'origine du mouvement.

– Mais il faut aussi voir que ça rend les gens heureux, poursuivit la femme de chambre. La marquise l'était, ce soir, et...

Elle se tut ; toutes deux se raidirent : quelqu'un frappait à la porte.

– Pourvu que ce ne soit pas le marquis ! laissa échapper Sam.

– Sam ! Laisse-moi entrer !

– Céleste ! lâchèrent d'une même voix soulagée Sam et Francine.

La femme de chambre se leva d'un bond pour aller ouvrir la porte.

– Laisse-nous, ordonna rudement Céleste.

Elle traversa la pièce pour s'effondrer aux pieds de Sam. Son désespoir se lisait sur son visage.

– Seigneur, Céleste, mais qu'y a-t-il ?

Son amie lui saisit les mains pour les presser entre les siennes.

– Il faut que tu m'aides. Il n'y a pas d'autre moyen.

Sam sentit son cœur s'envoler vers elle.

– Je ferai tout ce qui est en mon pouvoir, tu le sais.

– Oh, Sam, si tu refuses, c'en est fait de ma vie !

La perplexité de Sam allait grandissant.

– Dis-moi donc ce que tu veux de moi. Tu sais que je ferai tout ce qui m'est possible.

Céleste prit une profonde inspiration, puis, murmura sur un ton misérable :

– J'attends un bébé de Jacques. Nous ne l'avons pas cherché, mais c'est arrivé, nous nous aimons tant... Si tu refuses de m'aider, Sam, je te le jure, je n'aurai d'autre issue que la mort... Je veux que tu ailles en Amérique à ma place.

4

Leavenworth (Kansas)

Le crâne de Paul Ramsey l'élançait tel un tambour menant les fantassins à la bataille. Il se força à garder les paupières closes dans l'espoir de chasser le martèlement, puis se mit à jurer.

A ses côtés, une femme remua. Il ne se souvenait pas de son nom, et les relents des effusions de la veille avaient le même arrière-goût que celui du whisky dans sa bouche. Il tâta sous l'oreiller pour vérifier la présence de son arme, puis observa la femme qui se levait, enfilait une robe de chambre et se dirigeait à pas feutrés vers la porte. Elle l'ouvrit, poussa un cri de terreur et sauta en arrière.

Oubliant sa nudité, Paul se leva d'un bond. Il avait instinctivement brandi son revolver, et au moment même où il l'armait, il reconnut Aigle Intrépide.

– Bon sang ! Voilà comment on se fait tirer dessus ! s'exclama-t-il en reposant l'arme.

L'Indien éclata de rire.

– Parce que je frappe à ta porte à midi ? prononça-t-il en kansa [1], sa langue maternelle. Et dis de ma part

---

1. Kansa, ou Kaws : Tribu d'Indiens des Plaines du centre des États-Unis, nomades et chasseurs, vivant à cette époque du commerce des peaux. (N.d.T.)

à cette femme que je n'avais pas l'intention de lui faire peur.

Paul lui répondit dans la même langue, qu'il connaissait aussi bien que sa langue maternelle.

– N'importe qui aurait eu peur.

Aigle Intrépide avait tout de menaçant, en apparence : sa taille immense, son visage d'oiseau de proie, ses yeux perçants, presque noirs, et son crâne entièrement rasé, mis à part une longue mèche qui retombait sur ses épaules massives. Il était torse nu, seulement vêtu d'un pagne et de jambières en peau de daim. Comme le voulait la coutume Kansa, il s'épilait également le torse et le visage.

Paul tendit la main vers son pantalon.

– Comment as-tu deviné où me trouver ?

– Je sais ce genre de choses.

Aigle Intrépide disait la vérité. Il allait et venait comme une ombre.

– Eh bien, merci de m'avoir réveillé. Je suis censé être au fort à une heure.

– Je sais. C'est aujourd'hui que l'on va te dire si tu es nommé agent des affaires indiennes.

– Peut-être.

La femme les avait regardés tour à tour converser dans cette langue gutturale dont elle ne comprenait pas un traître mot.

– Eh, t'es un sang-mêlé, ou quoi ? s'enquit-elle finalement en se tournant vers Paul. On a passé une bonne nuit et tu m'as bien payée, mais je ne fais pas ça avec des Peaux-Rouges, t'entends ?

Paul ne prit pas la peine de répondre. Ainsi qu'elle l'avait dit, il l'avait généreusement rémunérée. Il ne lui devait aucune explication. Il s'empressa de partir, sachant qu'il ne reviendrait pas.

Aigle Intrépide l'attendait dehors avec son cheval. A l'expression de son regard, Paul comprit que le guerrier n'était pas seulement venu lui rappeler son rendez-vous. Il ne mit pas longtemps à découvrir de quoi il retournait.

– Je crois avoir trouvé le moyen de venger Petite Fauvette.

La sœur d'Aigle Intrépide avait été violée par des soldats ivres, et Paul en gardait un souvenir cuisant. Incapable de supporter cette honte, la jeune fille s'était suicidée. Le capitaine Ballard avait couvert ses hommes, les transférant loin du territoire indien. Les coupables étaient restés impunis, et depuis lors, le peuple de Petite Fauvette n'avait eu de cesse de laver l'affront.

– Dis-moi comment, pressa Paul, assombri, car lui aussi criait vengeance.

Aigle Intrépide se mit en devoir de le lui expliquer.

Personne au fort ne savait que son ami était le frère de Petite Fauvette. Il n'était à leurs yeux qu'un éclaireur indien qui ne parlait pas bien l'anglais et le comprenait encore moins. Les soldats s'exprimaient librement devant lui, et il faisait semblant de ne rien saisir. Ce matin-là, il avait découvert que la fiancée du capitaine Ballard arriverait bientôt de France.

– Mais nous emparerons d'elle avant qu'elle parvienne au fort, conclut-il sur un ton féroce, le regard animé d'éclairs.

– Pour la faire souffrir autant que Petite Fauvette ? Non, ami. Nous ne pouvons agir ainsi.

– Ce n'est pas tout à fait ce que j'avais en tête.

Paul haussa un sourcil.

– Quoi donc, dans ce cas ?

– Si les Indiens lui prennent sa promise, Ballard se tourmentera en croyant que nous lui faisons subir le pire. N'oublie pas qu'il est fier et arrogant. Il n'aimera pas que l'on colporte partout que sa femme a été enlevée, surtout par les Indiens qu'il déteste. Plus tard, quand nous la laisserons repartir, elle lui dira qu'il ne lui est rien arrivé, mais cela n'aura plus d'importance. Il aura souffert.

Paul trouva l'idée plaisante. Aigle Intrépide poursuivit ses explications, assurant qu'il saurait découvrir la date exacte de l'arrivée de la femme.

Une poignée de main à l'indienne, avant-bras contre avant-bras en symbole d'unité, scella leur pacte. Ils enlèveraient cette femme.

Ils traversaient les faubourgs de la ville. Paul talonna sa monture, la lançant au galop. Sous le vent de la course, ses longs cheveux bruns lui fouettaient le visage. La chaleur du soleil brûlait son dos nu. Il n'avait pas une goutte de sang indien, mais sa peau était cuivrée, et avec ses muscles durs et fermes, il était aussi fort que le plus puissant des guerriers.

Il se sentait bien ce matin-là, à chevaucher ainsi en compagnie de son frère de sang. Quelque chose lui disait que les dieux lui souriraient peut-être, s'il était nommé agent aux affaires indiennes, il pourrait enfin mener à bien la tâche entamée par son père. L'heure de la revanche allait bientôt sonner !

Puis il songea à la fiancée de Ballard, victime annoncée d'une violence imméritée. Bah, songea Paul, une femme capable de promettre sa main à ce porc ne méritait pas même d'inspirer la pitié.

Qu'il en soit ainsi.

*

Paul arriva à l'heure, mais on le fit attendre. Basculant en arrière sur son siège, il cala ses bottes sur le rebord du bureau et réfléchit une nouvelle fois à l'attitude à adopter envers Ballard. Celui-ci avait apparemment tout fait pour saboter leur rendez-vous. Ce qui n'inquiétait pas Paul outre mesure. Après tout, il avait obtenu la recommandation personnelle des généraux Grant,

Sherman et Sheridan, et même si ses exploits en tant qu'officier de cavalerie durant la guerre n'étaient pas devenus légendaires, il connaissait bien les Indiens, suffisamment pour persuader quiconque de ses capacités à devenir agent fédéral.

En 1850, son père, Stewart Ramsey, avait été nommé à ce poste auprès des Kansas, et était parti vivre dans leur réserve de Council Grove. Paul n'ayant que neuf ans à la mort de sa mère, des membres de sa famille avaient voulu l'adopter, disant que son père était fou de le faire vivre parmi des sauvages assoiffés de sang. Stewart Ramsey avait tenu bon, bien décidé à ce qu'ils restent ensemble. Il était devenu par la suite l'un des agents indiens les plus respectés.

Paul s'était accoutumé à cette vie, se faisant des amis dans la tribu. Il était devenu particulièrement proche d'un garçon de son âge, nommé Tinook à l'époque, ainsi que de la sœur de ce dernier, Petite Fauvette. Le dévouement de Paul envers elle avait amené le conseil tribal à l'inviter à participer aux rites de puberté, qui lui avaient conféré le rang de brave.

Un jour, alors que Paul avait presque douze ans, un serpent à sonnettes était sur le point d'attaquer Petite Fauvette, mais Paul, faisant écran de son corps, avait été piqué à sa place. On était au printemps, et le serpent regorgeait de venin mortel. Paul avait oscillé plusieurs jours entre la vie et la mort.

Impressionné par son courage, le conseil l'avait alors défié de se joindre à Tinook pour la quête de visions[2]. Paul avait accepté avec la bénédiction de son père.

---

2. Quête de protecteur spirituel, au cours de laquelle le jeune homme, nu ou peint d'argile blanche, s'isole afin que les esprits lui accordent une vision. Pour cela, il est souvent amené à se trancher l'articulation d'un doigt ou à offrir en sacrifice un morceau de sa chair (N.d.T.).

Les deux jeunes gens s'étaient isolés dix jours dans la nature sauvage. Ils avaient mangé des champignons magiques, rêvé de conversations avec les esprits mystérieux connus sous le nom de wakan. Puis, la dernière nuit, ils s'étaient chacun entaillé l'avant-bras, laissant se mêler leurs sangs en gage de fraternité éternelle.

Lorsqu'ils étaient retournés à la réserve, Stewart Ramsey se tenait fièrement auprès des chefs pour la cérémonie de virilité. Tinook prit le nom d'Aigle Intrépide, car il avait vu le puissant rapace à plusieurs reprises durant ses hallucinations. Et lorsqu'il décrivit la danse folle de Paul durant sa transe, ses longs cheveux noirs flottant autour de lui dans le vent, les sachems décidèrent de baptiser Paul Esprit Sauvage, et de le faire membre de la tribu Kansa.

Les années avaient passé trop vite dans la réserve. La vie y avait été agréable, jusqu'au moment où Paul se découvrit amoureux de Petite Fauvette. La jeune femme était aussi belle que l'arc-en-ciel après une pluie d'été. Il suffisait que celle-ci le regarde de ses doux yeux noisette pour qu'il dépose son cœur à ses pieds. Mais elle avait été promise à un autre, et Paul n'allait pas se risquer à défier les coutumes de son peuple d'adoption. Il n'avait pu que souffrir en silence, même si Aigle Intrépide avait deviné ses sentiments.

Lorsque la guerre de Sécession avait éclaté, Paul avait rejoint l'armée de l'Union. Mobilisé dans la cavalerie, il avait été séparé d'Aigle Intrépide. Ils ne s'étaient brièvement retrouvés que lors des obsèques du père de Paul durant la dernière année de la guerre.

A la fin des hostilités, Paul, désormais sans foyer, s'était porté volontaire pour faire partie des régiments pourchassant le général confédéré Joseph Shelby et sa troupe d'un millier d'hommes, en fuite au Mexique depuis les ultimes jours de la guerre. Les Rebelles avaient proposé à l'Empereur Maximilien de former une sorte de légion étrangère. Celui-ci avait décliné leur offre. Il leur avait offert, en revanche, de s'installer dans un vaste territoire aux environs de Véra Cruz. Beaucoup d'entre eux avaient accepté, et Paul avait été tenté de faire de même, mais lorsqu'il avait appris la mort de Petite Fauvette, il était rentré en hâte, le cœur gros, pour découvrir la triste vérité.

L'histoire était tragique. Et lorsqu'Aigle Intrépide eut terminé son récit, Paul se montra si enragé qu'il écrasa son poing sur un arbre tout proche, si fort qu'on entendit craquer ses os.

Petite Fauvette, mariée depuis peu, était occupée à cueillir des fleurs sauvages lorsqu'était arrivé un groupe de soldats avinés. Il n'y avait personne alentour pour l'entendre crier car elle s'était trop éloignée de la réserve. Lorsqu'on l'avait découverte, violée à de multiples reprises, le conseil tribal était allé au fort exiger que justice soit faite.

Mais de justice il n'y eut point, car l'officier chargé de l'enquête déclara que faute de preuves et de témoins, il serait totalement impossible d'identifier les responsables. L'affaire, instruite trop rapidement, avait été enterrée.

Se sentant déshonorée et disgraciée aux yeux de son peuple, Petite Fauvette s'était planté un coutelas dans le cœur. Et quelques jours plus tard, son mari, Cerf Qui Court, avait fait de même.

Paul n'oublierait jamais la jeune femme, pas plus que l'officier chargé de l'enquête, qui n'était autre que Jarman Ballard. Durant la guerre déjà, bien que tous deux aient combattu du même côté, leurs quelques rencontres s'étaient soldées par des affrontements. Paul considérait désormais Ballard comme son ennemi personnel...

La porte s'ouvrit et une voix aboya, sans lui laisser le temps de se retourner :

– Retirez vos pieds de cette table, Ramsey !

Jarman Ballard traversa la pièce pour se placer derrière le bureau. Il enleva ses gants blancs méthodiquement, un doigt après l'autre, un sourire suffisant plaqué sur les lèvres.

Paul ôta ses pieds mais ne se leva pas, contrairement à ce qu'il aurait fait en signe de respect pour un autre officier.

– On m'a dit que le commandant du fort voulait me voir, lâcha-t-il sèchement. Ne me dites pas que l'armée n'a trouvé personne d'autre à qui confier ce poste.

– Je ne tolérerai aucun irrespect de votre part, Ramsey, répliqua vertement Jarman. Et pour votre information, c'est moi qui commande ce fort. Le commandant en chef est le général Schofield, mais le quartier général a été temporairement transféré à Saint-Louis afin d'accueillir le septième régiment de Cavalerie, qui vient prendre ici ses quartiers d'hiver. Dans l'intervalle, en ma qualité d'administrateur, c'est moi qui vais examiner votre requête.

Muet et impavide, Paul observa Jarman qui s'assit et se mit à feuilleter un dossier. Avec ses boucles blondes, ses yeux aux longs cils épais et ses traits délicats, ce Ballard était vraiment trop joli pour être un homme. Et si ce salaud, ce complice des violeurs, avait trouvé le moyen de saboter leur rendez-vous, Paul se contenterait de porter sa requête auprès d'une autorité supérieure. Plutôt mourir que de s'excuser.

– Ainsi, vous voulez partir vivre parmi les sauvages. Quelle bonne idée. Je vous ai vu sur le champ de bataille, vous vocifériez comme un beau diable et chargiez l'ennemi à mains nues. Certains vous tenaient pour courageux, mais je savais déjà ce que vous étiez : un sauvage, comme les Peaux-Rouges qui vous ont élevé. J'imagine qu'il est naturel que vous vouliez maintenant les rejoindre.

– Cela vaut mieux que vivre parmi des lâches.

Jarman serra les mâchoires.

– Je ne vais pas débattre avec vous de la nécessité de rester à l'arrière lorsqu'on est officier. Son chef mort, le régiment se ferait décimer.

– Commander à ses hommes de l'arrière n'a rien à voir avec le fait de tourner casaque et de s'enfuir lorsque le combat fait rage, Ballard. Hélas, tous ceux qui auraient pu contester vos talents de meneur d'hommes sont restés sur le champ de bataille... Venons-en plutôt à ce qui m'amène ici.

Jarman eut envie de le frapper, mais il se força à garder son calme.

– Vous avez obtenu une entrevue, mais je tiens à vous dire que j'y étais opposé.

– Je n'en attendais pas moins de vous.

– Je ne vous aime pas, Ramsey. J'aurais mieux fait de vous faire pendre quand j'en ai eu l'occasion.

Un sourire sans joie vint se peindre sur les lèvres de Paul.

– Vous n'aviez pas le choix, et vous le savez fort bien. Bon, allez-vous m'expliquer de quoi il retourne, ou dois-je me rendre à Saint-Louis pour me l'entendre dire par Schofield en personne ?

Jarman était prêt à tout pour éviter cela. Il poursuivit, railleur :

– Ma foi, je suis ravi de vous informer qu'il ne s'agit pas du poste que vous espériez. Vous ne vous prélasserez pas dans une seule et même réserve. On va vous lâcher seul dans ces contrées sauvages. Vous aurez pour mission d'arrêter ceux qui enfreignent la loi en matière d'affaires indiennes. Vous vous ferez peut-être tuer. Ce qui ne serait pas pour me déplaire.

Paul le laissa jubiler. Il n'était pas prêt à révéler que l'endroit où on l'assignait lui importait peu tant qu'il était utile aux Indiens. Et il savourait d'avance la vengeance imaginée par Aigle Intrépide, qui mettrait Ballard au supplice pour un bon moment.

– Dites-moi, Ramsey, continua Jarman, méprisant, comment se fait-il que vous soyiez candidat un poste qui ne rapporte que quinze cents dollars par an ? Piètre rétribution si l'on considère que l'on a affaire à des gens qui vivent comme des bêtes, et que l'on doit pister les contrebandiers qui les ont trompés ou leur ont vendu du whisky. Il y a peut-être des avantages cachés ? Peut-être songez-vous à tout l'argent qu'il y a à gagner à vendre des biens gouvernementaux qui appartiennent en réalité aux Indiens ? Il semble qu'il existe de nombreux agents malhonnêtes. C'est peut-être pourquoi votre père aimait tant son travail ?

Paul eut un mouvement si vif que Jarman ne le vit pas venir. Il se pencha sur le bureau pour saisir l'officier au collet et le hisser d'une main hors de son siège.

– Mon père était l'un des agents les plus respectés du Nebraska, et vous le savez ! Vous tentez juste de me mettre hors de moi, ce à quoi vous réussissez avec brio. Alors si vous voulez conserver votre scalp et vos jolies boucles dorées, laissez tomber ! Compris ?

Jarman avait les yeux qui lui sortaient des orbites. Avalant avec difficulté, il hocha plusieurs fois la tête. Paul le lâcha. Pantelant, Jarman se prit la gorge d'une main et se plia en deux pour tousser.

Paul sortit sans se retourner.

Aigle Intrépide attendait non loin du fort. Lorsqu'il était devenu éclaireur, Paul et lui avaient décidé d'un commun accord de cacher leur amitié. Cela permettait au Kansa de continuer à glaner des informations, et la nomination de Ballard était venue démontrer une fois de plus la justesse de leur choix. Mieux valait que ce dernier ignore qu'ils étaient de mèche.

– Alors, as-tu obtenu le poste ? s'enquit immédiatement son ami.

Paul lui raconta l'entrevue, ajoutant :

– Je pense que ça va me plaire de poursuivre les salauds qui s'attaquent aux Indiens. Je me souviens que mon père disait qu'il aimerait leur faire passer un sale quart d'heure. J'en aurai enfin l'occasion.

– Qu'il en soit ainsi. Maintenant, nous pouvons passer à notre plan pour apaiser l'esprit de Petite Fauvette, même si nous ne pouvons pas venger sa mort comme elle l'aurait voulu.

– Mais nous devons faire en sorte qu'il n'arrive rien à la femme, rappela Paul.

Aigle Intrépide acquiesça sombrement.

– Tu crains que les jeunes braves ne se laissent tenter ?

– Tout à fait. A moins qu'elle soit assez laide pour faire perdre ses cornes à un bouc.

– Il faudra alors que tu te charges de la garder. Je ne peux pas rester longtemps absent du fort, surtout si on me demande d'emmener des patrouilles à sa recherche en territoire indien. Mais que se passera-t-il ensuite si elle leur donne ta description ? Les Indiens n'ont pas les yeux bleus. Quand Ballard se rendra compte qu'il s'agit d'une vengeance, ce qui finira bien par arriver, il se souviendra que Petite Fauvette était une Kansa et que tu es un ami de notre tribu.

– Je mettrai des peintures de guerre. Quant à mes yeux, faisons-lui croire que je suis un sang-mêlé.

– Il y a aussi tes cheveux !

Aigle Intrépide scrutait les longues boucles de Paul, noires comme l'aile du corbeau.

– Je les tresserai. Avec la peinture que j'aurai sur le visage, elle ne pourra jamais m'identifier, même si nous nous rencontrons par la suite, ce dont je doute. Crois-tu qu'il te sera difficile de découvrir la date exacte de son arrivée ?

– Non. Je n'aurai qu'à ouvrir les yeux et tendre l'oreille. Au fait, elle s'appelle Céleste de Manca.

– Eh bien, cela ne me réjouit pas d'avoir à passer autant de temps en compagnie d'une femme capable de s'éprendre de ce couard de Ballard, mais ce sera une grande joie de le voir se lamenter.

– Bah, ironisa Aigle Intrépide, elle ne sera peut-être pas laide au point de faire tomber les cornes du bouc. Ce sera peut-être plus agréable que tu ne penses.

– Pour conserver ses cornes, le bouc devra s'enfuir, crois-moi ! s'esclaffa Paul. Et ça, le gardien ne peut pas le faire !

5

Il n'y avait pas d'autre moyen, Sam le savait.

Prendre la place de Céleste était l'unique solution qui leur permettrait de régler leurs problèmes respectifs. Dans le cas contraire, privée d'argent, de famille et d'amis, elle-même serait forcée de s'enfuir et de se débrouiller seule. Si elle acceptait d'aider Céleste, la chance lui serait donnée de commencer une nouvelle vie, tandis que son amie pourrait épouser le père de son enfant.

De nombreuses questions demeuraient. Tout d'abord, qu'allait-il advenir de Céleste et de Jacques ? Si le marquis découvrait le stratagème, il y avait fort à parier qu'il écrirait à Jarman pour lui en faire part, ce qui causerait de gros ennuis à Sam.

– Aucun risque, s'était empressée de répondre Céleste. Nous avons décidé d'aller nous établir en Angleterre. Jacques y a de la famille. Je n'ai d'ailleurs aucune intention de revenir en France, précisa-t-elle d'un ton amer. Mon père se moquera bien de n'avoir aucune nouvelle. J'ai été stupide de croire qu'il pouvait m'aimer.

Sam n'était pas non plus très enthousiaste à l'idée d'épouser un inconnu, et elle en fit part à Céleste, mais celle-ci chassa son angoisse.

– Il est de bonne famille, et il saura certainement subvenir à tes besoins et prendre soin de toi. Qui sait, tu te mettras peut-être même à l'aimer.

Sam doutait que ce fût le moins du monde possible. L'idée lui semblait étrange.

– Cela arrive souvent, tu sais, tu l'as dit toi-même. Ne t'inquiète pas, Sam. Tu seras heureuse... Mais tu vas me manquer.

Ces derniers mots étaient empreints d'un brin de tristesse.

Juste un brin. Sam la savait béate de bonheur à l'idée d'épouser Jacques ; rien d'autre ne comptait aux yeux de Céleste.

La veille du départ, cette dernière lui expliqua le plan en détail. Au réveil, elle devait feindre d'être souffrante, afin de ne pas avoir à les accompagner à l'embarcadère. Une fois Céleste, son père et Francine partis, Jacques la conduirait à bride abattue jusqu'au ponton, où elle monterait à bord du bateau qui emmenait Céleste au Havre, sous prétexte de souhaiter bon voyage à une amie. Elle se cacherait jusqu'au départ. Ce n'est qu'ensuite qu'elle se substituerait à Céleste et gagnerait la cabine attribuée à la jeune fille.

Dans l'intervalle, cette dernière devrait faire ses adieux à son père, et obtenir qu'il quitte le bord assez vite pour pouvoir descendre à terre en catimini afin de s'enfuir avec Jacques. Lorsque le marquis rentrerait chez lui, il trouverait un billet de Sam expliquant qu'elle ne pouvait supporter de rester séparée de Céleste et qu'elle allait trouver refuge auprès d'un parent éloigné à Grenoble. Aucun détail ne permettrait à Antoine de deviner leur stratagème.

Sam acquiesça, omettant de préciser qu'elle n'avait pas la moindre intention de laisser un tel mot. Le marquis comprendrait les raisons de sa disparition. Il supposerait qu'elle s'était enfuie pour lui échapper. Elle était secrètement ravie du tour qu'elle lui jouait, et de sa colère prévisible.

– Oh, il sera fâché un moment, admit Céleste. Ensuite, il aura ses femmes pour lui tenir compagnie.

Elles croyaient avoir songé à tout. Cependant, au dernier moment, deux événements vinrent bouleverser le plan soigneusement mis au point.

La première surprise fut que le marquis avait renoncé à accompagner sa fille.

– Tout compte fait, j'ai décidé de ne pas venir avec vous, expliqua-t-il en déposant un froid baiser sur la joue de Céleste, assise dans la calèche avec Francine. Je préfère vous dire au revoir ici. Alors, bon voyage, ma chérie, et soyez heureuse. Je promets d'essayer de vous rendre visite un jour, à moins que Jarman et vous ne veniez me voir dans quelque temps.

Céleste dissimula sa satisfaction devant ce changement de dernière minute, croyant que leur subterfuge n'en serait que facilité. Elle joua la déception :

– Mais, papa... Il n'y aura donc personne pour aller avec moi ? – Elle jeta un regard alentour – Et où est Sam ? Je sais qu'elle ne se sent pas bien, mais elle avait promis de sortir me dire au revoir.

C'est alors que survint la seconde surprise, beaucoup moins plaisante que la première. En écoutant parler son père, Céleste pâlit. Même Francine, au fait du plan des deux jeunes filles, en fut éberluée.

– En réalité, Samantha n'est pas vraiment malade, répondit Antoine. Il s'agissait d'une excuse car elle déteste les adieux autant que moi. Elle se prépare. Je lui ai dit que je l'emmènerais faire des courses afin de l'égayer un peu. Allez, à présent. – Il fit signe au cocher. – Le bateau part dans une heure, et vous serez au Havre dans la matinée.

Le cocher tira sur les rênes, lançant l'attelage. Céleste, éperdue, vit s'éloigner le château. Elle ne pouvait rien faire, hormis prier pour que Jacques sorte Sam de là et l'amène à temps au port.

Pendant ce temps, son ami s'efforçait de voir ce qui se passait à travers les portes-fenêtres verrouillées, mais elle ne distinguait que le haut de la calèche.

– Maudit soit-il ! explosa-t-elle, serrant les poings de rage en faisant les cent pas dans la pièce. Qu'il finisse en enfer !

Le marquis n'avait pas soupçonné ce qui se tramait, elle en était certaine. Cependant, se doutant qu'elle s'enfuirait dès le départ de Céleste, il l'avait enfermée à double tour dans sa chambre. Elle fut submergée par la crainte. Il viendrait sans aucun doute réclamer par la force ce qu'il considérait comme son dû. Jusque-là, il avait craint que sa fille ne découvre tout, mais quelle importance, à présent, si on l'entendait crier ? Personne ne l'aiderait.

Sam ne s'était jamais sentie aussi vulnérable.

*

Jacques observait la scène, dissimulé derrière la porte des écuries. Il tenait par la bride deux chevaux sellés. Il attendait que Sam, comme prévu, fasse des adieux larmoyants à Céleste, puis feigne de rentrer au château. Au dernier moment, elle devait bifurquer pour le rejoindre aux écuries, ce qui leur permettrait de suivre l'attelage en coupant par les bois.

Mais quelque chose n'allait pas. Pas du tout.

Visiblement, le marquis ne se rendait plus au port ; quant à Sam, elle restait invisible. Jacques, songeur, se mordilla la lèvre inférieure. La calèche s'éloignait vers la route menant à la Seine. Il n'y avait plus une minute à perdre. Sam et lui devaient partir au plus vite.

Il se précipita vers les communs, où sa mère travaillait dans la buanderie. Elle était occupée à repasser des nappes. Elle leva la tête, surprise de le voir surgir ainsi, l'air aussi égaré. Il expliqua qu'il devait trouver mademoiselle Samantha.

Aveline Onfroi avait beau soupçonner depuis un moment que Jacques s'était épris de la fille du marquis, elle ne s'en était ouvert à personne, espérant se tromper. L'annonce du départ et du prochain mariage de Céleste avait représenté un soulagement pour la vieille femme. Apprendre que son fils convoitait en réalité Samantha acheva de la rassurer. Elle ne manqua pas cependant de lui faire remarquer qu'il devait rester discret, car leur idylle pourrait fort bien déplaire au marquis... et, fit-elle remarquer, « les petites gens devaient savoir rester à leur place. »

– Maman, ne discute pas ! coupa-t-il en l'entraînant dans la cuisine. Je veux que tu me dises où elle se trouve et que tu distraies l'attention du marquis, le temps que je la fasse sortir de là. Je ne sais pas, moi, renverse-lui une théière dessus... Tu comprendras plus tard, je te le promets. Pour l'instant, fais ce que je te demande, je t'en prie.

Aveline comprit qu'il était aux abois.

– Très bien, finit-elle par dire en ouvrant un placard pour en sortir une soucoupe et une tasse. Mais j'espère que tu sais ce que tu fais. Et que le Ciel nous vienne en aide si cela nous coûte notre place au château, car nous n'aurons plus de logement, et...

Se retournant, elle vit que son fils avait déjà disparu par l'escalier de service.

En haut des marches, Jacques croisa l'une des bonnes.

– Lavergne, où se trouve la chambre de Samantha ? demanda-t-il d'un ton impérieux.

Lavergne fronça les sourcils. Jacques n'avait rien à faire dans ces parages, et elle ouvrit la bouche pour le lui dire.

Lui prenant la main, il supplia :

– Je t'en prie, Lavergne, pas de sermons. Contente-toi de me dire où je peux la trouver.

– Aujourd'hui, le marquis nous a interdit à tous de nous rendre dans cette aile du château. Tu vas t'attirer des ennuis si on t'y trouve.

– Qu'il aille au diable. Alors, où est-ce ?

A voir la lueur farouche dans le regard de Jacques, Lavergne trouva plus sage de ne pas lui mentir. Si tout cela devait mal tourner, elle nierait l'avoir vu. Elle fit un signe du doigt.

– Par là. La dernière porte à gauche dans l'aile du fond.

Jacques se précipita. Parvenu à la porte, il donna plusieurs coups sourds. Quelle ne fut pas sa surprise devant la réaction déclenchée par son geste...

– Allez-vous-en, espèce de démon ! s'écria Sam de l'autre côté du battant. Laissez-moi tranquille ou il vous en cuira, je vous préviens !

Un objet s'écrasa sur la porte. Antoine bondit en arrière.

– Samantha, c'est moi ! C'est Jacques ! Que se passe-t-il ? Nous devons partir tout de suite ou vous allez manquer le bateau et tous nos plans tomberont à l'eau.

Sam fut prompte à réagir, expliquant en des termes peu choisis comment le marquis l'avait enfermée dans sa chambre, et à quelles fins.

– Pas un mot à Céleste, conclut-elle. Cela la tuerait.

– Je comprends. Ne vous inquiétez pas. Qui plus est, on murmurait déjà que vous l'évitiez. A présent, il faut que je vous sorte de là.

D'un coup d'œil rapide, Jacques examina la porte, repéra le verrou et tira la gâche. Sam lui tomba dans les bras. Il remit le verrou (un mystère de plus à résoudre pour le marquis) puis, serrant la main de la jeune fille dans la sienne, l'entraîna vers l'escalier de service.

– Dépêchons-nous. Il faut prendre garde à ce qu'il ne nous voie pas d'une fenêtre. Coupons par les jardins.

Ils croisèrent Lavergne, qui fit mine de ne pas les remarquer. Avec Aveline, en revanche, ce fut une autre histoire.

– Qu'est-ce que vous fabriquez, tous les deux ? J'ai renversé du thé sur le marquis comme tu me l'as demandé. Il est occupé à se changer, mais il est furieux contre moi !

Déposant un gros baiser sur la joue de sa mère, Jacques lui réitéra sa promesse de tout lui raconter par la suite, puis s'enfuit d'un pas décidé, entraînant Sam à sa suite.

A l'embarcadère, Céleste, morte d'inquiétude, refusait de monter à bord.

– Il le faut, pressa Francine. Je sais que ce n'est pas votre désir, mais vous n'avez plus le choix, à présent.

– Oh, te tairas-tu ? Tu ne songes qu'à toi. Puisque tu veux tant partir, vas-y sans moi... Ah ! Enfin ! Les voilà !

Céleste se précipita dans la direction des deux cavaliers qui approchaient au grand galop. Parvenant à sa hauteur, Jacques sauta de sa selle d'un bond et la prit aussitôt dans ses bras. Elle s'enquit des raisons de leur retard.

– Rien de grave, répondit-il très vite avec un regard en direction de Sam. Juste une petite confusion quant au lieu de rendez-vous. A présent, dépêchons-nous de faire embarquer Sam pour pouvoir partir à notre tour.

Serrant d'abord Sam dans ses bras, Céleste lui confia une bourse.

– Tiens. Elle contient les billets, de quoi prendre le train à New York, ainsi que ma dot. Papa m'a tout donné ce matin. Je n'ai aucune idée du montant, mais je suis certaine qu'il y a beaucoup d'argent. Cela m'étonne un peu qu'il me l'ait confiée à moi au lieu de l'envoyer par la poste, mais nous n'allons pas nous en plaindre, n'est-ce pas ?

La pauvre Céleste n'avait bien entendu aucun moyen de savoir que ce choix était destiné à éviter que Jarman ne refuse de l'épouser devant la modicité de la somme.

– Mais, et vous deux ? demanda Sam, qui n'avait pas songé un instant à la dot. Comment allez-vous vous établir sans argent ?

– J'ai quelques économies, assura Jacques.

– Prends le tout, insista Céleste. Jarman l'attend.

Francine lui tiraillait le bras, tandis que Sam faisait mine de monter à bord. Céleste la rattrapa pour la serrer contre elle une nouvelle fois.

– Merci, Sam. Pour ce que tu fais. Pour nous et le bébé. Nous ne t'oublierons jamais.

Sam l'embrassa et fila à la hâte, retenant ses larmes et priant pour que leur plan fonctionne.

Après avoir descendu sans encombre la Seine, Sam et Francine atteignirent Le Havre, où elles embarquèrent sur l'impressionnant paquebot qu'était le *Napoléon-III*. Le marquis avait réservé une cabine de luxe comprenant un salon ainsi qu'une chambre dotée d'une salle de bains privée, mais les deux jeunes filles devaient n'y passer que peu de temps ensemble. Lors du premier jour de la traversée, Francine fit la connaissance de Pernel Higgins, un jeune homme aussi replet qu'elle. Pernel voyageait seul, et tous deux devinrent vite inséparables. Sam n'y trouva pas d'inconvénient, heureuse que Francine profite de sa liberté nouvelle.

Cela lui laissait du temps pour réfléchir à sa propre situation. En fait, l'avenir n'était pas si noir. Les mariages arrangés étaient monnaie courante. Mieux valait d'ailleurs se résoudre à voir le bon côté de la situation : Jarman n'aurait jamais l'occasion de découvrir qu'elle n'était pas Céleste. D'ailleurs, Francine s'adressait déjà à elle sous ce nom, afin que chacune s'habitue à cette nouvelle identité avant de parvenir à destination.

Céleste n'avait emporté que peu de bagages pour elle-même, laissant à Sam la quasi-totalité de sa garde-robe. Et ses tenues étaient ravissantes, bien qu'un peu ajustées, Sam ayant des formes plus dessinées que son amie. Les robes les plus provocantes, Sam les portait couvertes d'un châle en dentelle. Ainsi, le soir, tandis que Francine et son nouvel ami s'amusaient dans les salons de seconde classe, Sam découvrit les charmes de la vie sociale des ponts supérieurs. Au début, les jeunes gens avides d'aventure la considérèrent avec envie, quémandant quelque danse ou promenade sous les étoiles. Mais dès qu'elle fit savoir qu'elle était fiancée, ils la délaissèrent au profit d'autres jeunes femmes, et Sam ne tarda pas à ressentir le poids de la solitude. Le personnel lui avait fait comprendre avec fermeté que les salons de jeu qui l'attiraient tant étaient interdits aux femmes seules ; Sam préféra éviter la compagnie de ces dernières, peu nombreuses et toutes d'esprit étroit.

Aussi, tandis que le trajet se poursuivait, elle se sentit de plus en plus étrangère à l'animation générale, où seules familles et couples semblaient avoir leur place. Prenant son mal en patience, elle passa le plus clair de son temps dans ses quartiers. Elle savait qu'à l'arrivée, Francine et son petit ami se sépareraient, et qu'elle retrouverait une personne à qui parler. Pour passer le temps qui restait, elle réfléchit au sort qui l'attendait. Elle était décidée à être une bonne épouse, à ne jamais fournir à Jarman des raisons de regretter ce mariage. Cependant, elle ne pouvait s'empêcher d'observer ceux des jeunes couples qui paraissaient si épris l'un de l'autre, et de se demander quel effet cela faisait d'être amoureuse d'un homme, et aimée en retour. Avec regret et tristesse, elle songea que cela ne lui arriverait sans doute jamais.

Lorsque le navire parvint à New York, Francine attendit qu'elles aient débarqué pour lui annoncer, rayonnante et les joues en feu, qu'elle ne l'accompagnerait pas jusqu'au Kansas. La femme de chambre lui fit cette saisissante révélation pendue au bras de Pernel, ajoutant que tous deux avaient l'intention de se marier.

– Pernel a un oncle ici qui possède une boulangerie, expliqua-t-elle. Il est venu à New York pour travailler avec lui. Il dit qu'il y aura aussi du travail pour moi, et puis nous pourrons vivre dans la chambre au-dessus du fournil.

Sam n'en crut pas ses oreilles. Elle savait bien entendu que les deux jeunes gens étaient devenus très proches, mais il ne lui était jamais venu à l'esprit que Francine puisse l'abandonner.

– Comment ? Tu ne peux pas me faire cela ! protesta-t-elle. Je ne veux pas voyager toute seule. Continue au moins avec moi le reste du chemin, tu pourras revenir ensuite. Je ne connais personne, là où je me rends.

Mais il fut impossible de dissuader Francine, qui suggéra au contraire que Sam reste à New York.

– J'ai tout raconté à Pernel, je lui ai expliqué que vous ne vouliez pas vraiment épouser cet homme... Lui trouve que puisque vous êtes à New York, vous pouvez très bien oublier ce stupide marché et vous installer ici. Rien ne vous en empêche. Avec la dot de Céleste, vous pourrez vivre de manière confortable au moins un temps. Qu'est-ce que cela peut faire que Jarman annonce au marquis que sa fille n'est jamais arrivée ? De toute façon, Céleste ne pourra jamais retourner chez elle.

A l'heure qu'il est, elle doit déjà être mariée avec Jacques.

Sam se refusa, même un instant, d'envisager cette possibilité.

– J'ai donné ma parole, et j'ai bien l'intention de la tenir, même si je dois finir le trajet seule.

Haussant les épaules, Francine serra plus fort le bras de Pernel, qui ne disait mot.

– Bon, comme il vous plaira. Vous savez ce qu'il en est pour moi.

– Le contraire serait difficile, répliqua Sam, sarcastique.

– Oh, ne le prenez pas comme ça. Moi aussi, j'ai le droit d'être heureuse, et ce n'est pas parce que vous êtes assez folle pour renoncer au bonheur que je dois suivre votre exemple. Allons, changez d'avis. Restez ! Jolie comme vous l'êtes, vous rencontrerez vite un vrai bon mari, et nous pourrons tous former une grande famille.

« Grande » était un euphémisme. Faire travailler Pernel et Francine dans une boulangerie revenait à lâcher un renard dans un poulailler. En moins d'un an, ils auraient tous deux doublé de volume, Sam en était certaine. Elle leur souhaita bonne chance, bien qu'elle eût le sentiment d'avoir été trahie.

– Bonne chance à vous aussi, répondit Francine sur un ton peu convaincu.

Mais peut-être la femme de chambre avait-elle raison, songea Sam en s'éloignant du quai. C'était peut-être elle qui était folle. Quoi qu'il en soit, elle avait fait une promesse, et ferait de son mieux pour la tenir.

6

Après avoir passé une nuit à l'hôtel, Sam quitta New York à bord d'un train de la Union Pacific en partance pour Saint-Louis.

Ce premier trajet ferroviaire l'excitait tant qu'elle resta aveugle aux nombreux regards admiratifs qu'elle suscitait. Elle remarqua en revanche ceux, désapprobateurs, que provoquait la présence d'une jeune femme voyageant seule.

Elle portait un ensemble en tussor, une nouvelle étoffe du dernier chic parisien, avec une veste étroite à empiècements et, sous la jupe à panier, une crinolette, qu'elle préférait aux encombrants jupons en crinoline. Coupée assez court, cette tenue de jour laissait entrevoir de belles bottines en cuir marron ornées de perles et de pompons noirs.

La couleur de son ensemble, un grenat d'une étonnante vivacité en parfaite harmonie avec les reflets argentés de ses cheveux, était inédite elle aussi. Un chapeau tyrolien orné d'un bandeau de velours, d'une cocarde et d'une plume dorée surmontait le tout, mettant la touche finale à cette tenue coquette.

– Une voiture pour moi seule ? s'étrangla-t-elle tandis

que le contrôleur lui ouvrait la porte, se reculant afin de la laisser entrer.

– Oui, m'dame, confirma-t-il. C'est bien ce que prévoit votre billet. C'est une de nos nouvelles voitures Silver Palace. Elle est sans doute bien vaste pour une seule personne, mais je suis certain que vous l'apprécierez.

Sam ne releva pas. Elle détenait toujours le billet de Francine mais ne voyait aucune raison de divulguer qu'on l'avait laissée choir.

– Je suis certain que vous rencontrerez des dames charmantes auxquelles vous pourrez offrir le thé. Le trajet est long jusqu'à Saint-Louis, et les passagers se retrouvent souvent dans les salons. Comme vous êtes en première, vous pouvez vous rendre où bon vous semble.

Sam se demanda si cela comprenait les lieux fréquentés par les hommes, mais ne se risqua pas à poser la question.

Ses nouveaux quartiers l'enchantaient. Bien que déjà familière de l'opulence, elle trouvait commode de pouvoir en bénéficier à l'occasion d'un voyage en train. Dans la voiture, plusieurs fauteuils de brocart blanc rehaussés de fils d'or, ainsi qu'un divan de velours bleu, faisaient face aux grandes fenêtres ornées de rideaux de dentelle. De riches draperies ornaient les parois, et le plafond était recouvert de lambris marquetés. Le tapis, mélange de dessins or et bleu, était doux et épais.

– Je vais faire apporter votre malle, annonça le contrôleur en traversant tout le wagon pour aller tirer un cordon doré.

Les tentures en velours blanc s'écartèrent, laissant apparaître deux lits disposés devant un mur de miroirs et une coiffeuse chantournée.

– Lorsque vous aurez fini de vous installer, je vous recommande de vous promener afin de vous familiariser avec le train. Outre différents boudoirs et fumoirs, vous trouverez également un salon de coiffure, une bibliothèque et un salon de musique doté d'un orgue. Et je suis certain que vous apprécierez la cuisine de notre voiture-restaurant. Elle vaut bien celle de n'importe quel établissement gastronomique de New York. Des passagers qui avaient fait en un mois l'aller-retour jusqu'en Californie se sont plaints d'avoir pris trois ou quatre kilos. On y sert de la sarcelle, des steaks d'antilope, du bœuf de la prairie, du jambon à l'os, des fruits frais, des pains chauds... tout ce dont vous pouvez rêver.

Sam éclata de rire.

– Ah, fit-elle en se tapotant l'estomac, je ne pense pas que mon futur époux serait très content de me voir ressortir d'ici sans que je puisse seulement tenir dans ma malle !

– Avec votre joli minois, mademoiselle, je ne crois pas qu'il trouverait à redire de vous voir plus en chair qu'aujourd'hui. Bon, il ne reste plus qu'à vous souhaiter un bon voyage. Si vous avez besoin de quoi que ce soit, actionnez cette sonnette. Je m'appelle George.

Bien que fatiguée, Sam avait aussi très faim. Dès qu'elle eût déballé ses effets de toilette, elle se mit en quête de la voiture restaurant.

Elle dut progresser lentement, louvoyant au rythme du train, de ses hoquets et de ses cliquetis. D'humeur légère, elle riait au fil des cahots qui la ballottaient d'un côté, puis de l'autre.

Le dîner fut agréable, et elle ne trouva aucun déplaisir à partager sa table avec des inconnus – deux hommes et une femme. Ils bavardèrent ensemble dans la bonne humeur. Lorsque le couple eut fini son repas,

Sam se retrouva seule en compagnie d'un voyageur qui la considérait avec intérêt.

– Ainsi, vous êtes sur le point de vous marier, observa l'homme, qui s'était présenté sous le nom de Clayton Downing.

– Oui, mon futur mari est officier à Fort Leavenworth.

– Vous voyagez donc seule ? C'est pour le moins surprenant. La plupart des jeunes femmes évitent cela, surtout sur un aussi long trajet.

Sam n'avait rien révélé de tel. Elle s'était contentée de se présenter et de dire qu'elle allait retrouver son fiancé. A présent, gagnée par l'inconfort, elle décida de mentir.

– Non, je suis accompagnée. Mon amie n'avait pas faim. Elle s'est couchée tôt.

– Je vois. Eh bien, il est dommage que vous ne vous rendiez pas en Californie. Nous avons besoin de belles femmes comme vous là-bas. Et je serais ravi de vous faire visiter la région. Vous adoreriez San Francisco.

Sam ne pouvait s'empêcher de penser qu'il eût été agréable de l'avoir comme guide, car Clayton n'était pas dénué de charme.

– Franchement, aller m'installer au Kansas ne me viendrait jamais à l'idée.

– Pourquoi cela ? s'enquit Sam, saisie d'une brusque appréhension.

– C'est une contrée sauvage. Les Indiens. Les bandits. Les cow-boys qui se défoulent après avoir convoyé les troupeaux jusqu'au train. L'endroit est peu civilisé.

Pour Sam, le principal souci était les Indiens, car elle avait entendu de terribles histoires à leur sujet. Elle demanda si le train risquait de se faire attaquer plus à l'Ouest.

– Oh, il y a quelques années, ce genre de chose était monnaie courante, quand les tribus s'offusquaient que l'on construise des voies sur leur territoire, mais la plupart des problèmes sont résolus aujourd'hui. Le gouvernement leur a assigné des réserves. Il y a encore quelques attaques isolées contre des pionniers, mais je ne pense pas que nous ayons motif à nous inquiéter. Qui plus est, je vous protégerai !

Il s'était soudain penché vers elle et avait posé la main sur la sienne. Cette sensation gêna Sam. Se reculant, elle saisit sa serviette, s'en tamponna les lèvres, puis se leva.

– Je dois vous laisser. D'autres personnes attendent leur tour.

Prévenant, il se leva :

– J'espère de tout cœur avoir l'occasion de discuter plus avant avec vous. J'aimerais beaucoup vous parler du Kansas.

Après une réponse évasive, elle prit congé très vite Peut-être pourraient-ils passer quelque moments ensemble, s'il s'avérait capable de maîtriser ses impulsions, mais elle était trop fatiguée pour l'instant. Elle n'avait plus qu'une envie : se blottir au fond de son lit et laisser le balancement régulier du train la bercer. Elle repartit jusqu'à sa voiture, ouvrit la porte... et se figea sur place.

Une jeune femme vêtue de noir était assise sur le divan, une voilette de deuil relevée sur le front. Elle battait pensivement un jeu de cartes, qu'elle rangea dès qu'elle vit Sam. Elle paraissait avoir le même âge qu'elle.

– Qui êtes-vous et que faites-vous ici ? s'enquit Sam.

– Je m'appelle Belle Cooley, répondit la femme avec un petit sourire gêné. On nous a attribué la même voiture, me semble-t-il, mais je suis tout à fait disposée à me satisfaire de cette situation, puisque toutes les autres places sont occupées.

D'instinct, Sam se douta qu'elle mentait.

– Montrez-moi vos billets.

– Oh, je dois les avoir quelque part... Croyez-moi, il arrive qu'il y ait des erreurs. Cela n'a rien de grave. De toute manière, ces voitures de luxe sont trop grandes pour une seule personne.

Sam se dirigea vers la sonnette et tira le cordon.

– Nous laisserons au contrôleur le soin de régler la chose. Si je ne suis pas censée occuper seule cette voiture, je veux en avoir le cœur net.

– Oh, pourquoi avoir fait ça ? fit Belle, l'air vaincu, en se rencognant sur le divan. Je suis certaine que nous pourrions trouver une solution.

– Vous n'avez pas de billet, n'est-ce pas ?

Sam s'assit à son côté, gagnée par la pitié. Après tout, Belle était en deuil – à moins que là aussi, il ne s'agisse d'un mensonge.

– Non. En vérité, je n'ai pas non plus de quoi m'en payer un. Avant sa mort, mon mari m'a fait jurer de ramener son corps sur la côte Est pour y être enterré dans le caveau de famille. J'ai accédé à ses dernières volontés, mais j'ai dû pour cela dépenser tout l'argent qu'il m'avait laissé. A présent, je suis sans un sou, et j'essaie de rentrer chez moi.

Je vous ai vue monter dans le train à New York. Cela se remarque, une femme seule dans la foule. Ensuite, lorsque vous avez sorti vos billets, j'ai compris que vous aviez réservé pour deux. J'ai tout observé depuis le quai tandis que le contrôleur vous faisait visiter. Je me suis dit que la seconde personne avait dû annuler, car sinon vous n'auriez pas loué un compartiment aussi grand.

– Et vous avez cru possible de vous installer ici en inventant cette histoire d'erreur ?

Belle sourit. Elle se rendait.

– Ça valait le coup d'essayer. Ce n'est pas grave, je vais tenter de me trouver un coin de banquette quelque part, en espérant qu'ils ne me jettent pas dehors au prochain plein d'eau. Je voudrais arriver au moins jusqu'à Saint-Louis.

– Pourquoi n'avoir pas fait cela dès le départ ? Frauder en troisième classe doit être plus facile que de réussir par la ruse à partager une voiture.

– On me dévisage parce que je suis en deuil. Je me suis dit aussi que si j'avais un endroit à moi, je pourrais gagner de l'argent.

– Vous voulez dire que vous êtes une...

Sam rechignait à poser la question... Mais elle voulait savoir.

– Une prostituée ? – Belle s'esclaffa à cette idée. Non. Et je ne crois pas non plus que je serais bonne à ça, parce que je n'aime pas coucher avec un homme si je ne suis pas amoureuse de lui, ou du moins si je ne suis pas séduite. Non, ma chérie, je ne suis pas une putain, mais une joueuse. Et ça, par contre, j'y excelle !

Sam la trouvait jolie avec ses boucles brunes encadrant son visage en forme de cœur, mais le plus frappant, c'était la vivacité, l'intensité de son regard. A croire qu'elle lisait les pensées.

– Est-ce pour cela que vous aviez ces cartes ?

Belle ressortit le jeu qu'elle avait caché dans les replis de sa jupe.

– Eh oui. Je joue au poker, voyez-vous, et les chemins de fer y sont opposés. J'avais donc besoin d'une voiture privée pour y inviter des joueurs sans que les contrôleurs s'en rendent compte.

– Mais si vous vous faites prendre ?

– Oh, je ne pensais pas à de grosses parties. Deux ou trois joueurs, pas plus. Personne ne le saurait.

Sam hocha la tête, songeant à l'attrait qu'exerçaient sur elle les salles de jeu dont l'accès lui était resté interdit sur le bateau.

– Poker, vingt et un... Oh, je suis bonne, mais je ne suis qu'une petite goutte d'eau au milieu des trois cents joueurs ou presque qui opèrent sur les lignes de la Union Pacific. Les cartes ont beaucoup de succès. Cela change les idées lors des longs voyages. Lorsque j'aurai économisé assez d'argent, je compte ouvrir mon propre casino... Enfin, si vous me permettez de rester. Je vous promets de ne pas vous gêner. Et vous avez un lit inoccupé.

Sam se mordilla pensivement la lèvre.

– Je ne sais pas. Cela pourrait nous attirer des ennuis. Vous venez de dire que les chemins de fer ne voient pas le jeu d'un très bon œil. Je ne veux pas être mêlée à ce genre de choses.

– Il n'y aura aucun problème, assura Belle, parce qu'ils ne le sauront pas. Et même si c'était le cas, ils se contenteraient de me dire de cesser. Qui plus est, je partagerai mes gains avec vous.

Sam n'avait pas besoin de cet argent, et elle n'en voulait pas. Une fois parvenue à Leavenworth, elle aurait un mari pour subvenir à ses besoins. Cependant, une autre idée faisait son chemin en elle. Le voyage promettait d'être long, et elle allait très vite s'ennuyer à force de papoter avec les autres passagers pour passer le temps. Apprendre à jouer à ce jeu prétendument interdit aux femmes, n'était-ce pas là le moyen idéal de se distraire ?

– Je me moque bien de l'argent, mais je pense que nous pouvons peut-être trouver un terrain d'entente.

– Dites, pria Belle en se redressant.

– Seriez-vous disposée à m'apprendre à jouer ?

– Bien sûr, si vous en avez vraiment envie. Je n'ai aucune raison de refuser – Elle l'étudia durant un instant – Mais d'abord, parlez-moi un peu de vous. Où allez-vous donc ainsi, et comment se fait-il qu'une personne de votre classe voyage seule ? Vous êtes riche, ou vous n'auriez pas réservé un Silver Palace... et vous ne refuseriez pas mon offre de partager les gains.

Sam se présenta comme Céleste de Manca et répéta son histoire. Et puis, sans trop savoir pourquoi, elle admit qu'il s'agissait d'un mariage de convenance.

Belle, qui l'écoutait avec intérêt, parut ravie.

– Ainsi, vous allez jusqu'à Kansas City ? C'est parfait. J'avais prévu d'y passer quelque temps avant de me rendre à Abilene, où il y a beaucoup de tables de jeu à cause des nombreux cow-boys qui viennent en ville après avoir ramené les troupeaux. Ils sont là pour faire la fête et dépenser plein d'argent. Mais comment se fait-il que vous ayez envie d'apprendre à jouer au poker ? Ça ne cadre pas avec la vie que vous allez mener.

– Je ne sais pas, admit Sam. Bah, disons pour passer le temps.

– Eh bien, qui sait ? Parfois, les mariages comme le vôtre ne marchent pas. Votre mari peut très bien vous mettre dehors. Au moins, comme ça, vous aurez un moyen d'existence. – Elle tendit la main. – Affaire conclue. Je vous apprendrai tout ce que je sais.

George choisit ce moment pour arriver. Lorsque Sam ouvrit la porte, le contrôleur jeta un regard interrogateur en direction de Belle. Sam alla chercher les billets de Francine dans son sac.

– Il semble que mon amie se soit trompée de voiture. Je craignais qu'elle se soit perdue et qu'elle ait manqué le train.

– Oh, et madame est en deuil... Mes condoléances, fit-il en ôtant sa casquette et en s'inclinant vers Belle.

– Merci, répondit-elle avec un clin d'œil à l'adresse de Sam. Je suis certaine que je trouverai ici de quoi alléger ma peine.

Sam porta la main à sa bouche pour étouffer un rire. Elle appréciait cette fille vive, pleine d'humour. Elle comprit soudain que ce voyage allait être une expérience qu'elle n'oublierait jamais, même s'il s'agissait de son ultime période d'insouciance. Et elle avait la ferme intention d'y prendre le plus de plaisir possible.

Jarman Ballard replia la lettre et la replaça dans son enveloppe. Un sourire satisfait vint se peindre sur ses lèvres. Le marquis s'était offert les services d'un interprète pour lui écrire et l'informer du départ de Céleste. Tout se mettait en place à la perfection. Il pourrait bientôt dire adieu à la vie de garnison et faire fortune à Abilene – sa seule motivation dans cette décision d'honorer le stupide pacte de son grand-père. Épouser quelqu'un qu'il ne connaissait même pas ? Quelle idée absurde ! Il y avait fort à parier qu'elle fût laide comme un pou ; et loin de lui l'idée de se lier à une seule femme pour le restant de ses jours.

– Tu ne reviens pas ? minauda celle qui était étendue nue dans le lit – Elle tapota l'oreiller à côté d'elle. On a le temps de continuer. James est de garde jusqu'à midi, tu sais bien...

Ballard avait confié un tour de garde supplémentaire au mari afin que l'épouse puisse se glisser chez lui durant la nuit, mais il avait obtenu d'elle tout ce qu'il cherchait. En fait, ce courrier glissé sous la porte avait constitué une diversion bienvenue.

– J'ai du travail, Selma. Il serait bon que tu t'en ailles.

Elle bondit du lit et vint enserrer son cou de ses bras. Il sentit contre sa peau la pression de ses seins, ce qui souleva en lui plus de dégoût que de désir.

– Je t'ai dit de partir. Pour l'amour du ciel, femme, que dois-je faire pour me débarrasser de toi ?

Selma se détacha avec un sanglot étouffé et parcourut la pièce, ramassant ses vêtements. Les larmes menaçaient de dévaler sur ses joues, mais elle s'empêcha d'y céder complètement. Cela viendrait après, lorsqu'une fois seule, elle aurait tout le loisir de réfléchir à la bêtise commise en se jetant aux pieds du capitaine Ballard. Il avait beau avoir une réputation d'homme à femmes, elle n'en avait pas tenu compte. Elle l'avait trouvé beau, charmant, et...

– Dépêche-toi, entends-tu ? ordonna-t-il en déposant la lettre sur la table de toilette pour attraper sa chemise et son pantalon. Ton fainéant de mari est capable de payer quelqu'un pour terminer la nuit à sa place, et la dernière chose dont j'ai besoin, c'est bien d'être surpris en compagnie d'une femme mariée.

Selma ne prit pas même le temps de reboutonner sa robe. Elle se moquait tout à fait de son apparence, en cet instant. Tout ce qu'elle voulait, c'était sortir de là aussi vite que possible. Après avoir saisi son châle, elle partit en courant.

Jarman termina de s'habiller tout en sifflotant. Il se regarda une dernière fois dans le miroir, passant les doigts dans ses boucles dorées et contemplant la tête qui faisait tant tourner celle des femmes. Parfait. Juste ce qu'il fallait de négligence. Il sourit. Quelle importance, s'il fallait en passer par le mariage pour se procurer les fonds nécessaires ? Il s'arrangerait pour embaucher dans son établissement les plus belles entraîneuses, et une partie de leur travail – il adressa un clin d'œil à son reflet – consisterait à faire le bonheur de leur patron.

Se détournant, Jarman vit que l'un des éclaireurs indiens se tenait debout dehors près de la fenêtre de sa chambre. Avait-il entendu quelque chose ? Probablement pas. La plupart d'entre eux connaissaient à peine quelques mots d'anglais. Quoi qu'il en soit, celui-ci était indésirable à cet endroit.

– Sors de là tout de suite ! brailla-t-il. Tu n'as pas à traîner comme ça. Va aux écuries changer les litières, si tu n'as rien de mieux à faire.

Aigle Intrépide s'éloigna d'un pas traînant et disparut au coin du bâtiment.

Dès qu'il fut certain que Jarman était sorti, il revint à pas de loup et se glissa dans le bureau, comme il le faisait tous les matins après le départ de l'officier. Là, il examina le courrier afin de découvrir si le capitaine avait reçu une lettre de France.

Car non seulement Aigle Intrépide comprenait l'anglais mais il le lisait !

7

Quelles qu'aient pu être les craintes de Sam à l'idée d'accepter la présence d'une étrangère, celles-ci disparurent bien vite devant l'affabilité de Belle.

La jeune femme, d'un naturel bavard, lui confia avoir joué les espionnes pour les Confédérés durant la guerre. Bien que captivée, Sam dut plusieurs fois se retenir d'exploser à la mention de ce terrible conflit, qui était à l'origine directe de la ruine de sa famille. Cependant, elle n'osa rien dire, de peur de se trahir : comment une jeune Française voyageant aux États-Unis pour la première fois aurait-elle pu posséder des opinions arrêtées sur une guerre qui avait pris fin quatre ans plus tôt ?

Une fois que les armes se furent tues, expliqua Belle, elle avait épousé un chirurgien de l'armée, qui l'avait emmenée avec lui au Texas.

– Mais il est mort, maintenant, et je dois trouver le moyen de subvenir moi-même à mes besoins. Ce n'est pas facile pour une femme. Voilà pourquoi je me lance dans le poker. Je l'ai beaucoup pratiqué avec les soldats durant la guerre, et je suis devenue très habile.

Sam aurait pu rester assise des heures à l'écouter évoquer ses secrets, tant elle était fascinée par son habileté à battre et à distribuer les cartes.

– Les coupes et donnes truquées peuvent jouer un rôle non négligeable, mais il faut être excellent si l'on veut gagner. Il faut être capable de repérer les autres professionnels, comme ceux qui cornent les cartes de façon à les reconnaître au moment de la donne, ou qui placent les as en bas de la pile quand ils battent le jeu. Et puis, il y a un autre truc, poursuivit Belle. Je range sous mon mouchoir un paquet identique à celui qu'on utilise durant la partie, mais où j'ai ordonné les cartes à ma convenance, et je l'échange avec l'autre au nez et à la barbe des autres joueurs. Ils ont tous un bon jeu, de manière à faire monter les enchères, mais le mien est encore meilleur.

– C'est tout bonnement de la tricherie !

Belle sourit.

– Tout à fait. Et tous ceux qui gagnent gros le pratiquent. Je ne crois pas à la chance, mais à mes mains, au doigté. Mon mari aurait fait un formidable joueur de poker, étant chirurgien, mais il n'appréciait pas les jeux d'argent...

Sam commença à s'exercer avec elle ; elle apprit à faire semblant de battre les cartes, puis de les couper, et maîtrisa bientôt l'art de donner les cartes de dessous, conservant celle du haut de la pile pour une distribution qui l'arrangeait.

– N'importe qui peut apprendre, expliqua Belle, mais le plus difficile, c'est d'agir quand tout le monde a les yeux rivés sur tes mains. Cela demande beaucoup d'assurance, crois-moi.

Au bout du compte, Belle décréta Sam capable de se lancer : la jeune fille maîtrisait les règles du poker et celles, moins officielles, de la tricherie. Cependant, Belle ne voulait pas perdre son temps avec de petits enjeux.

– Non, ça prend trop longtemps. Je veux des enchères élevées. Bien sûr, au début, on les limitera à un ou deux dollars, mais c'est normal : on met beaucoup de temps à constituer un gros pot.

– Si ça se trouve, intervint Sam en désignant sa voilette, tu auras peut-être beaucoup de mal à organiser ne serait-ce qu'une partie. Je ne vois pas comment qui que ce soit pourrait vouloir affronter une femme affligée par le deuil.

– Détrompe-toi, objecta Belle, je compte sur l'effet contraire. Les gens auront pitié de moi. Je prétendrai que mon mari m'a appris à jouer, que je ne suis pas très douée mais que je cherche à me changer les idées.

Et effectivement, le soir venu, Sam put pour la première fois s'émerveiller des prouesses de Belle.

Avec ses airs d'innocence fragile, la jeune femme était parvenue à convaincre trois hommes de se joindre à elle et avait volontairement perdu cinquante dollars d'emblée. Après cela, elle avait fait promettre à deux d'entre eux de refaire une partie le lendemain, sous le prétexte de lui donner une chance de se refaire. Le troisième joueur les quittait, devant descendre au prochain arrêt.

Le soir suivant, lorsqu'elles pénétrèrent dans la voiture restaurant, Belle déclina la proposition d'être placées à une table de deux. Elle préféra se diriger droit vers celle qu'occupait un homme seul, entraînant Sam à sa suite. Le convive se leva obligeamment tandis qu'elles prenaient place, et Sam reconnut en lui Clayton Downing.

– Mademoiselle de Manca ! s'exclama-t-il, rayonnant. Ou dois-je vous appeler Miss, puisque nous ne sommes pas en France ?

Étonnée, Belle les dévisagea tour à tour.

– Vous vous connaissez donc ?

– Vous devez être cette amie qui s'était retirée tôt l'autre soir, poursuivit-il en saluant Belle d'un baisemain. Clayton Downing, à votre service, madame. Et pour répondre à votre question, j'ai eu le plaisir de rencontrer Mademoiselle de Manca en partageant une table avec elle.

Belle adressa un regard à Sam, lui signifiant qu'elle comprenait. Et, après avoir détaillé Clayton, elle le trouva non seulement charmant et riche, mais aussi susceptible de ne pas refuser une partie.

– Eh bien, suggéra-t-elle gaiement, je pense que nous devrions nous dispenser de tout formalisme, puisque le voyage s'annonce assez court. Je vous autorise à m'appeler Francine. Mon amie se nomme Céleste, et quant à moi, je suis heureuse de faire votre connaissance, Clayton.

Sur quoi elle s'assit et s'empara du menu.

Bien que surpris de cette entorse aux règles de la bienséance, surtout venant d'une femme qui portait le deuil, Clayton saisit l'occasion. Il trouvait Céleste irrésistible et ne rêvait que de mieux la connaître au cours du voyage. Assez conscient de ses propres charmes, il s'autorisait à penser qu'il pourrait la convaincre de renoncer à son mariage et de poursuivre avec lui jusqu'en Californie.

– Alors, dites-moi... Céleste – dans sa bouche, le prénom sonnait comme une caresse – êtes-vous toujours aussi préoccupée par les Indiens ?

– Les Indiens ? intervint Belle, sarcastique.

– Oui. J'expliquais à notre amie qu'elle part pour des contrées très primitives.

– L'endroit où vous vous rendez est donc plus civilisé ? railla Belle. Pour autant que je sache, ce train se dirige vers l'Ouest, et je ne vois dans cette direction aucune ville qui puisse se dire très raffinée.

Soulagée que Belle fasse la conversation, Sam ne put cependant s'empêcher de remarquer la perplexité qui avait gagné Clayton, aussi ne fut-elle pas surprise d'entendre ce dernier s'enquérir :

– A votre accent, ou plutôt, au fait que vous n'en avez pas, je déduis que vous n'êtes pas française.

– Hum... Non, admit Belle à contrecœur, prenant conscience qu'elle avait oublié leur stratagème. En fait, je suis la cousine de Céleste. Notre famille a émigré il y a des années, et...

– Vous n'avez pas à vous expliquer. Je n'avais pas l'intention de me mêler de vos affaires. Je me demandais comment vous pouviez prétendre connaître aussi bien ce pays. Cela dit, vous vous trompez. Je suis en route pour San Francisco, et je trouve qu'il s'agit d'une ville moderne à tous les égards.

Belle parut soudain intéressée.

– Fascinant. Et joue-t-on au poker dans cette ville, Clayton ? Mon mari m'a appris les règles, et depuis sa disparition je n'ai eu de cesse de jouer pour me changer un peu les idées. Nous disposons d'une voiture privée et j'ai invité quelques gentlemen à jouer hier soir, mais l'un d'entre eux est descendu du train et nous avons besoin d'un quatrième. Seriez-vous intéressé ?

Sam détourna la tête vers la fenêtre pour dissimuler son amusement. Dans le reflet de la vitre, elle vit que Clayton avait lui aussi du mal à garder son sérieux. Belle était peut-être excellente menteuse au jeu, mais en dehors de ces occasions, on lisait en elle comme dans un livre.

Clayton fit semblant de mordre à l'hameçon.

– J'en serais ravi. La présence de plusieurs hommes rassurera peut-être Céleste quant aux attaques d'Indiens.

Belle émit un bruit bien peu distingué.

– Bah, s'ils attaquent, nous n'aurons qu'à leur proposer de se joindre à nous. Certains d'entre eux sont très bons joueurs. Et pas seulement au poker. Ils ont un jeu qu'ils appellent le Pedro. J'ai entendu dire qu'au Nevada, sur la nouvelle ligne de chemin de fer transcontinentale, les passagers trouvent à leur descente du train des Indiens qui les attendent les cartes à la main.

Belle poursuivit son bavardage, Clayton feignit poliment l'intérêt, et Sam laissa errer ses pensées. Elle était cependant fort consciente des coups d'œil que lui jetait régulièrement Clayton. Quel dommage qu'elle-même ne se sente pas attirée par lui !

Clayton se laissa persuader d'accompagner Belle, qui allait retrouver les deux autres joueurs.

– Vous joindrez-vous à nous afin de me porter chance ? demanda-t-il à Sam.

La seule fossette de son sourire aurait suffi à troubler toute autre femme.

– Je reste un moment, je souhaite prendre un dessert, esquiva-t-elle.

Elle venait de décider de prolonger son dîner pour s'accorder un peu de répit. Elle aurait déjà à subir ses regards adorateurs durant le reste de la soirée – et probablement une bonne partie de la nuit, à en juger par la durée de la partie de la veille.

Elle était occupée à déguster un gâteau de riz lorsque le maître d'hôtel mena à sa table un couple avec un petit garçon. Le juge Newton Quigby, originaire de Rochester, dans l'état de New York, sa fille Myriam Appleby, une jeune veuve, et le jeune garçon de celle-ci, Tommy, cinq ans, étaient eux aussi en route pour le Kansas.

Sam expliqua qu'elle venait d'Europe et allait retrouver son fiancé mais, visiblement, le juge n'en avait cure. Il ressortit de ses explications que son principal souci était de trouver un nouveau mari à sa fille, dont le précédent avait été tué à la guerre.

Sam compatit intérieurement. La tâche ne s'annonçait pas aisée. Bien que Myriam parût fort douce et, à voir la façon dont elle s'adressait à son fils, semblât être une bonne mère, elle était hélas affligée du visage le plus ingrat et le plus triste qu'il lui ait été donné de voir. Tout en elle était terne. Sa robe de mousseline grise ne faisait rien pour dissimuler son manque de formes, et elle portait ses cheveux châtains serrés en un petit chignon strict.

Malgré tout, Sam la trouva sympathique. Le père, en revanche, provoqua en elle une répulsion immédiate. Il parlait fort, sur un ton respirant l'arrogance. Sam plaignait ceux qui auraient à se présenter devant lui et à encourir ses sentences, car la compassion n'était pas son fort.

– Je suis impatient de prendre mes fonctions pour contribuer à civiliser ces contrées sauvages, expliquait-il à présent la bouche pleine. Les criminels finiront par avoir si peur en entendant mon nom qu'ils y réfléchiront à deux fois avant de tenter quoi que ce soit. Les meurtriers – il donna un coup de fourchette vengeur dans sa tranche de rosbif –, les violeurs – nouveau coup de fourchette –, les voleurs... Toute cette sale engeance devrait finir devant les tribunaux fédéraux, mais dans un territoire aussi grand, ce sont les juges de district qui sont amenés à prononcer les peines. D'ailleurs, – il brandit sa fourchette, haussant encore le ton – si ce train doit se faire attaquer, c'est à moi qu'il reviendra de faire pendre les coupables.

Sam se dit qu'elle aurait mieux fait de rester avec Clayton, même si cela impliquait de supporter ses avances. Elle fit mine de se lever.

– Eh bien, je vous souhaite un excellent voyage...

Cependant, le juge avait déjà détourné la tête pour s'adresser à un homme seul assis à une table proche :

– Et vous, monsieur, où vous dirigez-vous ? Vers mon territoire, peut-être ? Voyagez-vous avec votre épouse ?

Remarquant soudain les larmes qui perlaient aux yeux de Myriam, Sam se rassit. Pendant ce temps, Tommy continuait à dévorer sa purée, visiblement à cent lieues des préoccupations des adultes.

– J'espère que vous serez heureuse dans votre nouvelle maison, tenta Sam.

Elle ne savait trop que dire, mais se sentait obligée de faire la conversation à cette malheureuse fille qui menaçait de s'effondrer d'un instant à l'autre.

En quête d'un auditoire masculin, le juge Quigby avait changé de place et était allé s'asseoir en face de l'homme qu'il venait d'aborder. Myriam observa un instant son père, puis tourna la tête vers Sam.

– Merci beaucoup, c'est très gentil à vous. Les gens saisissent d'habitude le premier prétexte venu pour lui échapper.

– Oh, mais je ne...

Les lèvres de Myriam s'étirèrent en un semblant de sourire. Elle leva une main pour l'interrompre.

– Non, je vous en prie. Je le connais. Je sais qu'il est obsédé par l'idée de me trouver un mari, pour que Tommy ait de nouveau un père. C'est parfois gênant, mais il est ainsi.

– Eh bien, il vous aime, et il souhaite vous voir heureuse, répondit Sam, gênée, pour tenter d'égayer un peu la femme.

– Je ne le serai pas tant que je n'aurai pas revu mon cher Thomas. Et je vais le revoir. Bientôt.

Sam se raidit. Myriam songeait-elle au suicide ? Mais elle se détendit en entendant la suite.

– Je dois lui parler, afin qu'il me guide et qu'il m'aide. Cela fait un moment que j'essaie en vain. Mon père dit que je suis folle, et c'est l'une des raisons pour lesquelles il a accepté ce poste. Il voulait m'éloigner de mes amies, car elles aussi croient au spiritisme.

– Oh, je connais le sujet... commença Sam.

Alors qu'elle s'apprêtait à ajouter que c'était une pure perte de temps, que tout était truqué, Myriam l'interrompit, saisie d'une ardeur soudaine :

– Racontez-moi ! pressa-t-elle à voix basse en se penchant vers Sam. Vous avez donc assisté à une séance ?

– Oui, je...

– Vous tentiez de contacter une personne chère ?

Regrettant d'avoir lancé le sujet, Sam se balança sur sa chaise.

– Non, je...

– Oh, mon Dieu ! lâcha Myriam, portant une main à sa bouche. C'était vous le médium ! J'aurais dû m'en douter. Vous avez quelque chose de spécial. Une sorte d'aura. Oh, il faut absolument que vous me racontiez tout. Êtes-vous une disciple de Madame Hayden ?

Tommy avait pris un air inquiet, conscient que sa maman évoquait là le sujet qui déplaisait tant à grand-papa. Il se saisit de son assiette et alla rejoindre le juge Quigby. Pauvre petit garçon, se dit Sam.

Pendant ce temps, Myriam Appleby semblait renaître, et se lançait dans un plaidoyer en faveur de sa nouvelle religion. De docile et quelconque, elle s'était changée en une interlocutrice vive et passionnée.

– Le spiritisme se répand partout. Tout le monde en parle ! J'ai essayé de m'informer le mieux possible et quand j'ai rencontré les Fox, j'ai pu m'impliquer dans le mouvement. Oh, vous les connaissez, je pense...

– Non, je...

– Il est vrai que cela fait déjà un moment... En emménageant à Hydesville, ils ont découvert qu'un esprit hantait leur maison, celui d'un homme qui y avait été tué. Ils ont réussi à communiquer avec lui. Excédés par les visites de curieux, ils ont fini par partir. Ils se trouvent à Rochester à présent, et madame Fox organise des séances. Elle en a tenu deux pour moi. Thomas ne nous est pas vraiment apparu. Selon elle, le fluide était si puissant qu'elle sentait qu'il essayait. Cela peu prendre encore du temps, mais je ne renoncerai plus.

Mais, et vous ? s'enquit-elle avec ferveur. Êtes-vous souvent parvenue à communiquer avec l'au-delà ?

Sam se sentit piégée. De toute évidence, le spiritisme était toute la vie de Myriam, si l'on exceptait son fils. Si cela pouvait éclairer un peu sa triste existence, de quel droit l'en priver ? Quel mal y avait-il à mentir, si c'était pour lui donner un peu de bonheur ? Sam se lança donc dans le récit de la séance tenue pour la marquise Églantine, se présentant comme le médium.

Lorsqu'elle en eut terminé, elle se demanda si elle avait bien fait : Myriam la dévisageait, la bouche pincée. Peut-être l'avait-elle percée à jour ? Décidément, elle n'était pas douée pour faire semblant d'être quelqu'un d'autre...

– Eh bien, je ferais mieux de retourner à ma voiture, à présent, risqua-t-elle en saisissant son réticule.

– Oh, et si on essayait ici ! s'exclama Myriam avec un grand soupir. Nous avons une voiture privée, et...

– Myriam !

Se retournant comme un seul homme, toutes deux constatèrent que l'interlocuteur du juge avait réussi à lui fausser compagnie. Ce dernier les observait depuis un moment et avait compris le sujet de leur conversation.

– N'imaginez pas que je vais vous laisser vous emparer de l'argent de ma fille ! cracha-t-il, foudroyant Sam du regard. Je connais les charlatans de votre espèce, je sais comment vous vivez du malheur des autres.

– Père, non...

Rouge de colère, il s'en prit alors à Myriam.

– Quand vas-tu enfin renoncer à ces absurdités ? Tu ne vois donc pas que cela fait fuir les hommes ? Pense donc à ton fils, Myriam. Thomas est mort et enterré, rien ne pourra changer cela. A présent, suis-moi ! Je ne te laisserai pas te ridiculiser ainsi !

Après un dernier coup d'œil furieux à l'adresse de Sam, il s'empara du bras de sa fille et l'emmena avec lui hors de la voiture-restaurant. Tommy les suivit la tête basse, déjà gêné malgré ses cinq ans que sa famille se donne ainsi en spectacle.

Se rendant compte que tous les regards convergeaient à présent sur elle, Sam sortit à leur suite. Tout en remontant le couloir, vacillant au rythme des secousses, elle se prit à souhaiter d'en terminer au plus vite avec ce voyage avant que de véritables ennuis ne surviennent. Elle permettait que l'on se livre à des jeux d'argent dans sa suite, était presque devenue experte en matière de cartes, et voilà qu'elle venait de s'attirer les foudres d'un juge fédéral en tentant d'apaiser la douleur de sa fille.

Or, bien qu'elle redoutât le sort qui l'attendait à Fort Leavenworth, elle avait vécu en quelques semaines un trop-plein d'émotions fortes. Peu importe si elle devait passer le reste de son existence sous une fausse identité, au moins y trouverait-elle enfin une apparence de normalité.

Après avoir lu la lettre, Aigle Intrépide n'avait pas perdu un instant : il était allé retrouver Paul pour lui faire part des informations glanées dans le bureau de Ballard.

– Nous savons donc à quel moment précis doit arriver la femme. Il ne nous reste plus qu'à décider de l'endroit où nous arrêterons le train pour l'enlever.

Après avoir atteint Kansas City, Céleste emprunterait la voie suivant la Two Mile Creek jusqu'à Normoyle Junction. Ballard s'y trouverait sans aucun doute pour l'accueillir, mais il ne s'y risquerait pas seul, étant donné les récentes attaques commises au Nord par les Cheyennes. Lorsque tombait une nouvelle de ce genre, tout le monde prenait peur. Il fallait donc que l'enlèvement se produise tant que le train se trouvait encore loin des troupes. Il expliqua son raisonnement à Aigle Intrépide.

– Nous attaquerons au moment où le convoi commencera à grimper la côte qui se trouve huit kilomètres avant Normoyle Junction, décida-t-il. Il n'y a jamais beaucoup de wagons ni de passagers sur cette partie du trajet, donc nous n'aurons pas de mal à la maîtriser. Qui plus est, en attaquant aussi près, nous sommes sûrs que tout le monde sera encore sous le choc à l'arrivée. Ils hurleront qu'une femme blanche s'est fait enlever par des Indiens.

– Et lorsque Ballard songera à ce que doit être en train d'endurer cette femme, il sera fou de rage, approuva Aigle Intrépide.

Ce dernier était satisfait. Même si leur plan ne vengeait pas complètement la mort de sa sœur, il apaiserait, il en était certain, son esprit.

– Es-tu sûr de pouvoir t'absenter assez longtemps ?

– J'ai encore six semaines avant de prendre mes fonctions.

– Très bien, mais je ne t'envie pas. Cette femme ne va pas apprécier d'être retenue prisonnière.

8

– Je n'aurais pas dû lui laisser croire que c'était moi le médium, expliqua Sam après avoir raconté sa mésaventure à Belle. Cela va la pousser encore plus à tenter de communiquer avec son défunt mari, et elle va se faire escroquer. C'est mal.

– Non, pas du tout.

Assise à califourchon sur le lit, seulement vêtue d'un corset et de bas de soie, Belle comptait ses gains de la soirée. Les cheveux défaits, les yeux rougis par l'abus de whisky et un cigarillo planté entre les dents, elle ne ressemblait en rien à une jeune femme endeuillée.

– Comment peux-tu dire une chose pareille ! s'exclama Sam.

– Eh bien, ce sont ses affaires. Si cela la rend heureuse de dépenser son argent pour tenter de parler à un mort, tant mieux. C'est comme pour les hommes avec lesquels je joue au poker. Ils perdent, mais ils reviennent à la charge. Pourquoi, d'après toi ? parce qu'ils aiment à croire qu'un jour ou l'autre la fortune va leur sourire. Eh bien, c'est la même chose pour ta Myriam Appleby. Elle dépense son argent à des séances. Sans ignorer la potentialité d'échec, mais elle se dit qu'elle y parviendra peut-être. Ça la rend heureuse. Que pourrait-il y avoir de mal à ça ?

– Tu ne considères donc pas que c'est mal de tricher ?

Belle haussa les épaules.

– C'est une simple question d'adresse. De toute façon, le problème n'est pas là. Les joueurs de poker savent qu'ils risquent de perdre, à cause d'un tricheur ou du mauvais sort. Eux aussi, ils ont aussi une chance de gagner, soit parce qu'ils trichent eux-mêmes, soit grâce à leur bonne étoile. Peu importe, ils s'obstinent. C'est la vie, Céleste. – Un large sourire s'épanouit dans la fumée du cigarillo – On a beau perdre parfois, on continue à jouer, c'est le jeu qui veut ça. Et puis un jour, au moment où l'on s'y attend le moins, on te sert une ultime donne que tu ne peux pas refuser, et que rien ne peut battre : c'est la mort. Alors, tout est terminé, et ce qui importe à ce moment-là, c'est le plaisir que tu as pris à jouer. *Capito ?*

Pendant ce temps-là, Sam s'était habillée pour sortir. Il était presque midi et la voiture-restaurant n'allait pas tarder à ouvrir.

– Certes, mais les choses sont différentes au poker. Là, on peut gagner. Alors qu'il est impossible de communiquer avec les morts, et que j'ai laissé croire le contraire à Myriam Appleby. Je vais aller la trouver, lui dire que je n'ai fait qu'observer et que je savais que la séance était truquée.

– A mon avis, tu devrais oublier cette idée. D'après ce que tu viens de dire, elle a suffisamment de problèmes avec ce croque-mitaine qui lui sert de père et qui la fait passer partout pour un vilain petit canard.

Belle s'interrompit pour placer entre ses seins ses rouleaux de billets.

– Une partie est à toi, tu sais. C'était notre arrangement de départ...

– Je n'en veux pas, répéta Sam. Tu en auras plus besoin que moi. J'aurai un mari pour subvenir à mes besoins, rappelle-toi. Toi, tu seras seule – enfin, au moins au début.

– Oh, ça, pour longtemps, tu peux compter sur moi ! Je commence à apprécier ma liberté. J'aimais beaucoup mon mari, mais en réalité, j'ai dû faire beaucoup de choses qui ne me correspondaient pas, jouer la bonne épouse qui passe son temps à nettoyer la maison, à cuisiner, et à accéder aux moindres désirs de son seigneur et maître. Je détestais ça, et je me prenais souvent à rêver de pouvoir jouer aux cartes et boire un verre ou deux.

Ses paroles résonnèrent cruellement aux oreilles de Sam. Elle-même aurait non seulement à faire des choses qui ne lui correspondaient pas, mais en plus il lui faudrait jouer un personnage qu'elle n'était pas.

Lorsque Sam parvint à la voiture-restaurant, elle constata que le juge Quigby et son petit-fils s'y trouvaient, sans Myriam. Sam en conclut que la jeune femme ne les rejoindrait pas, puisque le juge et Tommy étaient assis à une table de quatre en compagnie d'un couple. Et comme Clayton Downing faisait aussi partie des convives, en compagnie des hommes qui avaient passé la soirée à jouer dans sa voiture, Sam ne s'attarda pas. Supposant que Myriam avait décidé de sauter le repas, Sam ne pensait plus la trouver pour l'instant. Aussi fut-elle surprise de la découvrir dans le salon de couture des dames, occupée à parler à une femme âgée. Toutes deux étaient assises seules dans un recoin, partiellement dissimulées derrière des plantes en pot.

– C'est vrai ! proclamait Myriam sur un ton excité. Il y a un véritable médium à bord. Elle vient d'Europe, et elle m'a expliqué qu'elle avait pu entrer en contact avec un homme qui s'était fait assassiner, et comment avec cette communication avec l'au-delà elle avait pu apaiser sa femme des raisons de sa mort. Comme ce doit être merveilleux de posséder un don aussi précieux !

– Peut-être, concéda son interlocutrice, sceptique. Pour peu que l'on croie à ce genre de choses.

– Vous n'y croyez donc pas ?

– Oh, j'imagine que ce doit être possible, mais il y a tant d'escrocs sur cette terre, ma chère... Il faut faire attention à ne pas leur laisser son argent.

– Je m'en moque, répondit Myriam, sur la défensive. Du moment qu'au fond de mon cœur je sais qu'il s'agit de mon pauvre Thomas, cela m'indiffère qu'on me trompe. Le principal, c'est que je ne le sache pas.

D'abord choquée, la femme dévisagea Myriam, puis parut comprendre que la jeune femme était sincère.

– Vous teniez tant que ça à lui ? s'enquit-elle.

– Oui. Si mon petit garçon n'était pas là, j'ignore de quoi je serais capable. Thomas est le seul homme avec lequel je me sois jamais sentie belle. J'espère que ce médium me permettra de parler avec lui.

Sam sentit flancher sa résolution. Comment pouvait-elle avouer avoir menti, après avoir entendu de telles paroles ?

– Je ne sais pas pourquoi je vous raconte ma vie, poursuivait Myriam, vous ne me connaissez même pas. C'est agréable de trouver une confidente, car mon père ne songe qu'à se débarrasser de moi en me trouvant un mari.

– Oh, je suis certaine que votre bonheur lui tient à cœur, ma chère.

– Quel bonheur ? Tout ce qui m'importe, c'est de communiquer avec mon Thomas. C'est à lui de dire ce que je dois faire de ma vie. Si je revois ce médium, je trouverai bien le moyen de lui faire organiser une séance.

La femme se mit à applaudir.

– Excellent ! Dans ce cas, prévenez-moi, que je puisse aussi être présente. Je me suis toujours interrogée sur ce genre de choses.

Vous n'êtes pas près d'avoir la réponse, se promit Sam, parce qu'aucune de vous deux n'aura l'occasion de me retrouver.

Elle quitta précipitamment le salon, faisant taire ses derniers scrupules. Elle avait amené un peu de bonheur dans la vie de Myriam Appleby, et n'avait fait aucun mal, mais c'en était trop. Il était hors de question de tenir une séance. Sa vie était déjà suffisamment entachée de mensonges.

En conséquence, Sam s'employa à éviter Myriam durant tout le reste du trajet, s'ingéniant à aller dîner après les autres passagers, lorsque la voiture-restaurant était presque vide, et fuyant les autres salons. Elle passa la majorité du temps dans sa propre voiture, s'exerçant à donner et à couper les cartes.

Le voyage arrivait à son terme.

Au bout du compte, le contrôleur annonça qu'ils parviendraient bientôt à Kansas City.

Leurs bagages prêts, Sam et Belle regardaient par la fenêtre défiler les derniers kilomètres.

– Es-tu sûre de ne pas vouloir une partie de mes gains ? demanda Belle. Je te l'ai déjà dit, je serais ravie de partager.

Sam secoua la tête.

– Comme tu voudras, soupira Belle. Ce n'est pas faute de te l'avoir proposé. Je voulais te remercier de m'avoir hébergée. Si tu t'arrêtes un jour à Abilene, passe me voir. Tu n'auras qu'à demander Belle Cooley. La ville ne tardera pas à savoir qui je suis.

Elle avait ponctué cette dernière remarque d'un clin d'œil.

– Je n'en doute pas, approuva Sam avec un sourire.

– Et si tu cherches un jour un emploi...

– Comme croupier ? s'esclaffa Sam. Tu plaisantes !

– Pas du tout. Je n'ai jamais vu quelqu'un d'aussi doué. Tu es très habile de tes mains. Continue à t'entraîner et tu deviendras aussi bonne que moi.

Quoique flattée, Sam était loin de partager l'enthousiasme de Belle. D'ailleurs, à quoi bon rêver ? Son destin était tout tracé.

Elles se dirent adieu. Puis Belle alla en ville chercher une chambre, tandis que Sam se promenait pour tuer le temps en attendant sa correspondance. Bien que les rues fussent encore peu animées étant donné l'heure matinale, elle prit plaisir à contempler les vitrines des magasins des environs de la gare.

De retour sur le quai, elle constata avec surprise que Myriam et son père montaient dans le train en partance pour Normoyle Junction. Le convoi se limitait à une locomotive tractant deux voitures de passagers et un wagon de queue destiné aux employés des chemins de fer. Si elle voulait éviter de rencontrer le juge et sa fille, il lui fallait trouver une idée, et vite.

Le contrôleur avait remarqué qu'elle hésitait à embarquer.

– Quelque chose ne va pas, Mademoiselle ? s'enquit-il en jetant un coup d'œil au billet qu'elle tenait à la main. Oh, je comprends ! Vous êtes dépitée de vous retrouver en troisième après avoir voyagé en Silver Palace depuis New York... Ne vous inquiétez pas. Le voyage ne sera pas très long. Nous arriverons en fin d'après-midi.

Cependant, il était hors de question de se retrouver aux côtés de Myriam, ne fût-ce que pour quelques heures. De toute évidence, elles se rendaient toutes deux au fort. Or, quitte à contrarier son père, Myriam n'aurait de cesse de la convaincre d'invoquer les esprits. Sam ne pouvait prendre un tel risque, car il était probable que Jarman Ballard n'apprécierait guère de telles pratiques. Elle laissa donc l'homme l'aider à monter et, sitôt qu'il fut reparti vers la gare, elle descendit pour se précipiter vers le wagon de queue.

Alors qu'elle se hissait à l'intérieur, elle croisa le regard surpris d'un homme en uniforme assis à un bureau proche de l'entrée.

– L'accès est interdit, Madame, protesta-t-il. Cette voiture est réservée aux employés des chemins de fer. Prenez la suivante.

– Je serai très bien ici, répondit-elle en s'asseyant sur un banc tout proche. Ne vous occupez pas de moi.

– Mais c'est interdit, vous ne...

Le son de sa voix se perdit dans le sifflet strident indiquant que le train était au départ. Sam sentit le convoi s'ébranler. Il ne lui restait plus qu'à trouver le moyen de débarquer sans que Myriam ne la remarque, ce qui ne serait pas une mince affaire. Mais il y avait fort à parier que Jarman l'enlèverait en un clin d'œil afin de passer un moment en tête à tête...

– Descendez tout de suite, Mademoiselle.

Le train démarra enfin.

– Trop tard, répondit-elle avec un sourire mutin.

Peter Jamison la détailla des pieds à la tête. C'était l'un des avantages qu'il trouvait à son travail : regarder toutes ces jolies femmes monter et descendre des trains. Celle-ci avait de beaux cheveux qui lui rappelaient un lingot d'argent entrevu par le passé. Et aussi une allure étrange, avec ses yeux de chat, tantôt dorés, tantôt verts.

– Vous avez un drôle d'accent. Seriez-vous étrangère ?

– En fait, je suis née...

Elle s'interrompit, se maudissant. Elle avait été à deux doigts de sortir de son rôle, manquant d'expliquer qu'elle était américaine mais qu'elle avait passé les dix dernières années en France. Quelle idiote ! Il fallait qu'elle oublie jusqu'à l'existence de Samantha Labrune. Elle s'appelait désormais Céleste de Manca.

– Oui, je suis née à Paris, expliqua-t-elle d'une voix raffermie.

– Ma foi, votre anglais est excellent, mis à part cet accent.

Sam ne répondit pas. Elle se détourna, faisant semblant de n'avoir d'yeux que pour le paysage qui défilait sous ses yeux. L'employé comprendrait-il qu'elle n'avait pas envie de parler ?

Effectivement, l'homme finit par se replonger dans son travail administratif, tout en lui jetant de temps en temps un coup d'œil à la dérobée.

Sam était épuisée. Elle n'avait pas fermé l'œil de la nuit. La partie de poker avait duré jusqu'à l'aube, puis Belle et elle avaient discuté jusqu'à l'entrée en gare. Bientôt, le mouvement régulier du train se mit à la bercer, et sa tête dodelina sur sa poitrine. Elle s'assoupit.

Comment pouvait-elle dormir malgré les nombreuses secousses ? C'était un mystère, songea Peter Jamison. Puis ce dernier finit par oublier la présence de la jeune fille pour se concentrer sur sa tâche.

Ainsi s'écoula l'après-midi. Toujours endormie, Sam glissa peu à peu sur le côté, sa tête allant reposer sur le bras du banc. Elle replia machinalement les jambes.

Au bout d'un moment, le train décéléra enfin. Jamison sortit sa montre de sa poche. Une heure de retard en bas de la côte. Pas mal, songea-t-il. La dernière fois qu'il avait été de service sur cette ligne, c'était près de deux heures. Il se leva, s'étira. Ayant terminé son travail, il pouvait désormais profiter de la fin du voyage.

Alors qu'il se dirigeait vers l'arrière du wagon, la locomotive hoqueta dans la montée. Il dut s'arc-bouter pour ne pas tomber en avant. De part et d'autre du ballast, l'à-pic était impressionnant. Ce n'était que taillis, broussailles et rochers, mais il avait toujours admiré cette vue plongeante...

Poussant un cri à vous glacer les sangs, un premier Indien atterrit lourdement sur le toit du wagon.

– Bon sang ! lâcha Jamison, ébahi, en fixant le plafond.

Un autre coup sourd retentit. Les Indiens descendaient déjà à l'intérieur des deux autres voitures. Les passagers se mirent à crier, les assaillants à hurler, dans un vacarme assourdissant.

Sam se réveilla en sursaut, essayant de comprendre ce qui se passait. Devant elle, l'employé des chemins de fer s'approchait du râtelier d'armes. Quelqu'un venait de s'engouffrer dans le wagon pieds en avant, fracassant la fenêtre. Un Indien, sans aucun doute. L'homme musclé, torse nu, s'avançait vers elle. Il avait la peau cuivrée. Sur son visage, des peintures de guerre macabres, terrifiantes.

– Ne me touchez pas ! Laissez-moi ! s'écria-t-elle en levant les poings devant elle pour se défendre.

Jamison avait battu en retraite et s'était réfugié sous son bureau dans l'espoir que le sauvage, intéressé par la jeune femme, oublierait son existence. Peu importe si on le traitait ensuite de lâche pour n'avoir pas tenté de sauver celle-ci. Il n'était pas prêt à se sacrifier pour une inconnue.

Sam était pétrifiée sur place. Qu'allait-il se passer ? Soudain, un deuxième Indien fit irruption dans la voiture par la plate-forme arrière et se lança dans un discours incompréhensible. Le premier lui répondit. Leur langue avait des accents gutturaux. Sam se prit à espérer qu'ils n'étaient venus que pour dévaliser les passagers.

Le train s'arrêta dans un long crissement.

Ne pouvant risquer d'être reconnu par la femme s'il était par la suite amené à la rencontrer au fort, Aigle Intrépide s'était littéralement badigeonné le visage de peinture blanche. Il s'engouffra dans la première voiture. Celle-ci n'était occupée que par des hommes. Il se précipita vers la deuxième, et constata avec agacement que toutes les femmes étaient trop âgées pour être celle qu'il cherchait. La seule qui aurait pu faire l'affaire avait un petit garçon agrippé à ses basques.

Fulminant, il se retourna, et constata que deux hommes de sa tribu rencontraient de la résistance dans le wagon de queue, où aucun passager ne prenait normalement place. Il s'approcha de la scène pour découvrir, stupéfait et amusé, que leur adversaire était une femme, qui résistait comme un beau diable.

– Bas les pattes, canailles ! hurlait-elle. Si vous approchez, je vous tue !

Dès que les sauvages avaient essayé de la tirer de force de son banc, Sam avait vu sa peur se métamorphoser en fureur.

L'un des deux guerriers, Renard Rouge, se mit à grimacer de douleur : la femme venait de lui marteler le tibia de la pointe de son escarpin. Il s'efforça de la maintenir tandis que son compagnon, Chien Triste, tentait d'échapper à ses ongles acérés. Et, quoiqu'ils aient reçu l'ordre de ne pas lui faire de mal, Chien Triste leva finalement la main pour la gifler après qu'elle l'eut griffé à la joue. Il ne supportait pas qu'une femme porte la main sur lui, et une Blanche encore moins.

– Ne la frappe pas ! intima Aigle Intrépide en pénétrant dans le wagon.

D'un geste vif, il se saisit de Sam et la fit tourner sur elle-même en lui maintenant solidement les bras derrière le dos. Elle continua de se débattre et de donner des coups de pieds en agitant frénétiquement la tête, mais il ne lâcha pas prise.

– Quels beaux guerriers vous faites ! ironisa-t-il, toujours dans leur langue. Vous n'êtes pas capables de venir à bout d'une femme !

Sam se débattait et crachait toutes les insultes qu'elle avait apprises dans les rues et les catacombes de Paris, bien décidée à se battre jusqu'à son dernier souffle. Son réticule tomba, laissant échapper l'enveloppe contenant les talons de ses billets.

Renard Rouge se baissa pour les ramasser. Il les tendit à Aigle Intrépide, qui hocha la tête en reconnaissant le nom de la passagère.

– C'est elle que nous cherchions ! triompha-t-il. Dépêchons-nous. Attrapez-lui les jambes et aidez-moi à la sortir d'ici. N'oubliez pas son sac.

Chien Triste et Renard Rouge échangèrent un regard gêné. Ni l'un ni l'autre ne voulaient toucher ce démon femelle, car il leur était interdit d'agir comme ils le souhaitaient : lui asséner quelques taloches pour lui apprendre les bonnes manières. Cependant, de crainte qu'Aigle Intrépide raconte aux autres braves qu'ils s'étaient conduits comme des pleutres, ils s'avancèrent d'un même élan et se saisirent chacun d'une cheville de Sam. Voici comment l'on assista à une scène inédite, où il ne fallut pas moins de trois Indiens pour emporter une petite jeune fille qui hurlait et se débattait de toutes ses forces.

Tout à la fois fascinés et horrifiés, les passagers s'étaient rassemblés aux fenêtres pour contempler l'enlèvement. Il avait suffi de sept Indiens pour arrêter le train et s'emparer de l'une des leurs sans tirer un seul coup de feu. S'ils se sentaient obligés de compatir pour l'inconnue, ils échangèrent néanmoins des soupirs de soulagement, trop heureux d'avoir été épargnés.

– Y a-t-il des blessés ? s'enquit l'employé des chemins de fer qui venait évaluer les dégâts.

Jamison avait rampé de dessous son bureau et s'était saisi d'une armepour faire bonne figure.

– Non, assura d'une voix ferme le juge Quigby. Ceux qui sont passés ici n'ont blessé personne. Visiblement, ils n'en n'avaient qu'après cette femme.

– Qui était-ce ? demanda quelqu'un.

Quigby répondit qu'il ne connaissait pas son nom mais qu'il se souvenait l'avoir vue dans le train de Kansas City.

Myriam, qui tenait encore contre elle son fils terrorisé, savait qu'il s'agissait de la jeune médium avec laquelle elle s'était entretenue. Hélas, il était désormais trop tard pour évoquer les esprits. Tout portait à croire que l'on ne retrouverait jamais la malheureuse. Myriam baissa la tête et se mit à pleurer.

9

Le groupe d'Indiens avait prévu de se séparer sitôt hors de vue du train. Aigle Intrépide estimait en effet que moins nombreux ils seraient, plus il serait facile de passer inaperçus. Il indiqua à Chien Triste et à Renard Rouge où emmener la captive, qui avait été placée en travers d'un cheval, les chevilles ligotées. Ils avaient en partie déchiré son élégant manteau afin de confectionner un bâillon pour étouffer les bordées d'injures qu'elle déversait.

– Ne la touchez sous aucun prétexte, rappela-t-il avant de s'éloigner au galop. Esprit Sauvage arrivera ce soir. Je dois retourner au fort avant qu'on remarque mon absence.

La terreur s'était insinuée en Sam telle un serpent, et l'enserrait jusqu'à l'étouffer. Seigneur, qu'avaient-ils l'intention de lui faire ? Des pensées plus horribles les unes que les autres ne cessaient de danser devant ses yeux. Plutôt être tuée sur-le-champ que d'avoir à endurer ce qu'imaginait son esprit fou d'angoisse. Elle se débattit et tenta de crier à travers le bâillon, dans l'espoir d'inspirer quelque compassion à ses ravisseurs, mais c'était peine perdue.

Son cheval allait grand train. Elle était ballottée et malmenée. Et, comme un malheur ne venait jamais seul, elle sentait monter la nausée. Le soleil de cette fin d'après-midi dardait des rayons sans merci. Il faudrait pourtant bien qu'ils fassent halte tôt ou tard. Elle tentait désespérément de rester vigilante : peut-être relâcheraient-ils leur attention ?

Les deux Indiens chevauchaient côte à côte, discutant tous les deux. L'un tirait par une rêne la monture de Sam. Elle regretta de ne pas comprendre ce qu'ils se disaient. C'était étrange. Ils n'avaient enlevé qu'elle. Le visage tourné vers le bas, elle fixait d'un regard absent l'épaisse végétation des hautes plaines. Quoique le relief fût peu accidenté, son corps était perclus de douleurs. Elle avait aussi terriblement soif. Sa bouche s'était asséchée à cause de ce bâillon qui l'étouffait et de la sécheresse régnant dans les vastes étendues qu'ils traversaient.

Le crépuscule fit enfin place au soleil, enveloppant la terre d'un pâle voile bleu et mauve. Ils arrivaient en vue d'une rivière. Sam se sentit glisser en avant lorsque son cheval attaqua la descente. Heureusement, l'un des Indiens eut la présence d'esprit de se retourner pour l'empêcher de tomber.

Ils atteignirent finalement la rive. Le guerrier qui avait maintenu Sam sur sa monture la souleva et la déposa à terre. Sortant un coutelas, il cisailla ses liens et lui montra du doigt l'eau, puis ses lèvres, pour lui intimer de se désaltérer.

Sam ne se le fit pas dire deux fois. Chancelante, elle se leva, se débarrassa de son manteau puis se mit à genoux et se plongea le visage dans la rivière. Elle n'avait bu que quelques gorgées lorsqu'une main l'empoigna rudement par les cheveux, la tirant en arrière.

Les sourcils froncés, l'Indien se frotta l'estomac et lui indiqua l'eau pour lui faire comprendre qu'elle allait se rendre malade à tant boire. Bien qu'étant le plus petit des deux, il la dépassait d'une demi-tête. Le second, occupé avec les chevaux, ne regardait pas dans leur direction. Sam avait toujours dû se battre pour survivre. Avec soulagement, elle sentit la peur se dissiper et son courage lui revenir. Peu à peu, elle retrouvait ses forces.

La femme blanche avait peut-être faim, se dit Chien Triste. Il retourna vers son cheval chercher du pemmican. Au moment où il se tournait vers Sam pour lui proposer le mélange de viande séchée écrasée, de cerises sauvages, de moelle et de graisse de bœuf, celle-ci se précipita dans la rivière.

– Rattrape-la ! s'écria Renard Rouge, alerté, en se mettant immédiatement à sa poursuite.

Aucun des deux ne réussit pourtant à l'empêcher de plonger sous l'eau. Laissant tomber le sac, Chien Triste se mit à courir lui aussi, et sauta à la suite de son compagnon. Le courant, fort à cet endroit, allait fatalement rejeter Sam contre la berge un peu plus loin. Renard Rouge alla s'y poster pour l'attendre dans l'eau. Avec l'aide de Chien Triste, qui l'avait rejoint, il tira la femme blanche jusqu'à la rive boueuse, où il la lâcha sans ménagement. Ensuite, il courut vérifier que les chevaux ne s'étaient pas échappés.

– Sale garce ! s'époumona Chien Triste, essoufflé. Tu crois qu'une femme telle que toi peut fausser compagnie à de valeureux guerriers Kansa ?

Sam n'avait pas la moindre idée de ce qu'il disait ; elle était toutefois sûre d'une chose : il ne l'avait pas complimentée sur ses dons pour la nage indienne.

– Ce n'est qu'un début, mon bonhomme ! répliqua-t-elle du tac au tac, sans se soucier du fait qu'il ne la comprît pas. Plutôt mourir que de te laisser me toucher. Je me battrai jusqu'à la mort !

Cette fille est enragée, songea Chien Triste. Il sentit toutefois la chaleur l'envahir dès qu'il parcourut du regard ce corps frémissant. Elle avait une belle silhouette.

Il aimait en particulier la façon dont ses vêtements trempés épousaient chacune de ses formes. Il passa la langue sur ses lèvres. Il mourait d'envie de se jeter sur elle et de lui faire endurer le sort subi par Petite Fauvette. Cependant, les ordres d'Aigle Intrépide et d'Esprit Sauvage étaient formels, et il ne pouvait désobéir à ces deux guerriers siégeant au conseil de la tribu.

Il s'intéressa alors à la chevelure de Sam. Il n'en avait jamais vu de telle. Elle constituerait un magnifique trophée. Il répugnait à scalper une si belle femme, mais quel mal y avait-il à garder une de ses mèches en souvenir ?

Chien Triste sortit son coutelas et coinça la femme entre ses genoux. Croyant que l'Indien s'apprêtait à l'égorger, Sam hurla de toutes ses forces et tenta de lui griffer les yeux, mais il eut tôt fait de lui immobiliser les poignets. Pressant de tout son poids sur la poitrine de la femme blanche, il sépara une longue mèche argentée qu'il coupa tout près de la racine.

Impuissante, Sam ne pouvait que le maudire, lui et tous ses ancêtres. Elle se mit à l'agonir d'injures, de termes orduriers qu'elle croyait avoir oubliés depuis longtemps. Seigneur, il s'était mis en tête de la scalper ! Elle avait entendu parler de ce supplice.

Terrorisée, elle se mit à trembler de tous ses membres sous la large main basanée qui s'apprêtait à la faire basculer dans le néant. Mais il n'était pas question de s'évanouir. Elle guettait encore l'occasion de s'emparer du coutelas dont il la menaçait.

Renard Rouge avait entendu ses cris. Il arriva en courant.

– Tu as perdu la tête ? Tu connais les ordres, non ? On ne doit lui faire aucun mal !

– Je ne lui fais pas de mal ! s'esclaffa Chien Triste. Regarde la mèche argentée que j'ai prise en souvenir. Tu en veux une ? Ce n'est pas ce qui lui manque !

Sur quoi il plongea de nouveau la main dans la chevelure de Sam.

Les cris de cette dernière cessèrent soudain. Un nouvel Indien très grand venait d'arriver sans crier gare. Contrairement aux deux autres, celui-ci n'avait pas le crâne presque rasé, mais d'épais cheveux noirs qui retombaient sur ses larges épaules. Dans la faible lueur du crépuscule, Sam ne distinguait pas bien les traits de son visage, que dissimulaient des peintures de plusieurs couleurs. Elle nota néanmoins son impressionnante carrure, ses bras et son torse musclés. Il était vêtu comme les deux autres de jambières de daim, mais les siennes étaient ajustées sur ses cuisses puissantes.

Ses cheveux retenus par un fin bandeau perlé ne tombèrent pas lorsqu'il se pencha pour la prendre dans ses bras. Sans émettre le moindre son, il la souleva sur son épaule et s'éloigna de Chien Triste et de Renard Rouge qui le fixaient bouche bée.

Émergeant de son état de choc, Sam se mit à se reprocher sa docilité. Ce n'était pas parce qu'il était grand et fort et qu'émanait de lui une impression de d'autorité qu'elle devait fléchir.

– Fais-moi descendre, sale porc ! se mit-elle à hurler en agitant les jambes et en lui mitraillant le dos de ses poings. Je vais t'arracher le cœur, espèce de sauvage !

Paul réprima un froncement de sourcils. Il avait connu bien des femmes dans sa vie, et certaines, ayant grandi dans la rue, juraient comme des hommes. Il aurait cependant cru que la fiancée de Ballard, issue de la bonne société, serait une jeune fille altière, cultivée et raffinée. Au lieu de quoi elle proférait des obscénités !

Il fut tenté de la laisser tomber d'un coup sur son derrière pour lui apprendre la politesse. Néanmoins, il était préférable qu'elle entende le moins possible le son de sa voix, voire pas du tout. Il avait beau s'agir d'une étrangère qui n'avait sans aucun doute jamais rencontré d'Indiens avant ce jour, elle ne tarderait pas à se douter qu'il ne pouvait l'être entièrement. Il se refusait à lui parler en anglais.

Il continua de marcher, imperturbable, mais finit par perdre patience lorsqu'elle se mit à lui griffer le dos. Il la posa, alors, à terre et lui tordit le bras, l'obligeant à avancer en la poussant devant lui.

Le torrent d'injures qui sortait de la bouche de Sam semblait intarissable. C'était le seul moyen qu'elle ait trouvé de se protéger. Ses ravisseurs allaient sans doute la torturer, la violer, la tuer, ou la laisser mourir. Elle tempêtait et vociférait pour ravaler sa peur.

Lorsqu'elle s'exprima en français, ce fut un soulagement pour Paul. Une chose était sûre : il ne prendrait aucun risque avec elle. Il jubilait d'avance en imaginant Jarman Ballard le jour où cette furie lui ferait une scène. Comment celui-ci avait-il pu choisir une telle femme ? Cette question le chiffonnait. Ballard avait pourtant dû remarquer son langage ordurier. Elle n'était pas désagréable à regarder, il est vrai. Et à la voir, les cerfs et les boucs n'avaient pas à craindre de perdre leur cornes.

Paul ne retrouva la grotte que parce qu'il en connaissait l'emplacement exact. Le sentier se perdait derrière des souches, ne devenant apparent que par endroits, là où la rivière l'avait érodé après quelque crue. Paul se fraya un chemin dans la végétation touffue. Il était venu plus tôt dans la journée déposer dans la caverne des peaux de bison ainsi que quelques ustensiles de cuisine, et avait laissé une torche allumée. Ils parvinrent enfin à l'étroite entrée, cavité apparue lorsque la crue avait déraciné et emporté un grand arbre. Paul put alors lâcher sans ménagements l'arrogante donzelle, ce qu'il mourait d'envie de faire depuis un moment.

Sam retomba sur le sol dur. Elle était déjà prête à bondir et à jeter toutes ses forces contre lui, mais trop tard. Entre-temps, le Peau-Rouge s'était emparé d'une corde et lui avait prestement ligoté les poignets.

– C'est cela, attache-moi. Ça veut dire que j'ai encore du temps devant moi. Oh Seigneur, si seulement j'avais une arme ! Tu verrais comment j'effacerais à jamais ton petit sourire satisfait !

Paul détourna le visage de peur qu'elle ne remarque son expression amusée et saisisse qu'il comprenait ses paroles. Il ne la bâillonna pas. A force de pester, elle finirait peut-être par s'enrouer, voire devenir aphone. Peu importait. Personne ne pouvait l'entendre de l'extérieur. De toute façon, aucun cavalier ne passait dans ces parages. C'était la raison qui lui avait fait choisir cette cachette. Légèrement à l'écart de la rivière, située loin des voies de transport fluvial, elle débouchait sur un marais. Les seuls visiteurs éventuels étaient des Indiens qui venaient chasser ou pêcher.

Paul la laissa là et revint sur ses pas, rejoignant Chien Triste et Renard Rouge qui l'attendaient. Il ne mâcha pas ses mots en s'adressant à eux.

– Si tu l'avais blessée, Chien Triste, je t'aurais envoyé rejoindre tes ancêtres !

– Je ne voulais qu'une mèche de sa chevelure, se défendit celui-ci.

– Eh bien, tu l'as, lança Paul en ramassant le manteau que Sam avait laissé tomber. Maintenant, disparais avant que je m'en prenne à ton propre crâne !

Paul ne retourna pas tout de suite à la grotte. Il voulait laisser à la jeune femme le temps de se calmer. La lune aux tons ocre se reflétait dans les ondulations des eaux sombres. Les feuilles bruissaient, soulevées par une brise légère. Les étoiles s'étaient comme reculées dans la voûte céleste, tandis que des myriades de lucioles dansaient parmi les lianes luxuriantes.

Paul regrettait de n'avoir personne avec qui admirer cette nuit splendide. C'est peut-être pour cela qu'il s'était tant attaché à Petite Fauvette : elle était la seule personne avec qui il ait jamais pu partager cette féerie. Combien de fois, étendus côte à côte, n'avaient-ils pas levé les yeux vers les étoiles pour évoquer leurs espoirs, leurs joies et leurs peines les plus intimes. Si jeunes fussent-ils à l'époque, Paul rêvait de passer sa vie avec elle. C'était pourtant lors de l'une de ces nuits que Petite Fauvette lui avait brisé le cœur en lui confiant que le sien battait pour un autre.

Paul continuait cependant à s'émerveiller de la nuit. Rencontrerait-il jamais l'âme sœur avec qui partager ces instants uniques de paix et de recueillement ? Il en doutait.

Il s'en retourna vers la grotte. La jeune femme dormait. Il décrocha la torche et l'approcha d'elle pour mieux l'observer.

Ses longs cheveux couleur clair de lune étaient répandus autour d'elle. Elle était allongée sur le dos, et il distinguait les traits de son visage : ses cils longs et épais, parsemés d'or, frôlant sa peau diaphane comme un lys ; son nez en trompette ; ses lèvres, comme gonflées d'avoir trop embrassé... Paul était sous le charme. Il se surprit à ressentir une pointe de jalousie à l'idée qu'une créature si ravissante fût promise à un être aussi méprisable que Jarman Ballard. Elle devait avoir un faible pour les bellâtres ébouriffés et irascibles. L'ignoble Jarman, pour sa part, devait apprécier la vulgarité chez les femmes.

Convenant que ces deux-là étaient certainement faits l'un pour l'autre, Paul se prépara une couche sur une peau de bête à l'autre bout de la grotte. Il s'assoupit peu après.

Sam ouvrit immédiatement les yeux : en fait, elle ne dormait pas. Elle l'avait entendu revenir et s'était demandé avec angoisse ce qu'il allait faire. Elle avait été stupéfaite, et pour tout dire soulagée, qu'il se contente de l'observer puis s'installe à l'autre bout de la grotte.

Elle parvint à s'asseoir. Dans l'obscurité, elle discernait sa silhouette couchée sur le côté. Il avait une carrure bien plus imposante que celle des autres Indiens.

Remontant les genoux, elle imprima à son corps un mouvement de balancier et s'extirpa de la peau de bison, s'approchant peu à peu de son geôlier. Son intention première était de voir l'ennemi de plus près ; dès qu'elle aperçut le coutelas accroché à sa ceinture, son cœur se mit à battre à tout rompre. Retenant son souffle, elle continua sa progression en tâchant de ne pas faire de bruit. Elle songeait à présent à lui dérober son arme sans le réveiller, afin de couper ses liens et de recouvrer sa liberté. Elle n'avait pas la moindre idée de l'endroit où elle était détenue. Qu'à cela ne tienne, elle trouverait bien de l'aide. Elle se cacherait le jour et se déplacerait la nuit. Évidemment, avec les Indiens et les bêtes sauvages qui rôdaient, le risque était considérable, mais c'était sa seule planche de salut. Elle était prête à tout plutôt que de suivre le triste destin qui l'attendait.

Elle avança la main. Il remua légèrement. Elle se recula aussitôt. Elle attendit que la respiration fût redevenue régulière pour reprendre la manœuvre. Cette fois, elle tenta le tout pour tout. Ses doigts s'emparèrent aisément du couteau, le ramenèrent à elle. Avec le même mouvement de balancier qu'à l'aller, elle regagna sa couche.

Elle essaya fiévreusement, frénétiquement même, de trancher les cordages. La tâche était par trop malaisée. Alors, elle se pencha, prit le manche entre ses dents et le maintint de toutes ses forces. Soulevant ses poignets ligotés, elle se mit à frotter la corde contre le tranchant de la lame.

Ses liens finirent par céder. Dès qu'elle eut les mains libres, elle passa à ceux qui entravaient ses chevilles. Elle réussit enfin à se lever, tant bien que mal. Elle se rappela que l'on était à la pleine lune : elle avait distingué le disque brillant depuis la fenêtre de sa voiture la nuit précédente. S'il n'y avait pas de nuages, elle y verrait certainement assez clair pour trouver une cachette.

Et puis, sans comprendre pourquoi, Sam eut un instant d'hésitation. Elle eut envie de jeter un dernier coup d'œil à l'Indien, sans doute pour s'assurer qu'il dormait profondément. Elle se retourna, et étouffa un cri. Tranquillement assis, les mains posées sur les genoux, le sauvage l'observait en silence, un sourire aux lèvres.

Prise de panique, les nerfs à vif, Sam le dévisagea. Il lui revint à l'esprit une question qu'elle s'était souvent posée, du temps qu'elle vivait dans la rue, au milieu de toute cette violence : si les circonstances l'exigeaient, serait-elle capable d'ôter la vie à un autre être humain pour sauver la sienne ?

Elle venait de trouver la réponse.

Empoignant fermement le coutelas, Sam s'élança.

10

Paul roula en arrière, saisissant le bras de Sam sitôt qu'elle fut à sa portée. Il lui agrippa le poignet, et relevant un genou, il la frappa à l'estomac. Elle lâcha le couteau. Il la fit aisément rouler par-dessus lui, et elle retomba dans un grognement de douleur. Furieuse et vexée, elle se releva et repartit à l'attaque.

Paul n'en revenait pas. Avait-elle perdu la tête ? Il avait tout de l'Indien sur le sentier de la guerre, avait pris ses airs les plus cruels et les plus sanguinaires. Et, quelle que fût la colère et la détermination de cette femme, elle n'était pas de taille à le vaincre.

– Il faudra que tu me tues, suppôt du diable ! s'écria Sam, à demi-aveuglée par des larmes de dépit.

Il parvint à la traîner jusqu'à sa couche, face contre terre ; là, il pressa un genou sur son dos pour qu'elle cesse de bouger. Et comme elle continuait à se débattre, il mit le deuxième pour faire bonne mesure.

Elle grommelait, dents serrées, en frappant le sol de ses poings.

– Va au diable, enfant de putain !

Les lèvres de Paul frémirent légèrement. Ah ! Combien il aurait aimé assister à la première dispute des futurs mariés ! A l'entendre jurer ainsi, Jarman Ballard en ferait probablement une jaunisse !

Trouvant une seconde corde, il la ligota plus serré, en s'assurant cette fois qu'elle ne pourrait pas bouger. Il avait besoin de dormir et ne voulait pas risquer qu'elle revienne à la charge.

Lorsqu'une nouvelle insulte fusa, il lui mit la main sur la bouche, lui faisant comprendre qu'il la bâillonnerait si elle ne se taisait pas. Sam obtempéra, peu désireuse d'avoir à nouveau la gorge obstruée. Paul s'assit pour la regarder. Il lui aurait volontiers donné à manger, mais elle était certainement trop furieuse pour avoir faim. Elle finirait peut-être par se calmer, une fois qu'elle aurait compris que personne ne lui voulait de mal. Dans le cas contraire, les semaines à venir ne seraient pas une partie de plaisir.

Il alla se recoucher et trouva bientôt le sommeil. De son côté, Sam resta longtemps éveillée, partagée entre la crainte et la colère.

Le lendemain matin, elle se réveilla en sursaut. A la vue de l'Indien, elle se remémora d'un coup le cauchemar qu'elle vivait. Il était tranquillement assis dos au mur, les mains posées sur les genoux. Souriait-il ? Difficile à dire, étant donné ses peintures de guerre. En revanche, elle remarqua quelque chose d'insolite : il avait les yeux bleus !

Sa connaissance des Indiens avait beau être limitée, elle savait tout de même que ce peuple n'était pas censé avoir les yeux clairs. Ceux des autres attaquants entrevus la veille étaient sombres, presque noirs.

Une autre chose l'interpella : celui-ci ne paraissait pas très hostile. Elle sentait ce matin-là une certaine douceur dans son regard perçant. Elle remarqua ce qu'elle n'avait pas pu voir la veille à la lueur de la torche : une cicatrice d'une quinzaine de centimètres lui traversait la poitrine – suite d'une grave blessure, sans doute.

– Dommage que tu ne parles pas anglais, dit-elle

tristement, je t'aurais peut-être persuadé de me laisser partir.

L'expression de son geôlier ne changea pas.

– Tu vas avoir toute l'armée à tes trousses. Mon fiancé est un officier supérieur de l'armée. Il est certainement au courant maintenant. Il doit déjà y avoir des centaines de soldats à ma recherche.

L'autre ne haussa pas même un sourcil. Ainsi donc, songea Sam, il n'essayait pas de comprendre. Même les sourds s'efforçaient de lire sur les lèvres... Or, cette brute se contentait de la dévisager, ce qu'elle trouvait extrêmement énervant.

Elle fit une nouvelle tentative. Elle n'avait rien à perdre, après tout. Peut-être connaissait-il un mot ou deux.

– Laisse-moi partir, et nous oublierons ce qui s'est passé. Je convaincrai les soldats d'arrêter les recherches.

Paul était fasciné. Non seulement il la trouvait charmante – quoi qu'elle fût un véritable danger en puissance sitôt qu'il avait le dos tourné – mais il admirait son énergie. La plupart des femmes ne se seraient jamais défendues autant, et auraient encore moins tenté de ramener leur ennemi à la raison malgré la barrière de la langue.

Il était captivé par les yeux de Sam. Assez étrangement, elle lui rappelait un lynx en face duquel il s'était jadis trouvé. C'était pendant la guerre de Sécession, lors d'une mission en Alabama. Désirant être seul, il avait posé son paquetage à l'écart du reste du régiment. C'était une nuit de pleine lune qui baignait dans l'irréalité d'un halo argenté. Il était à demi endormi lorsqu'un lynx, surgissant d'un arbre au-dessus de lui, était retombé à une dizaine de centimètres de son visage.

Tétanisé, il n'avait tout d'abord pas pu bouger. Puis il avait compris que s'emparer de son arme pouvait lui être fatal. L'animal se trouvait si près qu'il lui sauterait à la gorge s'il se sentait menacé. Paul resta donc allongé, fasciné par le félin. Dans un premier temps, celui-ci n'apprécia visiblement pas qu'un être humain empiète sur son territoire. Il retroussa les babines en grondant. Ses crocs étincelaient d'une façon menaçante, ses yeux rougeoyaient, pareils à des braises. Puis, décidant à l'évidence qu'aucun danger ne le menaçait, le lynx avait reculé de quelques pas et s'était arrêté. Leurs regards étaient restés plongés l'un dans l'autre pendant un instant interminable.

Paul avait lu tour à tour dans les yeux du félin chacune des sensations qui l'avaient traversé. Et que des yeux féminins soient à présent le miroir de telles émotions ne laissait pas de susciter sa curiosité. Seulement, cette fois, il doutait que la confrontation ait la même issue.

– Qu'est-ce que tu as à me regarder ainsi ? attaqua soudain Sam. Tu ne pourrais pas me détacher ? A force de rester ligotée comme ça, je vais me retrouver si engourdie que je ne pourrai plus bouger. Et puis les cordes sont trop serrées, elles me font mal, tu vois ?

Paul savait qu'elle mentait : il avait pris soin d'éviter que les liens lui cisaillent la peau. Il fallait cependant la libérer pour lui permettre d'aller satisfaire ses besoins naturels. Il alla donc dénouer le bout de la corde qu'il avait lié à des racines, puis la mena vers la lumière matinale à travers l'étroit passage. Une fois dehors, après l'avoir désentravée, il lui montra du doigt un buisson situé à quelques mètres de là, près d'une langue de terre qui s'avançait dans la rivière.

Sam avança d'abord d'un pas hésitant, craignant qu'il ne la suive. Mais il s'en alla dans la direction opposée.

Elle eut tôt fait, le cœur battant, d'évaluer la situation. Elle tenait peut-être sa chance. Elle fit mine de s'accroupir derrière le buisson, puis, toujours courbée, continua son chemin. Elle pouvait traverser à gué jusqu'à un îlot à la végétation touffue. De là, bien cachée dans les buissons bordant la rivière, elle n'aurait plus qu'à attendre le passage d'un bateau. Malgré la force du courant, elle se sentait en mesure de nager jusqu'à ce qu'on la repère. Et, de toute façon, c'était un risque à prendre.

Paul avait anticipé ses mouvements. Il la prit à revers. Lorsqu'elle émergea des broussailles, il était là devant elle, lui bloquant le passage, bras croisés, bien campé sur ses jambes.

– Saligaud ! explosa-t-elle.

Elle ne perdit pas de temps. Faisant demi-tour, elle plongea dans l'eau.

Paul plongea à sa suite. Sam se débattit. La rivière étant peu profonde à cet endroit, ils roulèrent ensemble contre les rochers, s'écorchant au passage. Sam remonta à la surface pour respirer, tout en donnant des coups de pied pour le maintenir à distance. Elle tenta de s'éloigner à la nage, mais il réussit à l'attraper et, se relevant, la hissa sur son épaule comme il l'avait fait la veille.

Sam releva la tête en entendant un éclat de rire. Elle aperçut sur la rive deux Indiens, un homme et une femme. Si l'homme avait l'air amusé, la femme, qui devait avoir le même âge qu'elle, ne souriait pas. Elle avait même une expression sévère en les regardant s'approcher.

– C'est bien toi qui me disais qu'il n'y aurait aucun problème ? ironisa Aigle Intrépide en dialecte kansa. Et voici que je te trouve en pleine bagarre avec elle au beau milieu de la rivière ! Chien Triste m'avait prévenu que cette femelle était un vrai couguar et qu'il fallait s'en méfier, mais je n'aurais jamais pensé trouver Esprit Sauvage se battant contre une simple femme...

Paul se renfrogna et emmena Sam à l'intérieur de la grotte, où il la lâcha sans ménagements sur la peau de bison. Il lui lança un regard noir pour la prévenir qu'elle ferait mieux de ne plus bouger, puis ressortit.

Sam était trop inquiète du nouveau tour pris par les événements pour se répandre en injures. Que signifiait l'arrivée des deux nouveaux ravisseurs ? Et, grands Dieux, quand saurait-elle enfin ce qu'ils comptaient faire d'elle ? De toute évidence, le vol n'était pas leur mobile, sinon ils lui auraient déjà pris son sac. Elle avait cependant pensé à le dissimuler dans une anfractuosité de la paroi.

– Je suis content de vous voir. Oiseau de Feu réussira peut-être à lui faire comprendre qu'on ne lui fera pas de mal, expliquait pendant ce temps à Aigle Intrépide un Paul exaspéré.

Croisant le regard d'Oiseau de Feu il constata sans étonnement qu'elle se méfiait de la femme Blanche. Il n'y avait là rien que de très normal, puisque la regrettée Petite Fauvette était l'épouse du frère d'Oiseau de Feu. Aigle Intrépide n'était pas loin de partager l'amertume de la jeune femme. Toutefois, celle-ci affirma à Paul, Esprit Sauvage, qu'elle avait décidé de l'aider de son mieux.

– Je ferais n'importe quoi pour faire souffrir ce démon de Ballard ! conclut-elle, véhémente.

Elle avait apporté un baluchon de vêtements. La peau de daim ne serait sans doute pas du goût de la fille, mais il n'y avait guère d'autre chois. A moins, et il en doutait, qu'elle supporte de garder sur elle durant les semaines à venir les vêtements qu'elle portait.

– Explique-lui qu'on ne lui fera pas de mal, Oiseau de Feu. Il est important qu'elle le comprenne.

Oiseau de Feu se fraya donc un chemin dans le dédale de racines menant à la grotte. Cette jeune blanche avait surtout l'air furieux. Déposant le baluchon à ses pieds, Oiseau de Feu recula.

– Qu'est-ce que c'est que ça ? s'enquit Sam en dénouant la courroie.

Le sac contenait une robe en peau douce au toucher et confortable d'aspect, dont les broderies en perles étaient d'un goût exquis, ainsi que des mocassins à franges également ornés de perles.

– Vous voulez donc que je mette ça ? Hors de question. Je n'ai pas la moindre envie de vous ressembler !

Sam avait ajouté ces derniers mots d'un air de défi, supposant l'Indienne aussi peu communicative que les autres. Elle poussa les vêtements de côté et s'adossa, bras croisés derrière la nuque. Elle avait retrouvé de sa superbe : si le grand Indien ne l'avait pas punie après sa tentative d'évasion, elle n'avait pas grand-chose à craindre de cette femme chétive. Évidemment, la Peau-Rouge devait porter un coutelas. Mais, si elle l'attaquait, Sam saurait se défendre. Elle lui jeta un regard en coin.

– Continuez à me reluquer, vous ne me faites pas peur. Vous feriez mieux de partir et de me laisser tranquille. Les soldats ne vont pas tarder à arriver. Vous regretterez tous d'avoir fait une telle bêtise.

Oiseau de Feu ramassa les vêtements et les lança à la tête de Sam.

– Par tous les saints, combien de fois faut-il que je vous répète que je ne porterai pas ça ! s'emporta-t-elle. J'aime mieux garder les vêtements que j'ai sur le dos, même s'ils sont sales. Fichez le camp !

– Ordurière comme tu l'es, tu dois pourtant aimer vivre dans la crasse.

– Comment, vous parlez anglais !

– Je suis allée à l'école des colons, mais ce ne sont pas tes affaires. Et toi, où as-tu appris à parler de façon aussi grossière ?

Sam se sentit gênée. Elle n'avait pas coutume de jurer. Si cela lui était arrivé à l'époque où elle vivait dans la rue, c'est qu'il lui avait parfois fallu montrer qu'elle n'avait pas froid aux yeux et répliquer du tac au tac aux injures. Elle releva le menton d'un air hautain. Elle n'allait pas se laisser intimider par l'ennemie qui lui faisait face.

– J'exige que l'on m'explique pourquoi j'ai été enlevée et retenue prisonnière.

– Tu n'as pas besoin le savoir, rétorqua Oiseau de Feu, dont la froide arrogance valait bien celle de Sam. Inutile de t'inquiéter. Si tu restes tranquille, il ne te sera fait aucun mal. Je t'ai apporté des vêtements propres. Maintenant... – elle fit une moue de dégoût – ... si tu préfères garder cette guenille crasseuse, libre à toi.

Sam contempla sa robe. Après ses deux passages dans la rivière, le vêtement était maculé de boue. Une manche s'était pratiquement arrachée lors de sa récente tentative d'évasion, et la jupe était déchirée en plusieurs endroits. Elle-même n'était probablement pas belle à voir. Cela dit, quelle importance ?

– Bon, je la mettrai. Mais ne pouvez-vous pas me dire au moins pourquoi on me retient ici ?

Oiseau de Feu la regarda sans mot dire.

– Surtout avec ce qui s'est passé hier ! poursuivit Sam, exaspérée. Vous me dites de ne pas avoir peur alors qu'un de vos amis a failli me scalper.

– Il ne voulait qu'une mèche de tes cheveux. Ne t'inquiète pas. Celui qui te surveille maintenant ne te touchera pas. Tu le dégoûtes.

– Lui ? glapit Sam à l'idée de son garde-chiourme aux yeux bleus.

Seigneur, c'était bien la dernière personne au monde qu'elle voulait à ses côtés. On aurait dit qu'il lisait dans ses pensées.

– Je n'en veux pas. Envoyez quelqu'un d'autre.

– Tu n'as pas le choix, ricana Oiseau de Feu. Fais ce que l'on te dit. Tu seras libérée en temps utile, je te le promets.

Sam n'en croyait pas ses oreilles.

– Faire ce que l'on me dit ? Vous êtes la première personne à vous adresser à moi dans une langue que je comprends. Comment suis-je censée savoir ce que l'on attend de moi alors que vous vous exprimez tous dans un sabir inintelligible ?

– Bon, très bien. Je viendrai te voir chaque jour pour parler avec toi et savoir si tu as besoin de quoi que ce soit. Je te laisse te changer. Je reviendrai avec de la nourriture.

De la nourriture... L'estomac de Sam grommelait.

– Je n'ai rien pris depuis hier.

– On ne t'a rien donné à manger ?

Oiseau de Feu ouvrit la sacoche de nourriture posée dans la grotte. Le pemmican et la viande de bison apportés du campement par Esprit Sauvage s'y trouvaient encore.

– Pourquoi n'y as-tu pas touché ?

Sam plissa le nez à la vue des morceaux bruns et filandreux que désignait l'Indienne. La boulette gluante de céréales que celle-ci tenait dans sa main paraissait encore moins appétissante.

– Quand tu auras vraiment faim, tu mangeras, dit Oiseau de Feu en lui lançant le sac. Nous ne sommes pas là pour te servir, compris ?

Elle se rapprocha, levant un index en signe d'avertissement.

– Je n'aime pas ton peuple et je ne t'aime pas non plus. Ne tente pas sur moi ce que tu as essayé de faire avec Esprit Sauvage. Lui déteste lever la main sur une femme, mais je n'ai pas ce genre de scrupule.

Sur ces dernières paroles, altière, elle tourna les talons.

Sam grimaça. Elle avait pris goût à la vie et aux manières de la bonne société. Cependant, si cette fille s'avisait de la provoquer, elle ne se laisserait pas faire. Idem pour Esprit Sauvage, puisque tel était son nom.

*

Jarman, furieux, faisait les cent pas dans son bureau. A l'extérieur, les passagers du train pris d'assaut par les Indiens attendaient un énième interrogatoire destiné à vérifier s'ils n'avaient pas omis de détail important. Qu'y avait-il à dire de plus ? Au moment où le train amorçait sa décélération en bas de la côte, les Indiens avaient lancé leur offensive. Le coutelas sous la gorge, le mécanicien avait été forcé d'arrêter la locomotive. Les attaquants n'avaient blessé ni détroussé quoi que ce fût... hormis sa fiancée. Ces diables de Peaux-Rouges !

Où était donc passée la compagne de voyage de Céleste ? Dans sa lettre précédente, le marquis annonçait que sa fille serait accompagnée de sa femme de chambre. C'est pourtant seule qu'elle avait embarqué dans le train, à Kansas City.

Le sergent Meese observait le groupe de passagers, debout près de la porte.

– Mon capitaine, l'homme qui attend là-bas est un juge. Il commence vraiment à s'impatienter. Il dit qu'ils sont épuisés, lui, sa fille et son petit-fils. Ils ont mal dormi la nuit dernière et vous les avez convoqués aux aurores aujourd'hui.

– Je sais, je sais, éluda Jarman. J'essaie de comprendre pourquoi mademoiselle de Manca est la seule personne qu'ils aient enlevée – comme si c'était après elle seule qu'ils en avaient.

– On le dirait bien, mon capitaine.

Meese se sentait mal à l'aise. La rumeur disait déjà que la fiancée de l'officier avait été enlevée pour venger la jeune fille kansa.

– Ce sont des Kansa qui ont fait le coup, murmura Jarman à part lui.

– Ils étaient coiffés comme eux, en tous cas, répliqua Meese, croyant que son supérieur lui avait adressé la parole. Cela dit, les Osage et les Quapaw aussi se rasent la tête...

Cependant, Meese avait du mal à croire qu'il puisse s'agir d'autre chose que d'une coïncidence. Comment les Indiens auraient-ils pu savoir que la fiancée de Ballard se trouvait dans ce train, et même qu'il en avait une ? Non, la rumeur devait être infondée.

– Donc ça ne veut rien dire, capitaine.

Jarman se retourna d'un coup et lui fit face.

– Vous savez très bien que si, sergent. Je ne suis pas idiot. J'ai observé la réaction de vos hommes à la minute où ils ont appris à quoi ressemblaient les ravisseurs. Ils songent à la même chose que vous : une vengeance des Kansa. Ils m'en veulent de ne pas avoir fait pendre ceux qui ont violé cette Indienne. Mais elle ne valait pas la peine que je sacrifie de bons soldats. Ces Peaux-Rouges auraient tort de s'imaginer que je vais les laisser faire.

– Oui, Capitaine, approuva Meese qui ne savait que dire.

– Je vais interroger tous les éclaireurs indiens du fort. Ils doivent bien savoir quelque chose, que diable. Ils me le diront. De gré ou de force.

11

– Pourquoi refuses-tu de lui montrer que tu as une langue ?

Oiseau de Feu insistait auprès de Paul pour que celui-ci parle à leur captive.

– Depuis plus d'une semaine que je viens, elle me saoule de mots à chaque fois. Elle a absolument besoin de parler à quelqu'un.

Allongé sur le ventre au bord de la rivière, la lance à la main, Paul attendait qu'une truite veuille bien passer.

– Tu le sais bien. Je veux qu'elle puisse en raconter le moins possible aux soldats une fois que nous l'aurons relâchée.

– Et ce sera quand ? s'enquit-elle, irritée.

Il lui était de plus en plus difficile d'en vouloir à la Blanche, maintenant qu'elle avait cessé de vociférer et de piquer des crises de rage. Elle était même devenue agréable, et Oiseau de Feu commençait à prendre plaisir à leurs conversations quotidiennes, surtout lorsqu'elle évoquait la vie de l'autre côté de l'océan. Pourtant, il était impensable de s'entendre avec la future femme de ce capitaine qui avait refusé de châtier les violeurs de Petite Fauvette.

Un gros poisson venait d'approcher. Paul se raidit. Il visa... et rata sa cible, s'éclaboussant le visage au passage.

– Je te l'ai déjà dit. Une fois que Ballard aura assez souffert, répliqua-t-il contrarié. Lorsque Aigle Intrépide sera de retour du fort, nous saurons comment il réagit.

Il n'ajouta pas la suite de sa pensée : plus tôt Céleste de Manca serait libérée, mieux lui-même se porterait, pour des raisons dont il ne voulait s'ouvrir à personne. Il se sentait mal à l'aise en sa présence. Les choses étaient tellement plus faciles lorsqu'elle se comportait en mégère. A présent qu'elle avait changé, elle l'intriguait. Il l'emmenait parfois en promenade lorsque Oiseau de Feu était retenue à la réserve. Cette femme lui décrivait alors le paysage à haute voix comme si son incapacité à comprendre l'anglais affectait son sens de la vue.

Lorsqu'il l'écoutait, elle renouvelait sa perception du monde. Jamais auparavant la rivière ne lui était apparue comme une palette de teintes de liqueur, avec son ambre pâle courant jusqu'au brun le plus soutenu. Le vol d'un faucon planant au-dessus de leurs têtes ne lui avait jamais évoqué la douce musicalité d'un violon. Il n'avait jamais non plus médité sur le fait que chaque arbre – qu'il soit chêne, orme, hêtre ou châtaignier – possédait une identité et un destin propres. Écouter cette femme, c'était lire un recueil de poèmes. Paul retrouvait là son l'enfance, cette époque où sa mère vivait encore, et où tous deux se repaissaient de la magie que seuls les mots sont à même de créer.

Alors qu'il visait et manquait de nouveau sa cible, il entendit un grognement de mécontentement.

– Pourquoi restes-tu ici ? N'es-tu pas censé la surveiller ? demanda-t-il, énervé.

– Elle se promène tout près. Elle n'essaiera pas de se sauver. Elle sait que les braves ne la quittent pas d'une semelle, mais elle tient à son intimité. Elle déteste qu'on la regarde.

– Je ne la regarde pas, je l'observe, Oiseau de Feu.

– Comme tu voudras. Mais dis-moi, quel mal y aurait-il à lui parler ?

– Allons, aurais-tu soudain pitié d'elle ? répliqua-t-il, incrédule. Nous ne lui faisons pas de mal, même si cela la gêne qu'on ne lui parle pas. Pense à ce que Petite Fauvette a enduré !

– Je ne l'oublierai jamais ! éclata Oiseau de Feu. Et je me souviendrai toujours des affres dans lesquelles s'est ensuite trouvé mon frère. Donc, plus vite cette fille sera libérée, mieux ce sera. Elle ne cesse de me demander quand nous le ferons... et moi aussi, j'aimerais bien le savoir.

– Moi, je préférerais qu'on me dise pourquoi Aigle Intrépide n'est toujours pas de retour. L'ambiance au fort a dû tourner à l'aigre.

– Oui. De nombreuses patrouilles sont venues fouiller la réserve. Comme la description des Indiens qui l'ont enlevée correspond à notre peuple, ils nous tiennent pour responsables.

– C'était prévu, précisa Paul.

Il visa encore. Cette fois, il atteignit sa cible. Brandissant sa prise, il annonça :

– Si tu allais dire à notre invitée que je viens d'attraper le dîner ?

– Bien sûr, rétorqua Oiseau de Feu avec un sourire narquois. Et que tu vas le cuisiner puis le lui servir. Les femmes pouffent de rire, tu sais, quand je leur raconte que le grand guerrier Esprit Sauvage est devenu l'esclave de la femme du soldat blanc.

Oiseau de Feu trouvait la jeune femme jolie, malgré sa réticence. Elle avait aussi remarqué la façon dont Esprit Sauvage la regardait, l'œil brillant.

– Je m'en moque. Elles sont toujours jalouses des Blanches.

– Très bien, au revoir. J'ai à faire, dit-elle d'un air pincé en se levant.

Paul savait qu'il l'avait vexée sans le vouloir, mais il avait du mal à maîtriser certains sentiments et n'avait nulle envie qu'elle le harcèle.

– Reste dîner avec nous. Tu n'as rien à faire de spécial au village.

– Bah, tu veux juste que je vide et prépare le poisson. Et puis ensuite que je fasse la conversation à Céleste, alors que je viens d'y passer la journée. Demain je ne viendrai pas, tu l'auras toute à toi.

– Aide-la au moins à ramasser du bois, suggéra-t-il en se mettant en devoir de vider le poisson.

Sam les observait de loin, se demandant une nouvelle fois ce qu'ils pouvaient bien se raconter. L'Indienne avait beau s'être radoucie depuis leur première rencontre, elle n'était toujours pas disposée à divulguer la raison de son enlèvement ni la durée prévue de sa détention. Pourtant, Sam la croyait maintenant lorsqu'elle affirmait qu'on ne lui ferait aucun mal. La première nuit mise à part, elle ne s'était jamais réellement sentie en danger. Cela dit, elle restait à l'affût de toutes les possibilités d'évasion. Sa docilité feinte avait pour seul but de faire croire à ses ravisseurs qu'elle avait accepté son sort.

Quand Esprit Sauvage avait embroché le poisson sous ses yeux, elle avait trouvé quelque chose de séduisant à sa virilité brutale, malgré les peintures de guerre. Si c'était un sang-mêlé, il devait bien connaître quelques mots d'anglais. Pourquoi ne voulait-il donc pas lui adresser la parole ? Elle n'aima pas non plus le léger frisson qui la parcourut en le voyant s'éloigner. La présence d'un homme ne lui avait jamais fait un tel effet.

Au pensionnat, elle ne s'était pas laissée aller à glousser avec les autres filles en rêvant sur les garçons ; elle n'avait pas davantage rêvé de riche mariage. Non, elle avait dévoré avec passion tous les grands classiques de la bibliothèque. Ses aptitudes intellectuelles impressionnaient ses enseignants, d'autant qu'elle n'était qu'une roturière accompagnant dans ses études la fille d'un marquis. Mais elle n'avait que faire des objections ou du dédain qu'affichaient certaines de ses condisciples devant sa soif de connaissance. Elle avait saisi cette occasion d'apprendre, sachant que cela ne se reproduirait sans doute pas. Elle n'avait donc eu ni le loisir ni les raisons de rechercher des attachements amoureux.

Bah, songea-t-elle en contemplant Esprit Sauvage, l'attirance qu'elle éprouvait envers lui était une manière comme une autre de s'occuper l'esprit. Son dos sculptural se détachait dans la lumière du soleil couchant. Le regard de Sam descendit sur les fesses parfaitement moulées par le daim, remontant ensuite vers sa nuque. Il tenait toujours propre, soyeuse et peignée sa longue chevelure. Heureusement qu'il ne s'épilait pas le crâne comme les autres. C'était tellement plus seyant ainsi, et...

Ah ! s'admonesta-t-elle. Qu'est-ce que cela pouvait bien faire ? Il n'en demeurait pas moins un sauvage.

Oiseau de Feu survint sur ces entrefaites.

– Esprit Sauvage voulait que je t'aide à ramasser le bois pour faire cuire le poisson. Tu n'as qu'à le faire toi-même, je dois m'en aller.

Sam discerna une pointe de dépit dans le ton de sa voix, sans pouvoir en trouver la cause. Elles venaient pourtant de passer ensemble une agréable journée ; Oiseau de Feu s'était même déridée à plusieurs reprises au récit de ses aventures de pensionnat. Sam décida de la sonder.

– Pourquoi ne restes-tu pas manger avec nous ? Cela me ferait plaisir.

Le regard d'Oiseau de Feu courut de Sam à Esprit Sauvage, qui s'était écarté pour vider le poisson afin d'épargner à la jeune femme la vue des entrailles sanguinolentes. Ce n'est pas avec elle qu'il se serait montré si délicat.

– Plaisir ! reprit-elle avec mépris. Je ne suis pas là pour te faire plaisir. Tu es une prisonnière. Je n'ai que faire de toi. J'ai hâte que tu partes. Je m'en vais, et je ne suis pas sûre de revenir. J'en ai assez de perdre mon temps avec toi. Tu as Esprit Sauvage. Il n'a qu'à te dorloter comme l'enfant que tu es.

Interloquée, Sam la regarda partir. Elle qui avait cru qu'elles commençaient à devenir amies – bien qu'elle eût pensé lui voler son cheval pour s'échapper, si l'attention d'Oiseau de Feu se relâchait. Visiblement, quelque chose l'avait contrariée.

Sam ramassa donc le bois, pour aller le déposer à l'endroit où Esprit Sauvage avait coutume de faire du feu. Elle avait cessé d'espérer que la fumée attirerait les soldats. A l'évidence, s'il l'avait amenée dans cette cachette, c'était que l'armée ne songerait jamais à y venir.

Oh, cette situation est trop absurde ! s'indigna-t-elle en rajoutant du bois. Pourquoi était-elle détenue en pleine nature, forcée de se vêtir et de se comporter en squaw ? Que lui voulaient-ils ? Allaient-ils vraiment la relâcher ? Ou le prétendaient-ils seulement pour qu'elle ne tente pas de s'échapper ? Elle était peut-être destinée à agrémenter la couche de quelque grand guerrier... à moins qu'on ne l'engraisse en vue d'un rite sacrificiel ?

Paul la retrouva en de fort mauvaises dispositions. Irrité par les dernières remarques d'Oiseau de Feu, luimême n'avait pas l'esprit à s'accommoder de la mauvaise humeur de la jeune femme. Le feu une fois allumé, il tailla une branche, y embrocha le poisson et le tendit à Sam en lui faisant signe de le faire cuire. Il s'assit et attendit. Servir le grand guerrier qu'il était censé être lui paraissait la moindre des choses.

Sam regarda alternativement la brochette puis Esprit Sauvage.

Passe encore d'être sa captive, songea-t-elle. Mais son esclave, jamais !

Elle jeta le poisson aux pieds de l'Indien.

– Je n'en veux pas. Tu n'as qu'à te le faire cuire toi-même !

Elle tourna les talons avec dédain. Elle n'avait pas fait un mètre qu'il se jetait sur elle et lui attrapait le bras, la forçant à pivoter sur elle-même. Il ramassa le poisson et le lui mit violemment dans les mains en montrant la rivière du doigt pour qu'elle le rince. Elle commença à se débattre et à trépigner sans se soucier le moins du monde qu'il fasse plus d'une tête qu'elle, ni de son regard bleu glacé et de ses mâchoires contractées de rage.

– Je n'en veux pas, de ton sale poisson ! Je ne le cuirai pas !

Sur quoi elle le jeta de nouveau par terre.

Il le ramassa une seconde fois. Ensuite, lui tenant la nuque comme dans un étau, il la traîna jusqu'à la rive et la força à s'agenouiller.

Toutes les émotions contradictoires qu'avait éprouvées Sam ces derniers jours lui revinrent d'un coup – l'horreur de l'enlèvement, sa répugnance à dormir sur le sol d'une grotte, sous la garde d'un sauvage muet, l'attirance qu'elle se surprenait à éprouver à son égard... Soudain, c'en était trop. Elle profita d'un instant d'inattention pour échapper à sa poigne. Lui assénant un coup de poing à l'estomac puis le frappant douloureusement au tibia, elle sauta dans l'eau, avança jusqu'à ce qu'elle n'ait plus pied et se mit éperdument à nager.

Paul avait lâché la brochette. Il la rattrapa en quelques brasses. Elle n'abandonna pas pour autant la lutte.

– Maudit sois-tu !

Pour la faire taire, il la plongea sous l'eau en lui appuyant sur les épaules tout en battant des pieds pour surnager.

Puis la fit réapparaître à la surface.

Sam crachota, le souffle court, prit une longue inspiration et hurla à nouveau :

– Lâche-moi, suppôt du diable !

De nouveau, il la plongea sous l'eau.

– Sale sauvage !

Et ajouta :

– Maudit...

Une fois de plus, il replongea Sam dans la rivière. Lorsqu'elle eut la tête hors de l'eau, elle fut prise d'une quinte de toux.

Une main toujours posée sur la nuque de Sam, il la saisit par la taille. Leurs corps étaient pressés l'un contre l'autre. Elle sentait les cuisses puissantes de Paul la toucher doucement tandis qu'il tentait de les faire tous deux surnager.

Mais elle sentait aussi quelque chose de dur pousser contre son ventre. Elle comprit soudain de quoi il s'agissait. Le regard rivé dans celui, amusé, de Paul, elle sentit monter en elle un mélange d'étonnement et de peur. Elle continua à souffler et à crachoter.

Brusquement, il la lâcha. Elle rejeta en arrière les mèches qui lui tombaient sur le front et le regarda s'éloigner vers la rive, à la nage tout d'abord, puis à pied. Elle n'avait plus qu'à le suivre. Il n'y n'avait pas d'autre issue. Si elle tentait d'atteindre l'îlot à la nage, il la rattraperait. Peut-être d'autres Indiens avaient-ils assisté à la scène, tapis dans l'ombre, et s'apprêtaient à l'attaquer...

De retour près du feu, il rassembla son épaisse chevelure devant ses yeux puis, la saisissant d'une main, la rabattit en arrière d'un coup sec.

– Tu aurais pu me noyer ! attaqua-t-elle pour couper court à la tension qui s'installait.

Il la dévisagea, baignant dans la lueur dorée du foyer. Elle sentait un malaise étrange l'envahir. Le désir de Paul attisait le sien. C'était la première fois qu'elle éprouvait de telles sensations : un picotement dans son bas-ventre, qui se propageait jusque dans ses reins. Ses seins durcis frottaient la robe de daim qui lui collait à la peau. Seigneur, que lui arrivait-il ?

Paul n'avait plus de vêtements de rechange. Il avait passé ce matin-là un pantalon propre, et Oiseau de Feu était repartie avec le second pour le laver. Il n'avait pas le choix : il devait rester trempé, ou son désir sauterait aux yeux.

Et puis après ? songea-t-il. Qu'elle se rende donc compte de visu qu'il avait envie d'elle. Il n'allait tout de même pas s'excuser pour sa virilité !

Il se prit à espérer qu'elle aille se changer. La voir ainsi avait de quoi rendre fou. Il devinait tous les détails, toutes les courbes de son corps, et...

Il secoua brusquement la tête dans l'espoir de chasser le torrent d'émotions qui l'assaillaient. Il avait peine à se maîtriser pour ne pas la prendre sur le champ. Tout homme a ses limites, et cela faisait longtemps que lui-même n'avait pas possédé de femme. Si seulement elle avait pu disparaître sur place ! Il ne l'aurait pas retenue, quand bien même elle se serait sauvée. Il n'était plus sûr que d'une chose : elle lui faisait perdre la tête.

C'est avec emportement que Sam exprima son dépit :

– Même sans comprendre un mot de ce que je dis, tu vois bien que j'ai envie de te tordre le cou !

Il serra les poings à s'en blanchir les jointures pour ne pas céder à son envie de l'étrangler, se félicitant de la colère qui montait en lui. Mieux valait affronter physiquement ce lynx que d'avoir à affronter ce désir nouveau.

– A quoi cela te sert-il de me garder en otage, si c'est pour me noyer ensuite ? N'est-ce pas ce que tu veux, en fait ? Obtenir une rançon de mon fiancé ? Mais si tu m'avais tuée, tu n'aurais plus eu de monnaie d'échange ! Imbécile ! Alors que j'ai ma dot avec moi !

Paul ne sourcilla pas. Il n'avait que faire de l'argent de cette fille. Il n'était pas un voleur. Cette maudite Céleste serait libérée lorsque Ballard aurait suffisamment souffert, et pas avant. Ce qu'il n'avait pas prévu, c'est que lui aussi aurait à souffrir. Jamais il n'aurait songé qu'il pourrait la désirer comme nulle autre avant elle.

Elle se tenait de l'autre côté du foyer circulaire, les mains sur les hanches, les jambes légèrement écartées, dans une attitude de défi. Ses yeux dorés de félin rougeoyaient de colère. Pourtant, il y percevait en même temps une incandescence, une chaleur qui faisaient imperceptiblement s'entrouvrir ces lèvres charnues.

N'en pouvant plus, il sauta par-dessus le feu et l'attira brutalement à lui. Sam pencha la tête en arrière, capitulant devant une offensive si inattendue. Il pressa sa bouche contre la sienne, lui ouvrit les lèvres de sa langue, venant l'explorer dans une exquise langueur.

Sam n'avait jamais ressenti un abandon si total. Elle poussa un gémissement de plaisir en sentant ce corps contre le sien, émerveillée par son aura virile.

Leurs vêtements mouillés formaient comme une seconde peau. Leurs sensations se prolongeaient de l'un à l'autre. Sam sentit à nouveau cette protubérance qui se tendait au fur et à mesure qu'il caressait ses hanches avec les siennes. Impudique, elle avança son bassin à sa rencontre et émit un râle de bonheur.

Paul savait qu'il était trop tard pour tergiverser. Tel un fauve bondissant hors de sa cage, il lui fallait aller au bout de son désir et dévorer sa proie. Sans cesser de l'embrasser, il la prit dans ses bras et se dirigea vers la grotte.

Sam avait rendu les armes, mais il n'aurait de toute façon toléré aucune résistance cette nuit-là. Il savait rendre une femme tremblante de désir, au point qu'elle l'implore de la combler. Il ne reculerait devant rien pour que son envie, puis sa jouissance, égalent les siennes.

Tout à coup, il dressa l'oreille comme un animal qui sent le danger. Quelqu'un survenait.

Il la posa à terre. Émergeant de sa transe, Sam eut honte de s'être laissée dominer aussi aisément par ses impulsions. Elle était sur le point de lui demander comment il avait seulement osé la toucher, lorsqu'elle se raidit : elle venait d'entendre un bruit de sabots.

Paul avait identifié le son : il s'agissait de poneys kansa. Il savait que des Indiens faisaient le guet au cas où des patrouilles s'aventureraient dans les parages et ne redoutait pas une attaque.

Faisant fi de son désir, il prit Sam par la main et l'attira rapidement dans la grotte. Il lui fit signe de ne pas en bouger et se précipita au dehors.

Trois braves approchaient. Il n'en reconnut que deux, Renard Rouge et Chien Triste, qui en encadraient un troisième plié en deux de souffrance sur sa monture. Paul courut à leur rencontre.

Puis il sentit la rage l'envahir telle une coulée de lave. Il venait de reconnaître Aigle Intrépide. Qu'on avait impitoyablement passé à tabac.

12

Voyant dans quel état se trouvait son ami, le premier élan de Paul fut de partir au fort casser la figure à Ballard. Mais à quoi bon ? songea-t-il. Cela ne servirait qu'à se faire arrêter et démettre de ses nouvelles fonctions.

Renard Rouge et Chien Triste avaient décidé d'emmener Aigle Intrépide chez le sorcier, mais le guerrier avait insisté pour s'entretenir auparavant avec Paul.

– Ballard est fou de rage, expliqua-t-il. Il a fait interroger tous les éclaireurs indiens.

– A coups de fouet ?

A la vue de la nuque lacérée et ensanglantée de son ami, Paul eut du mal à ravaler sa fureur.

– Je n'en sais rien, répondit Aigle Intrépide, qui luttait stoïquement contre la douleur. La nuit dernière, il m'a emmené à l'écart pour que les autres ne s'aperçoivent de rien. Et puis il m'a fait ça, parce qu'il sait que je suis un Kansa. Il raconte que s'il obtient la preuve que nous sommes coupables, il nous tuera jusqu'au dernier.

– Sais-tu où ils concentrent leurs recherches ?

– Sur les territoires plus au sud.

Paul avait initialement prévu de se réfugier là-bas avec sa prisonnière. Il se félicita d'autant plus d'avoir choisi la grotte comme cachette. Au sud, le territoire indien était une étendue immense, sauvage, tantôt plate, tantôt montagneuse, qui servait de repaire aux renégats et hors-la-loi de toute sorte. Depuis la fin de la guerre, seuls quelques convois de bétail la traversaient parfois, ainsi que des pionniers blancs en route vers l'Ouest.

– Nous ferions mieux de la relâcher, proposa prudemment Chien Triste.

Renard Rouge semblait du même avis.

– Non, pas avant qu'Esprit Sauvage ne soit allé au fort, objecta aussitôt Aigle Intrépide. Ballard est furieux mais il n'a pas encore assez souffert.

Chien Triste et Renard Rouge s'attendaient à ce qu'Esprit Sauvage prenne leur parti. Lui seul pouvait faire changer d'avis Aigle Intrépide... Ce que Paul n'essaya même pas de faire. Rien ne se passait comme prévu. Aurait-il seulement pu prédire qu'il brûlerait de désir pour la fiancée de Ballard ? D'un désir qui n'était pas seulement animal ?

Il hocha la tête.

– Dis à Oiseau de Feu que je veux qu'elle vienne demain à la première heure. En qualité d'agent des affaires indiennes, il est de mon devoir d'aller me plaindre auprès de Ballard des mauvais traitements qu'il fait subir aux éclaireurs. Je serai de retour dans quelques jours. Je veux qu'Oiseau de Feu reste avec la jeune femme pendant mon absence.

– On n'a pas le temps ! répliqua Chien Triste. Les femmes se préparent pour l'hiver. Nous venons juste de tuer plusieurs daims et quelques bisons. Il faut tanner les peaux et faire sécher la viande.

– Dans ce cas, elle n'a qu'à l'amener à la réserve et la mettre au travail. Les soldats y sont déjà passés. Il y a peu de chances qu'ils reviennent. Et si cela arrivait, nous aurions toujours le temps de la cacher.

– Mais elle leur dira où elle était !

– Elle ignorera où elle se trouve. Quand Ballard récupérera sa frêle fiancée, elle aura les mains toutes calleuses. Il n'en sera que plus furieux, ce qui n'est pas pour me déplaire !

Il n'avait jamais voulu qu'Aigle Intrépide s'engage à ce poste, songea-t-il en les regardant partir dans le crépuscule. L'armée choisissait des éclaireurs indiens afin de tirer parti des rivalités ancestrales entre tribus, tout cela pour un maigre salaire de treize dollars par mois...

Paul ne retourna pas à la grotte. Il se fit une couche à même le sol. Tandis qu'il observait le velouté du ciel, il se remémora la douceur de son étreinte et de ses baisers avec la fiancée de Ballard. Sans l'arrivée d'Aigle Intrépide, rien n'aurait pu l'empêcher d'aller jusqu'au bout, et toute résistance aurait été vaine. D'ailleurs, avait-elle seulement eu l'intention de lui résister ? Il croyait bien l'avoir sentie s'abandonner... A moins que tout cela ne fût l'effet de son imagination ? Peu importe, songea-t-il, c'était déjà du passé. Fort heureusement, il avait été contraint de s'arrêter à temps. Et cela ne se reproduirait plus.

Le sommeil ne voulait pas venir. Sam tournait et virait sur sa peau de bison, se réprimandant pour l'attirance qu'elle éprouvait. Comment avait-elle pu prendre plaisir aux assauts de cet infâme sauvage ? Elle aurait dû hurler, défendre son honneur bec et ongles, jusqu'à la mort s'il le fallait ! Au lieu de quoi, elle avait fondu dans ses bras, réclamant de tout son corps ces sensations nouvelles.

Elle ne l'avait pas revu depuis qu'il l'avait abandonnée dans la grotte. Elle envisagea de sortir discrètement pour voir ce qui se passait, puis se ravisa. Pour le moment, elle était mieux ici. Il n'y avait aucune chance, hélas, pour qu'il s'agisse de soldats – les Indiens de faction auraient donné l'alerte. Elle resta donc dans la grotte, torturée par la culpabilité et la honte. Elle lui avait cédé. Un peu plus et il se serait passé quelque chose d'irréversible.

Qu'est-ce qui lui prenait ? réagit-elle. Sa détention lui pesait-elle à ce point ? Cet homme était un barbare. Avait-elle perdu la raison au point de le laisser la toucher sans opposer de résistance ? La situation était insensée. Depuis quand se trouvait-elle détenue ? Elle avait perdu toute notion du temps. Combien de jours encore la garderaient-ils ?

Elle s'endormit enfin. Le lendemain matin, à sa grande surprise, elle était seule. Elle rassembla ses forces au cas où Esprit Sauvage reviendrait. Tôt ou tard, il viendrait la voir. Et elle réussirait à lui faire comprendre que plus jamais elle ne le laisserait la toucher.

Elle entendit finalement des pas. C'était Oiseau de Feu. Tandis que Sam lui demandait ce qui se passait, l'Indienne, énervée, lui fit signe de la suivre.

– Tu poses trop de questions. Suis-moi en, silence. Ce matin, je ne suis pas d'humeur à t'écouter.

Sam obtempéra. Une fois dehors, elle jeta en vain un regard autour d'elle. Esprit Sauvage ne s'y trouvait pas.

Deux poneys les attendaient. Oiseau de Feu lui montra celui qui lui était destiné. Sam avait appris l'équitation au pensionnat, mais avec une selle et un mors. Là, il n'y avait qu'un harnais tressé.

– Nous allons loin comme ça ? Je ne sais pas si j'arriverai à monter à cru.

– Je t'ai dit de ne pas poser de questions. Monte, sinon je t'attache et je te tirerai derrière moi. Ce que je ferai d'ailleurs si tu cherches à t'échapper.

– Pourquoi es-tu si méchante avec moi ce matin ? lui demanda Sam, interloquée. Je croyais que nous étions amies.

– Ce n'est pas à toi de décider de ce qui est ou n'est pas, mais à moi. Dépêche-toi.

Oiseau de Feu donna un coup de talon, et sa monture partit au grand galop.

Sam eut du mal à maintenir l'allure. Elle dut se pencher en avant pour s'agripper à l'encolure de l'animal. Ses fesses rebondissaient durement, et elle redoutait à chaque instant la chute.

Au bout d'une heure, elle arrivèrent enfin au village, et Sam se retrouva au milieu de quelques femmes qui la dévisageaient, mi-hostiles, mi-amusées. Oiseau de Feu la dissuada d'essayer de communiquer avec elles.

– De toute façon, elles ne parlent pas ta langue, et elle ne t'aiment pas.

– Il n'y en a pas une que j'inviterais à souper, marmonna Sam en descendant de cheval et en frottant ses cuisses endolories.

Bouillant d'animosité, Oiseau de Feu fixait la femme blanche. Chien Triste lui avait raconté que la veille, en arrivant au campement, il avait vu Esprit Sauvage la porter dans ses bras. Oiseau de Feu avait traité Chien Triste de menteur. Celui-ci avait rétorqué que la seule raison pour laquelle elle ne voulait pas le croire était qu'elle était amoureuse d'Esprit Sauvage.

Chien Triste disait la vérité, et elle s'était mise à haïr la femme blanche de tout son cœur.

– Tu vas travailler, sinon tu n'auras rien à manger, avertit-elle.

– Je veux bien aider votre tribu, répondit Sam de sa voix la plus aimable. Tu n'as qu'à me dire ce que je dois faire.

On la conduisit dans un endroit où les femmes démembraient et découpaient d'énormes carcasses. Elle dut se contenir pour ne pas vomir.

– Voici un bison tué ce matin. Tu commenceras par le tannage. Ensuite, tu aideras à préparer la viande.

Certaines femmes étiraient déjà la peau par terre, fourrure contre le sol, et la clouaient avec des piquets. On tendit à Sam un racloir à lame en forme d'herminette monté sur un manche en corne d'élan. Et on lui dit d'arracher la chair et la graisse de la peau.

– Mon Dieu, murmura-t-elle, en prenant une grande inspiration.

Puis elle se mit au travail. Seule. Car les femmes étaient déjà à étirer une autre peau.

Trois heures plus tard, les doigts douloureux et abîmés, les genoux écorchés à force de frotter contre le sol, Sam se releva avec peine en se massant douloureusement le bas du dos.

Oiseau de Feu apparut à son côté, un récipient à la main.

– Pétris ça pour l'assouplir.

Sam déglutit en observant le mélange sanguinolent à l'odeur nauséabonde.

– Qu'est-ce que c'est ?

– La cervelle, le foie et la graisse du bison. Fais-le bien pénétrer dans la peau. On laissera macérer pendant la nuit. Tu recommenceras demain.

Une fois qu'elle eut fini la première application de la mixture de tannage, elle était non seulement exténuée, mais prise de nausées.

– C'est l'heure de manger, lui indiqua Oiseau de Feu avant de l'emmener là où les femmes s'étaient rassemblées pour déjeuner.

Les hommes étaient repartis chasser. Des morceaux de viande cuisaient, sur une longue broche appuyée à un trépied au-dessus des braises. Il y en avait un second, soutenant un ragoût mijotant dans une sorte de sac. Oiseau de Feu expliqua, réticente, qu'il s'agissait d'un estomac de bison. On avait jeté des pierres grosses comme la main pour faire bouillir l'eau, à laquelle avaient été ajoutés ensuite pois sauvages et racines comestibles.

Sam, qui s'était forcée à manger, se surprit à apprécier la nourriture. Et elle s'émerveillait que rien ne fût gaspillé. On extrayait même la moelle des os pour en faire de la graisse. Les boyaux, une fois nettoyés, devenaient des saucisses à base de viande, d'oignons sauvages et de sauge. La viande, de son côté, découpée en lanières, était mise à sécher. D'autres femmes préparaient le fameux pemmican, qui pouvait se garder des mois entiers.

On confia ensuite à Sam deux autres peaux à racler, puis à tanner. Au coucher du soleil, elle était trop harassée pour ressentir quelque faim que ce soit. Oiseau de Feu lui donna une mince couverture et lui indiqua qu'elle pouvait dormir dans le tipi de sa famille.

A la façon dont les femmes la dévisageaient et parlaient en préparant le repas, Sam comprit qu'elle était leur sujet de conversation. Nul doute qu'elles riaient de ses hauts-le-cœur devant les peaux. On regardait ses ampoules aux mains et ses genoux meurtris, s'imaginant sans doute qu'elle allait s'effondrer et demander grâce.

Elle ne leur donnerait pas cette satisfaction. Quant à Esprit Sauvage, si jamais elle devait croiser son chemin, il comprendrait bien vite que ce qui s'était passé entre eux ne se reproduirait pas. Une faiblesse passagère, rien de plus. Elle était prête à subir tout ce que lui ou son peuple exigerait d'elle, mais elle survivrait.

Cependant, malgré ses belles résolutions, Sam se laissa trahir par ses rêves. Les désirs qu'il avait si merveilleusement su éveiller en elle refluèrent, venant hanter son sommeil.

*

Jarman Ballard sauta sur ses pieds en voyant Paul Ramsey entrer à l'improviste.

– Qu'est-ce qui vous prend de débarquer ainsi dans mon bureau ? Si vous avez un problème, adressez-vous au Général Schofield. Je ne veux plus avoir affaire à vous.

Paul traversa la pièce pour aller s'asseoir. Basculant sa chaise en arrière, il releva le bord de son chapeau, croisa tranquillement les bras et cala avec insolence ses bottes sur le rebord du bureau.

– Vous y serez bien obligé, que vous le vouliez ou non.

Jarman le balaya d'un regard de mépris.

– Je ne travaille pas avec les agents aux affaires indiennes. Vous êtes-vous regardé ? Vous êtes aussi débraillé que ceux que vous représentez, avec vos frusques en daim et vos cheveux qui tombent jusqu'aux épaules. Il ne vous manque plus que des parures de guerre !

– Je vais peut-être finir par en porter si vous continuez à brutaliser les éclaireurs indiens, rétorqua Paul avec un sourire menaçant. Soit nous réglons cela tous les deux, soit j'en informe le général. A vous de choisir.

Jarman fut immédiatement sur les charbons ardents. Schofield n'apprécierait pas sa conduite. Il n'était pas censé en avoir vent, sauf si quelqu'un comme Ramsey s'en chargeait. Les rares soldats au courant restaient muets devant leurs supérieurs.

– Ne vous mêlez pas de ça, prévint-il. Ce n'est pas de votre ressort.

– Tout ce qui concerne les Indiens l'est.

– Comment avez-vous su ? s'enquit-il, soupçonneux.

– Peu importe. Sachez seulement que je suis venu vous dire de cesser.

– Sinon quoi ?

– Sinon, j'irai voir Schofield. Ou bien j'y mettrai moi-même un terme, affirma Paul en le fusillant du regard.

– Un mot de plus, Ramsey, et je trouve un motif pour vous faire révoquer.

– Si vous aviez autant de pouvoir, je n'aurais jamais obtenu ce poste. Vous le savez aussi bien que moi.

– Vous savez donc que ma fiancée a été enlevée par une de ces bandes de sauvages ?

– Je l'ai entendu dire, admit Paul sur un ton monocorde. Cela ne vous donne pas le droit de passer à tabac les éclaireurs. Même s'ils étaient au courant de quelque chose, ils ne vous diraient rien. Je me demande d'ailleurs pourquoi des Indiens s'attaqueraient à votre fiancée, Ballard. Peut-être pour se venger du viol d'une jeune Indienne par certains de vos soldats ? Des hommes que vous avez fait transférer afin qu'ils échappent aux sanctions ? Tout cela parce que vous pensiez qu'une Indienne n'en valait pas la peine ?

– Et si c'était à refaire, je recommencerais ! riposta Ballard. Pourquoi poursuivre de bons soldats pour une petite nuit de beuverie avec la racaille peau-rouge ? Si ces ravisseurs croient tenir leur revanche, ils vont vite comprendre qu'ils se trompent. Quelle lâcheté ! Se servir d'une femme sans défense pour arriver à ses fins !

Céleste de Manca, une femme sans défense ? Paul réprima un rire.

– La lâcheté consiste à éviter un problème. Par exemple, en faisant libérer ces soldats. S'il y a quelqu'un à blâmer pour le rapt de votre fiancée, Ballard, c'est bien vous.

Il se leva et se pencha vers son interlocuteur les mains calées sur le bureau.

– Résumons-nous. Vous allez laisser les éclaireurs tranquilles. Je ne vous laisserai pas vous défouler sur eux. Quand les Indiens en auront fini avec votre femme, elle vous sera rendue. Mais tant qu'ils la retiennent, pensez qu'elle endure ce que la jeune Indienne a dû subir. Et peut-être la prochaine fois veillerez-vous à ce que justice soit faite !

Jarman se renfonça dans son fauteuil. Il savait toutefois qu'il n'avait pas grand chose à craindre. Ramsey n'irait pas jusqu'à frapper un supérieur hiérarchique.

– Vous prenez toujours le parti de ces sales Peaux-Rouges !

– Pas quand ils ont tort.

– Et vous ne trouvez pas qu'ils soient dans leur tort cette fois-ci ?

– S'ils la tuent, et si vous arrêtez les coupables, je leur passerai moi-même la corde au cou. S'ils ne veulent que se venger, il y a de grandes chances pour qu'elle soit libérée saine et sauve, une fois qu'ils se considéreront quittes.

– Hum, oui. C'est improbable, mais pas impossible, grogna Ballard. Peut-être est-elle si laide que même les Indiens ne voudront pas d'elle et préféreront me la rendre.

– Comment ? Vous ne savez même pas à quoi ressemble votre propre fiancée ?

– Je ne l'ai jamais vue de ma vie, admit Ballard avec un rire cassant. Le mariage a été arrangé par nos grands-parents maternels. J'espère juste qu'ils ne lui ont pas volé sa dot. Son sac à main n'était pas dans le train, ce qui signifie qu'il ont dû l'emporter avec eux.

Les raisons de ce mariage devenaient on ne peut plus claires, songea Paul. Cependant, il ne put réprimer un étrange pincement au cœur à l'idée de la bonne surprise qu'aurait Ballard en voyant sa promise. Voyons, se morigéna-t-il, il n'était pas là pour se lier avec cette femme...

Il se dirigea vers la porte, tout en concluant :

– Laissez les éclaireurs tranquilles. Et j'espère que votre fiancée réapparaîtra.

– Il y a intérêt, hurla Jarman à Paul, qui était déjà

loin. Sinon, dites à tous ces sauvages que je les poursuivrai jusqu'aux portes de l'enfer !

Tous ceux qui croisèrent ensuite Paul durent s'écarter sur son passage tant il avait le regard noir, les lèvres pincées et les épaules voûtées. Ce n'était pas le moment de lui chercher noise.

Ce qu'il venait d'apprendre ne cessait de le troubler. Les deux fiancés n'étaient pas amoureux l'un de l'autre, ne l'avaient jamais été, et ne le seraient vraisemblablement jamais. Pourtant, lui-même ne devait pas se laisser influencer par cette idée. Il avait une mission à accomplir, et il l'accomplirait. Quitte à faire taire les émotions qui naissaient en lui.

13

Paul décida de prolonger son séjour au fort de quelques jours. Ballard se sentirait ainsi forcé d'adoucir ses interrogatoires. Et puis, il voulait que Céleste ait le temps d'accumuler des griefs à son égard. Qu'elle s'indigne qu'il ait disparu sans crier gare, qu'elle soit furieuse d'avoir été envoyée au village pour travailler avec Oiseau de Feu. Si seulement elle pouvait le haïr ! Elle cesserait alors de tenter de communiquer. Mieux valait qu'il n'y ait qu'hostilité entre eux... Néanmoins, il n'osa pas s'attarder trop longtemps, au cas où quelque chasseur ou trappeur vienne à repérer cette Blanche au milieu des Indiens et aille avertir l'armée. Il fallait que Céleste regagne la grotte et qu'elle y reste.

Au moment même où Paul décidait cela, il reçut une invitation pour une soirée donnée par le nouveau juge du district. Paul désirait le rencontrer, car ils seraient prochainement amenés à travailler ensemble. De plus, sa présence ulcérerait Ballard, ce qui constituait en soi une raison suffisante pour se rendre à la soirée.

Paul se rendit dans un établissement de bains, se fit raser de frais et légèrement couper les cheveux, puis enfila des pantalons de daim neufs, une veste à franges et des bottes cirées. Il faisait ainsi un agent fédéral aux affaires indiennes tout à fait présentable.

Même en son absence, les soirées à caractère officiel avaient toujours lieu à la résidence de Schofield, le commandant en chef du fort. Dans le vestibule, Paul trouva Ballard qui accueillait un à un les invités, resplendissant dans son uniforme d'apparat : tunique bleu marine à boutons cuivrés, pantalon bleu clair à galon rouge, bottes noires et sabre au côté.

L'apparence de l'officier amusait Paul. Il était mignon, terme qui n'avait rien de flatteur lorsqu'il s'agissait de décrire un homme. Étant donné ses boucles blondes et son teint poupin, il n'en existait pourtant pas de plus approprié.

Ballard présenta Paul au juge Newton Quigby avec raideur.

– Un nouvel agent aux affaires indiennes, annonça-t-il nonchalamment, comme s'il s'agissait d'un poste sans importance.

Puis il se tourna vers l'invité suivant.

Paul se faisait fort de jauger un homme d'un seul regard. Sa première impression se révélait rarement erronée. Dans le cas présent, le regard du juge le trahissait. De petits yeux méchants de serpent à sonnettes et un sourire froid révélaient une arrogance à peine dissimulée.

– Franchement, monsieur Ramsey, je m'étonnerai toujours qu'on souhaite faire profession de pourvoir aux besoins de sauvages, entama le juge Quigby.

– Vous faites erreur, monsieur le juge, rétorqua Paul. Ma mission consiste au contraire à protéger les Indiens des sauvages tels que l'homme blanc.

Peu habitué à ce qu'on le défie, le juge eut peine à faire bonne figure.

– Vous êtes donc de ceux qui aiment les Indiens ?

– J'aime l'humanité tout entière, monsieur le juge, ou du moins dans sa grande majorité. Je m'efforce d'empêcher que les gens ne se fassent du mal, tandis que vous,

vous les jugez une fois que le mal est fait. Nous avons tous deux des responsabilités intéressantes.

– Intéressantes ? railla Quigby. Qu'y a-t-il d'intéressant à envoyer un homme à la potence ?

– Vous en parlez comme s'il n'y avait pas d'alternative.

– Parce que c'est le cas. Une fois mort, le malfaiteur cesse de nuire. Il ne peut plus attaquer de diligences ni de banques et ne pose plus de problème. Et c'est l'ordre des choses. Voilà en quoi consiste mon travail, cher monsieur Ramsey.

Ce fut au tour de Paul de devoir ravaler sa colère. Cet homme lui déplaisait foncièrement.

– A vous entendre, vous êtes davantage un exécuteur qu'un juge.

– Je suis les deux.

Le juge s'était assombri. Il cherchait comment mettre un terme à cette conversation lorsque son regard se porta sur Myriam, qui se tenait près de lui.

– Laissez-moi vous présenter ma fille, Madame Myriam veuve Appleby, précisa-t-il très haut, à l'attention de tous les célibataires de l'assistance. Puis le juge s'approcha de l'invité suivant.

Paul serra poliment le bout des doigts de Myriam, remarquant qu'elle avait l'air gêné. Était-ce l'attitude cruelle de son père en matière de justice, ou le fait qu'il ait évoqué sans ambages sa situation ? Le juge avait, paraît-il, coutume de vanter les mérites de sa fille. Paul comprenait à présent pourquoi son père devait faire assaut de persuasion. Avec sa maigreur, son teint pâle, son regard éteint et ses cheveux bruns ternes retenus en chignon, Myriam Appleby était aussi séduisante qu'un poteau télégraphique. En outre, son ensemble vert bouteille ne la flattait pas.

– Enchantée, murmura-t-elle sans conviction avant de détourner le regard à son tour vers le prochain invité.

Paul accepta le verre de punch qu'on venait de lui proposer.

La réception suivant le mariage de Céleste aura sans doute lieu ici même, songea-t-il en jetant un coup d'œil autour de lui.

Il s'en voulut aussitôt. Il devait cesser de penser à cette femme !

Il alla rejoindre un petit groupe d'officiers qui se tenaient à l'écart.

– Alors, on vient de vous présenter à Face de Pruneau ? entama jovialement l'un deux. A quand les noces ?

Les autres racontèrent en riant comment le juge les avait chacun pris à part et invités sans vergogne à faire la cour à sa fille.

– Nous nous sommes tous soudainement découvert une fiancée qui nous attendait au pays !

– A se demander comment il a réussi à la marier la première fois.

– Puisque Ballard s'est fait prendre sa fiancée par les Indiens, il se consolera peut-être avec elle !

Paul en profita pour aborder le sujet :

– Comment le prend-il ? Il a l'air plus furieux que malheureux.

Les officiers échangèrent des regards gênés et l'un d'eux se risqua à avancer :

– Comme vous dites.

Paul acquiesça en cachant à grand peine sa satisfaction. Tout se passait exactement comme prévu. Encore quelques semaines, et l'on pourrait considérer que le plan avait fonctionné.

Sam essuya du revers de la main les gouttes de sueur qui perlaient sur son front puis grimaça en se rappelant que sa main était couverte de suie.

La chaleur était suffocante. Des nuages menaçants roulaient dans le ciel, et l'air était irrespirable. Un jour on ne peut plus mal choisi pour faire un feu, mais il lui restait trois peaux à enfumer. C'était pour les imperméabiliser, avait expliqué Oiseau de Feu. On les préparait depuis trois jours à cette ultime étape.

Elle se félicita de ce que le processus, qui prenait six jours en tout, se termine enfin. La peau serait ensuite découpée, et servirait de matière première à toutes sortes d'objets cousus. On y ajouterait enfin des décorations – piquants de porc-épic et perles.

Chaque partie du bison avait son utilité. Avec la peau, on confectionnait tuniques, pagnes et mocassins. Les os servaient à fabriquer des outils, tandis que la corne était utilisée pour faire des cuillers, des tasses ou des armes. Avec le côté rugueux de la langue, on fabriquait des brosses à cheveux. La queue deviendrait un chasse-mouches. La graisse serait transformée en savon, l'estomac en marmite, la panse en vache à eau. Même la bouse, une fois séchée, servait de combustible.

Les premiers temps, Sam n'avait pas supporté d'être traitée en esclave. Puis elle se surprit à se passionner pour son travail, une tâche rude mais pas inintéressante. Les femmes s'étaient radoucies en voyant qu'elle ne rechignait pas à l'ouvrage. Oiseau de Feu, oubliant elle aussi toute animosité, s'était mise à jouer les interprètes, et le temps s'était écoulé agréablement malgré la fatigue intense due au travail. Sam dînait autour du feu avec la famille d'Oiseau de Feu et avait cessé d'avoir des hauts-le-cœur devant les étranges préparations d'abats. De toute façon, il fallait bien se nourrir.

Ensuite, dans le silence de la nuit, alors que tout le monde dormait, elle restait éveillée des heures entières à méditer sur l'épreuve qu'elle traversait. Elle avait su s'adapter, constatait-elle avec fierté. Du temps où elle vivait dans les catacombes, elle n'avait pas non plus fait la fine bouche. Elle était une battante et cette volonté de vivre représentait son titre de gloire.

Elle songeait aussi souvent à Esprit Sauvage. Qu'était-il devenu ? Pourquoi avait-il disparu si mystérieusement après avoir l'avoir suivie comme son ombre durant tant de jours ? Il n'était pas censé lui manquer. Et pourtant, son absence suscitait en elle une sorte de faim inassouvie...

Rompant soudain le calme oppressant, une rafale de vent lui renvoya de la fumée en pleine figure. Elle recula en toussant, se couvrit le nez et la bouche de ses mains sales.

Les nuages s'assombrirent et couvrirent bientôt tout le ciel comme un linceul géant. Sam leva les yeux, inquiète. Combien de temps restait-il avant que les cieux se déchirent et déversent des trombes d'eau ?

– Arrimez les cordes et les piquets aussi solidement que possible ! ordonna Oiseau de Feu. Les hommes ne peuvent pas vous aider. Ils attachent les chevaux pour les empêcher de s'échapper. La tempête promet d'être violente. Allons nous abriter.

Sam fit de son mieux. Elle grimaça de douleur en retendant les cordes de ses mains meurtries. Les rafales alternaient avec de brèves averses, prélude au déluge annoncé. Des éclairs se mirent à zébrer le ciel. Le tonnerre retentit.

Alors que Sam martelait les piquets avec une pierre, une femme lui cria quelque chose tout en s'enfuyant. Elle s'apprêtait à la suivre quand une des cordes qui maintenaient la peau de bison lâcha. Celle-ci s'envola aussitôt et Sam courut à sa poursuite, filant droit vers la tempête. Chaque fois qu'elle était sur le point de s'en emparer, le vent, qui semblait se rire d'elle, repoussait la peau plus loin. Sam ne se découragea pas, oubliant que les autres s'étaient déjà mises à l'abri. Jamais elle n'avait vu la nature se déchaîner ainsi.

Elle n'entendit pas non plus le galop du cheval qui approchait. Tout à coup, un bras puissant la saisit par la taille et la souleva dans les airs. Poussant un cri de surprise, elle se retrouva serrée tout contre le large torse nu d'Esprit Sauvage. Ses longs cheveux fouettant l'air, il accéléra encore l'allure dans l'espoir de dépasser la tempête.

Sam s'agrippa à lui de toutes ses forces tandis qu'ils chevauchaient à travers la plaine. La tête appuyée contre son épaule, toutes ses résolutions s'envolèrent. Elle savourait sa proximité. Son odeur si mâle la troublait étrangement. Lorsqu'il abaissa vers elle son regard enflammé, Sam craignit qu'il ne lût en elle.

Que lui arrivait-il donc ? Seigneur, elle était dans les bras d'un être farouche, poursuivie par une violente tempête sur un cheval lancé au grand galop. Et qui plus est, elle y prenait plaisir ! A force de vivre et de travailler parmi des gens incultes, avait-elle perdu la raison ? Normalement, elle aurait déjà dû être mariée, et se comporter en charmante épouse docile qui n'avait de cesse de satisfaire son mari et de devenir mère. Au lieu de quoi, elle s'enivrait de l'expérience vécue et se demandait si elle voulait vraiment que cela prenne fin !

14

Sam s'était endormie dans les bras de Paul. Elle se réveilla au matin, folle de rage contre lui, mais aussi contre elle-même. Comment avait-elle pu céder ainsi à la faiblesse ?

Elle s'écarta et s'habilla aussitôt tandis qu'il la regardait.

– Pourquoi ne m'as-tu pas dit que tu parlais anglais ? attaqua-t-elle. Tu m'as laissé m'égosiller pendant des semaines !

Il répondit en pesant sur chaque mot, pour ne pas se démasquer.

– Je ne comprends pas tout.

– Assez pour me laisser me ridiculiser !

– J'ai compris que je te désirais, fit-il en se penchant vers elle. Et toi aussi.

Elle fit un bond en arrière, très mal à l'aise, songeant qu'elle s'était totalement offerte à lui à peine quelques heures plus tôt ; il lui avait arraché des gémissements et des spasmes d'extase... En elle, la colère se disputait à présent au chagrin.

– J'avais perdu la tête, lança-t-elle. Rien d'étonnant après tout ce que j'ai enduré ces dernières semaines... J'exige d'ailleurs que tu me dises quand je serai libérée !

– Ce n'est pas encore décidé.

– Pourquoi ne pas au moins m'expliquer les raisons de mon enlèvement, dans ce cas ? Si c'est une rançon que vous voulez, mon fiancé la paiera.

– Pas de rançon.

– Je vois. Tu n'as probablement aucune intention de me relâcher. La seule chose que tu voulais, c'était que je cède à tes avances...

– Toi aussi, tu le voulais.

Sam faisait les cent pas, les bras croisés.

– Cela n'aurait jamais dû arriver. Je suis trop bête. D'abord je m'épanche en croyant que tu ne comprends pas un mot. Et ensuite, je me jette à ton cou comme une vulgaire...

Elle ne put se résoudre à prononcer le mot.

– Ce n'est pas mal, quand on est deux à vouloir.

– Facile à dire, grinça-t-elle. Je suis souillée, déshonorée. Mon fiancé ne voudra certainement plus de moi.

Paul ne pouvait lui révéler que Ballard l'épouserait pour récupérer sa dot, même si elle portait l'enfant d'un autre. Il tenta de la rassurer :

– Les femmes savent comment faire croire aux hommes qu'elles sont pures.

Avait-il perdu tout sens commun ? se demanda Sam.

– Tu crois vraiment qu'il croira que j'ai pu passer tout ce temps ici sans me faire violenter ? Je sais ce que les Indiens font aux femmes blanches !

– Tu diras qu'ils trouvaient que la femme du capitaine Ballard n'en valait pas la peine.

Elle commençait malgré elle à entrevoir la vérité. Non, ce n'est pour la violer qu'on l'avait enlevée. Leur mobile était probablement de se venger de Jarman. Voilà pourquoi elle n'avait pas été maltraitée... Et si elle n'avait pas montré qu'elle était consentante, Esprit Sauvage ne lui aurait jamais fait l'amour.

– Ah, maintenant, je vois. Vous connaissiez mon identité, et la date de mon arrivée. Ce n'était pas après moi que vous en aviez mais après le capitaine Ballard. Que vous a-t-il donc fait, à toi et à ton peuple ?

– Il vaut mieux que tu ne saches pas.

– Après ce qui s'est passé la nuit dernière, tu me dois une explication.

– Tu étais d'accord aussi. Je ne me sens pas coupable.

– Bon, concéda-t-elle, je reconnais que je t'ai laissé faire...

Elle tentait de lui attribuer toutes les responsabilités, songea Paul. Mais elle ne s'en tirerait pas en le faisant passer pour un être lubrique, c'était hors de question. Lui-même s'en voulait déjà assez d'avoir cédé au désir. Alors, se faire traiter de suborneur...

– Tu ne m'as pas « laissé ». Tu as dit que tu avais envie.

– C'est exact. Mais si j'avais pu m'imaginer que tu ne perdais pas une de mes paroles, je ne l'aurais jamais dit tout haut. Je ne suis pas ce genre de femme. D'ailleurs, au cas où tu ne l'aurais pas remarqué, je n'avais jamais connu d'homme.

– J'ai remarqué, fit-il avec un petit sourire, allant jusqu'à ajouter : il te reste beaucoup de choses à apprendre.

– Va au diable. Cela ne se reproduira plus, sauf si tu m'y forces. Et je te jure – elle le regarda droit dans les yeux – je te jure que je me défendrai bec et ongles !

Il continuait à sourire, conscient que cela l'irritait prodigieusement.

– Je le dis encore, yeux de chat : je ne force jamais une femme. Tu as pris du plaisir. Tu reviendras vers moi.

– Et puis quoi encore ! Et je déteste que l'on m'affuble de surnoms stupides !

– Il n'est pas stupide. Tu as des yeux comme ceux des chats. Le regard féroce, prêt à tuer... Qui devient tendre, et prêt à aimer.

Paul parvenait difficilement à garder son sérieux. Elle avait le sang chaud et ne demandait qu'à s'enflammer.

Il n'avait qu'à la prendre dans ses bras, la caresser où il fallait. Mais ce n'était pas comme cela qu'il agirait. Il attendrait qu'elle vienne à lui, de son plein gré, comme la nuit passée.

Sam s'éloigna le plus possible, mais la grotte était petite.

– Tu n'as qu'à m'appeler par mon nom : mademoiselle de Manca. Et toi, qui es-tu d'abord ? Tu n'es pas un vrai Indien, n'est-ce pas ?

– Je suis ce qu'on appelle un sang-mêlé. Lorsque ma mère est arrivée dans la région, son convoi de chariots bâchés s'est fait attaquer par les Indiens. Elle est tombée amoureuse d'un grand chef mescalero. Voilà comment je suis né.

Cela suffira sans doute à éloigner Ballard de sa piste, songea-t-il, satisfait. Qu'il essaie donc de comprendre ce qu'un Apache d'une tribu vivant entre le Rio Grande et le Mexique faisait aussi loin de chez lui.

– Un sang-mêlé... fit Sam, pensive. Pourquoi es-tu resté avec eux ? A l'âge adulte, j'entends. Pourquoi n'es-tu pas revenu vivre parmi les Blancs ?

Il soupira, comme si elle avait touché un point sensible.

– Les Blancs n'ont que mépris pour les métis. Nous n'avons pas notre place dans votre monde. Les Indiens m'ont accueilli comme un des leurs parce que je suis le fils d'un grand chef.

Sam fut soudain affreusement gênée. Elle se sentait nue sous ses vêtements.

– Qui tu es ou ce que tu es, cela m'est bien égal. Tu peux vivre dans la crasse et la misère noire si ça te chante. Quant à moi, je veux retourner à la civilisation.

Une telle condescendance commençait à exaspérer Paul.

– Tu dis n'importe quoi. Toi-même, tu n'avais pas l'air très reluisant quand je t'ai sauvée de la tempête !

– Je n'y pouvais rien. Elles m'ont obligée à racler les peaux et à les enfumer... – Elle commença à se frayer un chemin parmi les ronces – ... Ah, au fait : c'était mieux quand tu ne parlais pas. Je n'avais pas à supporter tes remarques idiotes !

Paul ne fit pas un geste pour l'empêcher de sortir. Mieux valait qu'elle reste seule pour mettre de l'ordre dans ses pensées. Et autant qu'elle laisse libre cours à la colère qu'elle éprouvait, cela ne ferait que simplifier le reste de leur cohabitation.

Sam huma l'air matinal, frais après la tempête de la nuit. Le dur labeur de la semaine qui venait de s'écouler lui semblait encore préférable à un tête-à-tête avec Esprit Sauvage. A chaque fois qu'elle le regarderait, elle ne pourrait s'empêcher de penser à ce qui s'était passé entre eux. Comment avait-elle pu se montrer aussi faible ? Son ravisseur moitié indien, moitié blanc, n'avait sa place nulle part. Et elle, sa place n'était pas dans ses bras. Pourtant, la veille, elle s'y était trouvée si bien...

Poussé par la faim, Paul finit par sortir de la grotte pour faire du feu. Il avait rapporté du café et du bacon de son séjour au fort. Il la vit au bord de l'eau, occupée à laver sa robe de peau. Elle ignora ostensiblement sa présence. Toutefois, il se doutait qu'elle ne résisterait pas à l'odeur du bacon frit.

Il ne se trompait pas. Elle mit sa robe à sécher sur un buisson puis s'approcha de lui, et n'eut pas l'arrogance de refuser la viande qu'il lui tendait. Elle mangea en silence, mais à belles dents, et reprit plusieurs fois du café.

– Tu devrais peut-être t'absenter plus souvent, si c'est pour revenir avec de la nourriture décente, concéda-t-elle.

– On ne peut pas dire que tu sois maigre, yeux de chat. On dirait même que tu as pris des formes.

Cela lui allait même à ravir, mais il garda cette réflexion pour lui.

– Je t'ai déjà dit de ne pas m'appeler ainsi ! lâcha-t-elle avec irritation. Comment pourrait-on rester svelte avec votre nourriture grasse ?

– C'est seulement vrai l'été. L'hiver, nous avons peu à manger, répondit-il en lui faisant signe de laver la vaisselle.

– Va au diable, rétorqua-t-elle avec hauteur.

Elle partit en grommelant qu'elle n'était pas son esclave et qu'elle n'entendait pas continuer à être traitée comme telle. Tu n'as qu'à laver tout cela toi-même, songea-t-elle. Et que les femmes ne comptent plus sur elle pour tanner les peaux.

Elle avait coopéré sans sourciller. Où cela l'avait-elle menée ? Sous la surveillance d'un homme qu'elle s'efforçait en vain de haïr. Dont le moindre regard tendre suffisait à l'enflammer. Qu'il prenne cela pour de l'arrogance était le moindre de ses soucis. Elle n'avait qu'une envie : partir avant de commettre une erreur encore plus grave.

Paul la rattrapa et la fit pivoter sur elle-même, la pressant contre lui.

– Ne t'en va pas comme ça. Je t'ai donné du travail et tu vas le faire !

Elle pencha la tête en arrière pour opposer insolence et reproche au fier regard de Paul.

– Va au diable, métis que tu es !

– Ne me provoque pas, avertit-il en la secouant.

– Si je refuse d'être ton esclave, tu me tortureras ?

– Je connais d'autres moyens de persuasion.

Il serra plus fort, s'empara de sa bouche et y déposa un long baiser brûlant. Puis tout aussi brusquement, il la relâcha et s'éloigna.

Sam l'observa, encore étourdie. Il avait ramassé les ustensiles de cuisine et se dirigeait vers la rivière. Dire qu'il aurait pu la battre jusqu'à ce qu'elle cède ! Au lieu de quoi, elle avait eu droit à un baiser passionné, venu à point pour lui rappeler avec quelle aisance son corps pouvait la trahir.

Mais au fond, quel mal y avait-il à prendre du plaisir ? Elle avait subi son lot d'épreuves. Son avenir était nimbé d'incertitude. Elle allait épouser un homme qu'elle savait désormais ne jamais pouvoir aimer. Pourquoi, dès lors, ne pas profiter de l'instant présent ? Il était d'ailleurs dans son intérêt de faire la paix avec Esprit Sauvage.

En le voyant s'agenouiller au bord de l'eau, elle se rappela avec délice le torse puissant qu'elle avait tant aimé serrer dans ses bras, et l'extase qui avait suivi lorsqu'elle s'était donnée à lui sans retenue. Jarman aurait peut-être des doutes lorsqu'elle lui affirmerait ne pas avoir été violée. Cependant, le mal était fait, si mal il y avait, et il était impossible de faire marche arrière... Mieux valait écarter tout sentiment de culpabilité tant que durerait sa captivité.

Elle rejoignit Esprit Sauvage et s'agenouilla près de lui, lui prenant des mains les ustensiles sales.

– Je suis désolée, murmura-t-elle. Tu m'as bien traitée. Je devrais t'en être reconnaissante. Les choses auraient pu moins bien se passer.

A ce moment précis, Paul sut qu'il n'aurait jamais dû participer à l'enlèvement, ni éprouver ensuite pour elle de tels sentiments. Cette fichue situation était sans issue, et tout cela ne servirait qu'à le rendre malheureux. Il était temps de la renvoyer parmi les siens. Pourtant, égoïstement, il ne parvenait pas à s'y résoudre. S'il devait la perdre à jamais, il comptait savourer chaque instant passé auparavant en sa compagnie.

Il se leva et l'attira à lui. Il ne la touchait pas, mais la dévorait des yeux.

– Je ne t'obligerai à rien contre ta volonté, souffla-t-il.

– Tu n'as pas à m'obliger à quoi que ce soit.

Le sourire de Sam était timide, mais on lisait dans ses yeux détermination et impudence. Ses bras s'avancèrent jusqu'à la nuque d'Esprit Sauvage. Elle le tira à elle.

– A quoi bon songer à demain ? Ce qui compte dans la vie, c'est ici et maintenant.

Il eut été plus aisé pour Paul de détourner le cours de la rivière que de repousser le désir qui montait en lui. Il prit sa main dans la sienne pour l'emmener de nouveau dans la grotte et s'émerveiller avec elle de la passion qui les unissait.

Au fil des jours, les sentiments de Sam devinrent plus intenses. Elle était consciente que Paul s'était attaché à elle, même s'il ne prononçait pas de mots doux. Quant à elle, elle décida qu'elle assouvissait avant tout un besoin physique : vaincre l'isolement et le désespoir auxquels elle était confrontée.

S'ils passaient les nuits dans la splendeur de leurs désirs, ils consacraient désormais les journées à l'exploration des alentours. Paul prit plaisir à lui faire découvrir l'univers qui l'accueillait pour un temps. Lors de leurs longues promenades, il lui nommait plantes, oiseaux et animaux au fur et à mesure de la marche. Il lui apprit comment harponner le poisson et poser des collets pour attraper le petit gibier. Il ne craignait plus qu'elle retourne son arme contre lui, et lui montra le maniement de l'arc et du fusil. Il lui enseigna aussi comment monter à cru. Ils chevauchèrent bientôt comme le vent, riant du bonheur d'être ensemble.

Comme ils se rapprochaient chaque jour davantage, Sam se demanda comment il réagirait si elle lui avouait le subterfuge auquel elle s'était prêtée. Décréterait-il qu'elle était sienne et refuserait-il de la laisser partir ? Auquel cas, saurait-elle – pourrait-elle – être heureuse dans son univers à lui ? A l'évidence, le projet était insensé. Il ne lui avait donné aucun signe qui lui permette d'envisager un avenir commun. Ce serait une erreur de trop s'attacher. Mieux valait taire son secret et ne pas regarder en arrière quand viendrait le moment de retourner à la civilisation.

Et puis un jour, Oiseau de Feu se montra, et s'entretint avec Esprit Sauvage dans leur langue. Aux regards noirs que l'Indienne lui lançait, Sam comprit qu'elle était excédée.

– M'en veut-elle de ne plus aider les femmes ? s'enquit-elle après son départ.

Paul éluda la question. En fait, Oiseau de Feu était furieuse qu'il n'ait pas encore relâché Céleste. Nombreux étaient les membres de la tribu qui trouvaient qu'il était grand temps de le faire, mais Esprit Sauvage n'avait rien voulu savoir.

– Pourquoi ne m'as-tu pas ramenée travailler au village ? insista Sam.

– On risquerait de t'y remarquer. C'est plus sûr ici.

Il tourna subitement les talons.

Dans ces moments-là, Sam avait l'impression de ne plus le connaître. Elle le dévisagea tristement, se morigénant de tant vouloir entendre qu'il la voulait pour lui tout seul.

Ce que Sam ignorait, c'est que Paul avait du mal à accepter ses propres sentiments. Il tenait trop à elle, et son cœur restait sourd aux arguments de la raison. Il l'aimait. Voulait vivre avec elle à jamais. Mais cela ne pouvait être.

Londres.

Céleste se regarda dans le miroir fendu suspendu au-dessus de l'évier. Devant son visage bouffi, elle se remit à pleurer.

– Je suis affreuse, absolument affreuse !

Jacques s'empressa de mettre ses chaussures. Quoiqu'il n'appréciât guère son emploi au pub, qui consistait à faire la plonge et à passer la serpillière, il n'avait qu'une hâte : échapper aux jérémiades de Céleste.

– Regarde un peu ce taudis ! lança-t-elle à travers ses pleurs. Je tourne en rond. Nous mangeons, dormons et vivons dans une seule pièce. Les meubles tombent en morceaux. Il fait déjà froid et humide en été, alors imagine quand le bébé sera né ! Il va tomber malade. Il n'y a même pas assez de place pour mettre un berceau. Il faut déménager, Jacques.

– Avec mon salaire de misère, on ne peut rien s'offrir d'autre. Tu le sais bien.

– Tu ne fais aucun effort. Tu passes la journée à dormir jusqu'à ce que vienne l'heure d'embaucher. Tu avais promis de m'aider à trouver quelque chose de plus grand.

– C'est sans espoir.

– Tu fais toujours des promesses que tu ne peux pas tenir. Tu m'avais dit que nous pourrions habiter chez ton oncle et ta tante, qu'ils nous aideraient, et ils nous ont jetés dehors au bout de quelques semaines.

– C'est eux qui avaient fait cette promesse, pas moi. Je n'y peux rien s'ils sont revenus sur leur parole... Et peut-être que ta façon de me harceler à longueur de temps n'y est pas étrangère, osa-t-il. Ça, et le fait de traîner au lit toute la journée en traitant ma tante comme si elle était ta femme de chambre. Tu n'es plus au château avec ton père pour te gâter, Céleste. Tu es mon épouse et tu dois accepter la vie que je t'offre. Tu n'es pas la première femme qui attende un bébé. Et j'en ai plus qu'assez de t'entendre pleurnicher !

Il s'était levé pour partir. Céleste lui lança une tasse qui alla se fracasser contre la porte, juste au-dessus de sa tête.

– As-tu perdu la tête, femme ? cria-t-il en se retournant.

– Plutôt mourir que de continuer à vivre comme une ouvrière !

Se couvrant le visage de ses mains, elle éclata en sanglots.

Avec un soupir de dépit, Jacques vint l'entourer de ses bras. Les derniers mois n'avaient pas été faciles. Il lui arrivait même de regretter amèrement de l'avoir jamais rencontrée.

– Tout ira mieux quand le bébé sera né, suggéra-t-il mollement.

Il aurait dit n'importe quoi pour l'apaiser et s'en aller.

S'écartant soudain de lui, Céleste s'essuya les yeux du bord de sa robe sale. Leur fuite avait été si précipitée, avec ces changements de plan de dernière minute, qu'elle n'avait pas eu le temps d'emporter la valise qu'elle avait préparée. Les maigres économies de Jacques ayant été rapidement englouties, elle n'avait pas pu s'acheter de nouveaux vêtements.

– Non, énonça-t-elle enfin en retrouvant son calme. Au contraire.

– Ça va, ça va, capitula-t-il en reculant vers la porte. Je te promets d'essayer de trouver un travail mieux payé et un autre logement. Mais arrête de pleurer et de me harceler tout le temps, tu veux bien ?

– Je retourne chez mon père.

– Tu... tu plaisantes ! bredouilla-t-il, les yeux écarquillés.

– Absolument pas. J'y ai longuement réfléchi. C'est la seule solution. D'ailleurs, je ne supporte pas Londres. Je veux que mon bébé naisse à Paris.

– Et Sam ? s'écria-t-il, abasourdi. Quand ton père comprendra le subterfuge, il ira tout raconter à ce Ballard !

Hochant la tête d'un air de défi, Céleste précisa que c'était le dernier de ses soucis.

– J'y ai aussi pensé. Maintenant que nous sommes mariés, Papa se résignera, il n'a pas le choix. Il sera heureux d'apprendre qu'il va être grand-père, et aussi que l'avenir de Sam est assuré. Jarman et elle doivent être en pleine lune de miel à l'heure qu'il est. Papa ne dévoilera pas le pot aux roses. A quoi bon ? Ils ne reviendront jamais en France.

Jacques ne partageait pas son optimisme.

– Je ne sais pas, Céleste. C'est prendre un grand risque. Il sera peut-être furieux au point de te chasser.

– Ne sois pas ridicule. Je suis sa fille, et je suis enceinte de son petit-fils. Il nous accueillera, il y est obligé.

Elle amorça un pas de danse dans la pièce qu'elle trouvait si minuscule.

– Ce sera merveilleux, Jacques, je le sens ! Nous vivrons dans mes appartements, avec toute une aile pour nous. Tout redeviendra comme avant – à la différence que je vous aurai tous les deux, toi et le bébé.

Jacques ne pouvait que prier en silence qu'elle ne soit pas en train de commettre une terrible erreur.

15

Chaque jour, Sam se sentait davantage en harmonie avec le monde qui l'entourait. Peut-être était-ce dû au fait qu'elle avait passé ses premières années dans les collines de Virginie ? Toujours est-il qu'elle appréciait ces vastes plaines, et que l'agitation de la ville ne lui manquait pas le moins du monde. Quoique à l'occasion elle n'eût pas dédaigné certains conforts de la civilisation, elle s'était adaptée au rythme de la nature.

Si Esprit Sauvage parlait peu de lui, il répondait volontiers aux questions se rapportant au territoire indien. Les Indiens Kansa avaient activement participé à la guerre de Sécession, lui avait-il expliqué. A la fin des hostilités, les terres avaient été ouvertes aux esclaves libérés et aux pionniers en partance vers l'Ouest. On avait prolongé les lignes de chemin de fer afin de convoyer le bétail du Texas jusqu'à Abilene, d'où il était ensuite transporté vers l'Est.

Avant l'arrivée de l'homme blanc, les Kansas, pacifiques, vivaient de chasse et d'agriculture. Lorsque l'État avait déporté des tribus de l'Est pour les implanter sur leur territoire, des guerres tribales sanglantes avaient éclaté, tandis que les pionniers ne cessaient d'empiéter sur leurs terres.

– Tu as l'air bien instruit pour quelqu'un qui a toujours vécu avec eux, s'était étonné Sam. Tu parles bien l'anglais.

Sentant qu'il en avait peut-être trop dit, Paul contra avec raideur :

– Ma mère m'a appris sa langue. Je vais parfois dans des villages de pionniers. J'écoute parler les Blancs, j'entends des choses.

Assise au faîte d'une petite colline, Sam contemplait, captivée, les champs de tournesol en contrebas. Les fleurs majestueuses oscillaient dans le vent, altières, tels des milliers de soldats dorés marchant au son d'un tambour silencieux. Au loin, un immense troupeau de bisons paissait paresseusement.

– Tout cela est si beau ! fit-elle en s'allongeant pour admirer le ciel radieux. Je n'ai jamais vu un bleu aussi profond, si ce n'est dans tes yeux.

Il s'étendit à son tour, se mettant sur un coude pour la contempler. Elle prit le doigt duquel il lui parcourait la joue, le posa sur ses lèvres, avouant :

– Je me sens coupable d'être heureuse à ce point.

– Mais tu as hâte de partir.

Elle fixa de nouveau le ciel.

– Je n'en suis plus si certaine. Cet endroit est paisible. Plus je te connais, plus j'aime être avec toi. Mais quelque chose en moi me dit que c'est mal. Mon... – Elle s'interrompit, tant le mot qu'elle allait prononcer sonnait faux – Mon fiancé doit être affreusement inquiet. A l'heure qu'il est, il me croit peut-être morte.

Paul s'abstint de tout commentaire sur ce point.

– Ton pays ne te manque donc pas ?

Il avait changé de sujet, préférant chasser de son esprit le fait qu'elle allait épouser Ballard.

Sam formula une réponse prudente. Il eut été si facile de lui dire sur-le-champ toute la vérité, à savoir qu'elle n'était nulle part chez elle. Le récit de ses aventures parisiennes, de l'époque où elle passait pour un garçon dans les catacombes, l'aurait sans doute amusé, compte tenu de ce qu'il avait lui-même vécu. Il aurait ri et compati, ce qui les aurait encore rapprochés. Cependant, elle n'osa pas. Au lieu de quoi, elle s'inventa une vie de conte de fées où elle était la fille choyée d'un marquis, et décrivit l'opulence de la capitale et les fastes de ses bals.

Cela ne fit que conforter Paul dans son opinion : ils n'auraient jamais que ces moments-ci à partager. Céleste ne pourrait vivre dans son monde et lui ne savait rien du sien. Elle appartenait à un autre homme. C'était pure folie de souhaiter qu'il puisse en être autrement.

Il la contempla avec délice tandis qu'elle mordillait un brin d'herbe. Ses souvenirs l'avaient transportée au loin, tels les nuages blancs qui filaient dans le ciel. Cheveux au vent, elle était superbe avec son corps hâlé épanoui par la vie au grand air. Il ne put se dominer longtemps.

Ils étaient loin de la grotte, seuls au monde. Il leur était déjà arrivé de céder à leur passion en pleine nature. Lorsqu'il se pencha sur ses lèvres, elle n'opposa aucune résistance.

– J'ai envie de toi, murmura-t-il d'une voix rauque.

Ses mains parcoururent en tout sens ce corps qui était sien. Il en caressa chaque courbe puis lui saisit le menton pour mieux la dévorer de sa langue. Lorsqu'ils furent à bout de souffle, il se recula pour mieux la contempler, remontant la robe en daim. Prolongeant le geste qu'il avait entamé, Sam s'assit pour ôter le vêtement et le jeter au loin, tandis que lui se débarrassait rapidement de ses jambières. Elle fit mine de s'allonger mais il la fit se mettre sur lui.

Sam posa les mains sur le torse d'Esprit Sauvage. Cette musculature puissante ne cessait de l'émerveiller. Passant un doigt sur sa cicatrice, elle s'enquit subitement :

– Comment t'es-tu fait cela ? La blessure devait être horrible.

Il avait décidé de lui cacher qu'il avait combattu lors de la guerre civile. Cela ne collait pas avec la description concoctée pour Ballard.

– Dans une bataille contre une autre tribu, répliqua-t-il avec brusquerie.

Il la prit par la taille, la souleva. La chevelure de Sam lui balaya le visage. Elle cria de plaisir dès qu'il la posséda.

– Chevauche-moi, ordonna-t-il. Je veux sentir tes hanches contre les miennes et ta crinière fouetter mon visage.

Sam se sentait défaillir de plaisir. Elle se redressa lentement sur les genoux puis s'empala sur lui, jusqu'à ce que leurs deux corps ne fassent plus qu'un. D'une main, il continuait de lui infliger de douces tortures. De l'autre, il la guidait. Elle se cabra frénétiquement. Elle était au bord de l'embrasement. Elle le chevaucha plus vite, plus fort, tel un cheval qui s'apprête à franchir un obstacle. Sentant cela, il la fit alors rouler sur le côté. L'instant suivant, il était sur elle.

Ils se rejoignirent dans l'orgasme. Sam lança sa tête en arrière, se cambra. Elle poussa un cri venu des tréfonds de son âme. Mâchoires serrées sous le plaisir qu'il ressentait, Paul n'émit pas un son.

Tandis qu'il la serrait contre lui dans la douce chaleur qui succède à l'amour, il s'avoua enfin qu'il n'avait jamais éprouvé une jouissance aussi parfaite, qu'il ne pourrait jamais rien ressentir de tel avec une autre.

Alors que le soleil se couchait, parmi les hautes plaines baignées de rose, d'or et de bronze, ils s'en revinrent vers le campement.

Le matin, Paul avait attrapé des poissons qu'il avait laissés dans le torrent, accrochés au bout de sa ligne.

Sam, qui l'aidait désormais, partit les vider tandis qu'il préparait le feu.

Levant la tête de sa tâche, elle constata qu'il se trouvait en grande conversation avec un brave, comme il les appelait. Des guerriers venaient parfois à la grotte, mais elle ne voyait jamais leur visage : Esprit Sauvage s'isolait pour leur parler. Elle finit de rassembler le bois en prenant soin, par discrétion, de ne pas s'approcher.

Paul, qui l'observait, lui savait gré de lui obéir la plupart du temps. Cela ne devait pas être facile. Elle avait un tempérament fougueux et s'emportait assez vite si on la contrariait.

– Tu n'écoutes pas ce que je te dis, mon frère.

– Si, j'ai tout entendu, répondit Paul en se tournant vers Aigle Intrépide.

– Entendre et écouter, ce n'est pas la même chose.

L'ironie du propos n'échappa pas à Paul. Il croyait deviner la raison d'une telle amertume. Il demanda néanmoins :

– Qu'est-ce qui ne va pas ? Tu n'es pas venu seulement pour m'annoncer que Ballard avait cessé d'envoyer des patrouilles. Nous savions tous deux que cela arriverait. Je suis d'ailleurs surpris qu'il n'ait pas renoncé plus tôt.

– Il est temps de la ramener, annonça Aigle Intrépide.

– Pas encore, répliqua vivement Paul. – Il la regarda à la dérobée. – Elle s'est bien adaptée. Elle ne pose pas de problème. Et il me reste encore un peu de temps avant de rejoindre mon poste. Pourquoi ne pas continuer d'agacer Ballard ?

– Maintenant, répéta l'Indien sur un ton sans appel.

– C'est moi qui déciderai du moment.

– Les décisions qui viennent du cœur manquent parfois de sagesse.

– Ce qui signifie ?

– Je t'ai dit il y a quinze jours qu'on n'avait rien à gagner à la retenir plus longtemps. Le capitaine Ballard ne souffrira pas davantage. Je l'observe presque tous les jours. Il vaque à ses occupations. Sa vie continue. Il est même possible qu'il la croie déjà morte. Peu importe. Il faut la ramener, pour son bien à elle et pour le tien.

– Tu as écouté Oiseau de Feu, railla Paul. Elle n'a pas apprécié que je lui retire Céleste. C'était trop risqué de la laisser là-bas, tu le sais bien.

Aigle Intrépide eut un geste de dénégation.

– Je te connais mieux que tu ne te connais toi-même, mon frère. Quand ton cœur battait pour ma sœur, je le lisais dans tes yeux. Tu as le même regard aujourd'hui, mais c'est pour la femme blanche. Tu peux me mentir à moi, mais ne te mens pas à toi-même. Renonce à elle dès maintenant. N'attends pas que les choses empirent. Un tel amour ne peut pas être.

A quoi bon nier ? Aigle Intrépide lisait en lui à livre ouvert.

– Tu as raison. Même si elle voulait rester, ce serait impossible.

– Oui. Tu ne pourrais la prendre pour épouse, même si tu lui révélais les raisons de son enlèvement et qu'elle se mettait à haïr Ballard. Tu as accepté de lourdes responsabilités en devenant agent des affaires indiennes. Tu dois faire honneur à la mémoire de ton père, t'opposer aux méfaits des hommes blancs. Si tu prenais la femme de cette crapule, il te rendrait la vie impossible. Il n'aurait plus de doutes sur la responsabilité de notre tribu et il chercherait vengeance... Non, conclut-il d'un ton grave. Tu dois la laisser partir. Ce soir. J'ai tout préparé.

Le cœur lourd, Paul écouta Aigle Intrépide lui expliquer son plan : déposer Céleste en pleine nuit à quelque distance du fort, pour qu'elle trouve son chemin aux premières lueurs de l'aube.

– Tu n'as qu'à l'amener toi-même si tu le désires.

Paul secoua la tête. Il n'aurait pas la force de lui dire adieu.

– Dans ce cas, pars à l'heure que tu voudras, ensuite je le ferai pour toi. Dans l'obscurité, elle ne verra pas mon visage. Je serai obligé de la ligoter et de la bâillonner pour l'empêcher de se sauver quand nous serons à cheval.

Paul savait que c'était nécessaire. Il ne put toutefois s'empêcher de recommander :

– Ne lui fais pas de mal. Sois aussi doux que possible. N'oublie pas qu'elle sera terrorisée.

– Tu ne veux pas la prévenir ?

Il s'y refusait. Se demandant comment affronter les heures à venir, Paul se retourna machinalement vers Sam.

Celle-ci sentit aussitôt qu'il se passait quelque chose.

Il ne prononça pas un mot du repas. A bout de nerfs, elle finit par éclater.

– Que s'est-il passé ? Qu'a dit ce brave, pour que tu aies l'air aussi inquiet ?

Si elle s'emportait, elle cesserait de poser des questions.

– Cela ne concerne que mon peuple, rétorqua-t-il d'une voix qui se voulait cassante.

Sam le dévisagea, décontenancée. Après l'après-midi idyllique qu'ils venaient de passer, comment pouvait-il soudain se montrer si froid ? Avait-elle trop parlé de sa vie à Paris ? S'imaginait-il qu'elle le jugeait indigne d'elle et ne voyait en leurs ébats qu'une agréable distraction propre à égayer sa captivité ?

Non, elle ne pouvait le laisser penser cela. Quoi que l'avenir leur réserve, elle lui ferait comprendre qu'elle tenait à lui. De tout son cœur.

Sans un mot, elle attendit qu'ils aient fini de laver la vaisselle. Qu'il continue donc de ressasser ses idées noires. Elle aurait tôt fait de le détromper quand ils feraient l'amour ce soir-là. Elle y mettrait tant de tendresse que cela dissiperait tous ses doutes. Il verrait alors qu'il occupait à jamais une place unique dans son cœur.

Des rafales de vent étaient venues chasser la douce brise d'été. Une tempête menaçait. Des éclairs déchirèrent soudain le ciel, suivi d'un roulement de tonnerre dans le lointain.

Il s'était assis près du courant. Sam alla le prier de l'accompagner à la grotte.

– Plus tard, répliqua-t-il d'un ton où la colère était perceptible. J'ai envie d'être seul.

– Moi, j'ai envie d'être avec toi, s'obstina-t-elle. Si tu ne viens pas, je vais rester à côté de toi, et nous nous noierons tous les deux à cause de la tempête.

Il marmonna quelque chose, se leva et, la prenant sans douceur par le poignet, l'amena à l'abri. Elle ne s'étonna pas qu'il fît son lit loin d'elle. Elle n'était cependant pas disposée à tolérer qu'il lui résiste. Alors qu'il lui tournait le dos, elle l'entoura de ses bras.

– Qu'as-tu donc ? fit-elle en s'allongeant près de lui. Si c'est à cause de cet après-midi, de ce que j'ai dit sur Paris, mon... – ce mensonge manquait décidément l'étouffer – mon père et sa fortune... Sache que cela n'a pas la moindre importance.

Paul se tendit, luttant contre lui-même. Son cœur avait envie entendre cet aveu, mais sa tête lui hurlait qu'il devait la faire taire, et tout de suite. S'il la laissait prononcer ces mots, il ne pourrait s'empêcher de renchérir et ensuite, il serait trop tard pour revenir en arrière. Il devait l'empêcher. Ainsi que le lui avait rappelé Aigle Intrépide, il avait des obligations envers son peuple. S'il prenait la femme de Ballard, celui-ci comprendrait que ses ravisseurs étaient les Kansas. Cela risquait de finir dans un bain de sang. Paul ne pouvait ni ne voulait courir un tel risque.

– Tout cela n'a plus aucune importance, continuait Sam. Pas depuis que j'ai appris à te connaître, Esprit Sauvage. A vous connaître, toi et les tiens. Aussi fou que cela paraisse, je veux faire partie de ta vie...

Il se retourna vers elle, de façon si soudaine qu'elle sursauta. Elle recula instinctivement mais il se saisit d'elle, la serrant si fort qu'elle percevait sa respiration hachée et la frénésie qui habitait son regard.

– Qu'est-ce qui te prend ? cria-t-elle, emplie d'une frayeur dont elle ne connaissait pas la cause. Cela te met en colère que je t'avoue tenir à toi ? Tu n'es donc pas attaché à moi ?

Essayant de toutes ses forces de rester maître de ses émotions, Paul se força à dire :

– Les sentiments que nous éprouvons l'un pour l'autre n'ont aucune importance. Il ne peut rien y avoir de plus entre nous.

Puis il la prit presque brutalement, et elle ne lui opposa aucune résistance. Après cela, elle se blottit contre lui en se disant qu'au matin tout irait mieux. Il retourneraient au champ de tournesols et, étendus côte à côte, ils ne pourraient que s'entendre. Il redeviendrait tendre et, cette fois, elle pourrait lui ouvrir son cœur. Lui déclarer qu'elle préférait vivre ici avec lui que seule dans son propre univers.

Sam ne s'endormit pas tout de suite ; elle écouta, émue, le rythme régulier de la respiration d'Esprit Sauvage. Dans son sommeil, il l'entoura plus fort de son bras. Rassurée, elle s'assoupit, sourire aux lèvres. Il l'aimait également, c'était certain. Elle le sentait. Le sort l'avait menée dans ses bras et tout irait pour le mieux. L'amour y pourvoirait.

Lorsqu'elle s'éveilla au milieu de la nuit, Sam ne s'inquiéta pas d'être seule sur la couche. Il arrivait parfois qu'Esprit Sauvage se lève pour vérifier que tout allait bien. Mais comme il ne revenait toujours pas, l'anxiété commença à s'insinuer en elle. Elle n'osait guère partir à sa recherche. Son malaise ne fit qu'augmenter.

Alors qu'elle rassemblait son courage pour sortir, elle entendit un bruit dans les ronces. Son sentiment de soulagement fut de courte durée. Esprit Sauvage ne se serait jamais montré aussi maladroit. Le visiteur avançait toujours en silence. C'était un autre. Quelqu'un qui connaissait moins bien le chemin. Esprit Sauvage avait peut-être été blessé, ou même tué...

Chassant ces craintes, elle décida d'affronter l'ennemi. Elle se souvint qu'elle était nue. Elle tâtonna à la recherche de sa robe en daim et l'enfila à la hâte dans l'obscurité. Alors qu'elle cherchait une arme, elle sentit son réticule posé à côté d'elle. Cela faisait des semaines qu'elle n'en avait pas vérifié le contenu. Qui avait bien pu le déposer là ? Dans quel but ?

L'heure n'était plus aux tergiversations. Le monstre était sur elle. Elle n'eut que le temps de pousser un cri avant d'être bâillonnée. Elle avait beau se débattre de toutes ses forces, elle se retrouva poignets attachés, puis hissée sur une large épaule.

Apparemment, l'Indien était seul. Il la plaça en travers d'un cheval puis enfourcha le sien sans bruit et le fit avancer au pas dans la nuit noire, tenant le second par la bride.

Sam se noyait dans le désarroi. Où se trouvait Esprit Sauvage ? Que faisait donc là son réticule, dont on lui avait enroulé la lanière autour des poignets ? Une intuition lui dit qu'elle ne reviendrait plus jamais au campement. Si on l'emmenait au village kansa, pourquoi l'avoir ligotée et bâillonnée en pleine nuit ? De toute manière, ils avaient déjà parcouru une trop grande distance.

Il s'arrêtèrent enfin. On la déposa à terre. Dans les premières lueurs de l'aube qui apparaissaient à l'horizon, elle discernait au loin les contours d'un imposant édifice. On plaça son sac à ses pieds. On retira les liens et le bâillon.

– Où m'avez-vous amenée ? demanda-t-elle, furieuse.

Mais l'homme avait déjà disparu dans la nuit.

16

Jarman avait toujours détesté s'éveiller au son du clairon mais, ce matin-là, la chose lui était encore plus insupportable qu'à l'habitude. Il avait trop bu la nuit précédente, atténuant à coups de whisky son sentiment de frustration.

Il n'avait pas non plus prévu de se réveiller avec une fille de joie dans son lit, surtout ce chat sauvage de Martita. Mais elle avait su l'occuper toute la nuit. Et il n'était revenu à ses quartiers qu'à près de quatre heures du matin. A présent, il avait une gueule de bois abominable et son estomac lui laissait entendre qu'il allait passer la journée à regretter les excès de la veille.

Il mit la tête sous l'oreiller pour étouffer la maudite sonnerie. Plus que quelques semaines, Dieu merci, et tout serait fini. Quoi qu'il arrive, il retournerait à la vie civile. Mais comme ces sacrés Indiens avaient saboté tous ses plans, il ne savait plus ce qu'il ferait ensuite. Céleste ne réapparaîtrait probablement jamais. Tôt ou tard, il devrait donc annoncer au marquis ce qui était arrivé. Il en profiterait pour lui faire part de sa surprise qu'elle n'ait pas été accompagnée d'un chaperon, même si cela n'était désormais qu'un détail.

La sonnerie infernale ayant cessé, il retira l'oreiller et se replongea sous les couvertures. Il n'avait aucun supérieur hiérarchique susceptible de le réprimander s'il arrivait en retard, et il se dit qu'un peu de sommeil ne lui ferait pas de mal.

Il s'était à peine assoupi que l'on frappait bruyamment à la porte.

– Qu'est-ce que c'est encore ? hurla-t-il en se dressant sur son lit.

– Capitaine Ballard, il faut vous rendre à la casemate au plus vite, répondit une voix tout excitée.

Jarman sauta du lit et traversa la chambre en quelques enjambées nerveuses.

– Vous avez intérêt à ce que ce soit important, prévint-il en ouvrant violemment la porte.

Aux yeux injectés de sang de son capitaine, le soldat Moulton devina que ce dernier avait encore bu. Tout le monde au fort savait qu'il abusait de la boisson. Mais qui pouvait lui en vouloir après ce qu'il endurait depuis des semaines ?

– Venez voir par vous-même.

– Je ne me sens pas bien, Moulton. Je suis sûr qu'un autre officier peut s'en charger. Maintenant sortez et laissez-moi dormir.

Moulton bloqua la porte avec son pied.

– Capitaine, je vous en prie, suivez-moi.

– Je vous préviens...

Moulton ne souhaitait pas lui annoncer lui-même la nouvelle, mais il n'avait plus le choix.

– Il y a une femme, capitaine. Elle vous a fait demander...

Il prit une inspiration avant d'annoncer l'incroyable nouvelle :

– ... Elle prétend être votre fiancée.

Livrée à elle-même, Sam s'était assise par terre, le temps de retrouver ses esprits et de mettre de l'ordre dans ses pensées.

Elle était libre, à présent. Néanmoins, sa joie était gâchée par le fait qu'Esprit Sauvage l'avait quittée sans un mot d'adieu. A l'évidence, elle ne représentait rien pour lui. Elle aurait dû avoir honte de s'être offerte ainsi sans la moindre retenue. Or, ce n'était pas le cas, tant le souvenir de ces dernières semaines lui était doux. Cependant, elle commençait à le détester. Il n'avait même pas jugé bon de lui dire au revoir. Avait-elle des remords ? Non. Comment aurait-elle pu regretter d'avoir découvert l'extase ?

Elle se remettrait de cette épreuve. La vie était ainsi faite. La sienne, du moins. Jusqu'à présent, elle avait encaissé la tête haute les coups assénés par la vie. Il fallait laisser la colère l'envahir. C'était le seul moyen d'apaiser l'angoisse qu'elle éprouvait à l'idée de ne jamais le revoir.

Lorsque l'aurore aux doigts de rose avait fini de chasser les derniers vestiges de la nuit, Sam avait pris son sac pour parcourir, le cœur lourd, la dernière partie de son long et éprouvant périple.

Le soldat Moulton venait à peine de prendre son service quand il aperçut la femme sur la route. Au début, il la prit pour une Indienne. Cependant, remarquant la couleur de ses cheveux, il se mit à la dévisager avec curiosité. Aucune Indienne ne possédait une telle chevelure. Bien sûr, ceux des vieilles étaient gris, mais sans ces nuances lumineuses d'argent. Et la femme qui approchait était jeune. Et blanche !

Accélérant le pas, il cria à la sentinelle de le rejoindre.

Sam manquait de sommeil. Le fort était plus loin qu'il n'y paraissait. Soulagée à la vue de cet homme en uniforme bleu, elle s'enquit d'une voix lasse :

– C'est bien le Fort Leavenworth ?

– Qui êtes-vous, Madame ?

Moulton imaginait déjà la réponse.

– Céleste de Manca. Je veux voir mon fiancé, le capitaine Ballard.

Elle s'était évanouie dans les bras de Moulton, qui l'avait transportée à la casemate et déposée sur un banc. Il veilla ensuite sur elle en attendant que son collègue Fletcher revînt avec le médecin militaire, puis il courut chercher le capitaine Ballard.

Le Docteur Potts ranima Sam en lui faisant respirer des sels.

– Comment vous appelez-vous ?

Elle répéta son nom d'emprunt.

La nouvelle circula très vite, grâce à Fletcher, qui l'annonçait à la cantonade. Recouvrant peu à peu ses esprits, Sam vit la petite pièce se remplir de soldats qui la dévisageaient en chuchotant. Elle ne devait pas être jolie à voir, songea-t-elle, embarrassée. Elle entendit un homme exiger qu'on le laisse passer, puis vit l'officier en question avancer à travers la foule. Ses boucles blondes n'étaient pas sans rappeler celles de Céleste.

– C'est elle, capitaine Ballard. Dieu tout puissant, c'est vraiment elle ! s'écria le médecin.

Pour le coup, Sam sursauta.

Jarman l'observait, incrédule, incapable de trouver ses mots. Il finit par s'enquérir nerveusement :

– Vous allez bien ?

– Oui, répondit-elle à voix basse. J'ai été bien traitée.

Jarman n'en croyait pas ses yeux. Ne sachant que faire, il se tourna vers le Docteur Potts.

– Vous allez l'examiner, n'est-ce pas ?

– Bien sûr. Je l'emmène à l'infirmerie.

– Ce n'est pas la peine, intervint Sam. J'ai juste besoin d'une chambre, d'un bain et de vêtements propres.

– Des vêtements. Bien sûr, fit Jarman en se rappelant que l'on avait mis de côté les bagages de Céleste. Je vais vous en faire apporter. Le médecin doit d'abord vérifier que vous n'avez pas été blessée.

Sam étudiait attentivement l'homme qu'elle allait épouser. Il était bien de sa personne, quoique délicat. Il n'était pas très grand, et semblait autoritaire, voire tyrannique, à en juger par le regard excédé qu'il lui lança lorsqu'elle s'obstina :

– Je vous l'ai déjà dit, je n'ai pas été maltraitée. Je ne veux pas aller à l'infirmerie. J'ai juste besoin de repos.

– Ne discutez pas, fit-il d'un ton tranchant. Le docteur Potts prendra soin de vous. Une fois que vous vous serez reposée, nous parlerons.

Il avait envie de s'enfuir pour réfléchir aux implications de ce qui venait de se passer. Il se ravisa, se sentant obligé de fournir quelque marque d'affection. Après tout, elle était sa promise. Il se pencha, lui déposa un léger baiser sur la joue, murmurant qu'il était heureux qu'elle lui ait été rendue saine et sauve.

– Prenez ceci – le docteur Potts ramassa le sac de Sam et le tendit à Jarman. Vous pourrez le ranger avec le reste de ses affaires.

Sam se laissa emmener à l'infirmerie mais refusa de se faire examiner.

– J'exige que l'on respecte mon intimité.

Le médecin dut se plier à sa volonté, d'autant qu'elle paraissait en bonne santé. Comme il ne savait que faire d'elle, il insista néanmoins pour qu'elle reste jusqu'au retour du capitaine.

Sam ne tarda pas à comprendre qu'elle inspirait curiosité et suspicion à tous ceux qu'elle rencontrait. L'infirmière qui lui apporta ses vêtements fit montre d'une froide réserve. Elle ne posa aucune question, ne s'offrit pas à l'aider, se contentant de revenir une fois que Sam s'était baignée et changée. Elle prit alors du bout des doigts la robe indienne que Sam avait posée sur le dossier de la chaise, comme si le vêtement risquait de la mordre.

– Je vais faire brûler ça, dit-elle avec dégoût.

– Non rétorqua Sam sur un ton sans appel qui la surprit elle-même. Laissez-la moi. Une fois propre, elle sera très jolie. Ces broderies perlées sont exquises.

– Mais c'est... c'est une robe de squaw ! bredouilla l'infirmière. Vous ne comptez tout de même pas la porter, mademoiselle de Manca !

– Probablement pas, mais j'aimerais la garder.

Sam respira profondément. Seigneur, elle tenait à tout prix à éviter l'affrontement, mais elle ne supportait pas d'être traitée comme une bête curieuse. Elle ne s'était pas attendue à inspirer le mépris et la peur. Au risque d'envenimer la situation, elle décida d'expliquer ce qu'Esprit Sauvage lui avait enseigné au cours de leurs longues et délicieuses promenades.

– Infirmière, apprenez que squaw n'est pas un mot indien mais un terme inventé par l'homme blanc, et que les Indiens le trouvent injurieux. Je pense comme eux et je vous saurais gré de reposer ma robe.

– Comme vous voudrez.

L'infirmière tourna les talons et sortit. Elle se ferait une joie de raconter partout que mademoiselle de Manca refusait de se débarrasser de sa défroque et qu'elle allait jusqu'à défendre les Indiennes !

*

Jarman choisit une tenue et des dessous convenables dans la malle de Céleste. Il les plia et les lui fit apporter.

En arrivant, il avait posé le petit sac avec les autres affaires. Réflexion faite, il le reprit. Il n'avait pas particulièrement envie d'en inspecter le contenu, certain qu'il était que les Indiens avaient dérobé la dot. Il se demandait pourtant quels effets personnels les sauvages lui avaient permis de conserver. Il était déjà surpris qu'on lui ait laissé quoi que ce fût.

Après avoir refermé derrière lui la porte de son bureau et ordonné qu'on ne le dérange pas, il ouvrit le sac de Céleste. Quelle ne fut pas sa joie de découvrir qu'il contenait de l'argent ! Pourquoi les Indiens ne l'avaient-ils pas pris, mystère... Mais pour l'instant, il fallait le compter. Ce à quoi il s'employa, les mains tremblantes.

Il compta une nouvelle fois, incrédule, et manqua s'étrangler de colère. La somme était ridicule. Il connaissait assez les Indiens pour savoir que ceux-ci n'en auraient jamais pris simplement une partie. Avec eux, c'était tout ou rien. La conclusion était claire : ce maudit marquis n'avait pas jugé bon d'envoyer une somme convenable ! Jarman n'en pouvait plus de rage. Après tous les tourments qu'il avait endurés au cours des semaines passées, cette maigre dot était un affront.

D'autres pensées, qu'il avait jusqu'alors écartées de son esprit, vinrent s'y insinuer. Ces sauvages avaient pris l'innocence de Céleste et l'avaient souillée. Étant donné les circonstances, il serait très noble de sa part de tenir sa promesse et d'épouser la belle jeune femme. Mais ce geste avait un prix, et le père de Céleste devrait s'en acquitter.

Jarman s'assit à son bureau et se mit en devoir de rédiger une lettre à l'attention du marquis. Il raconta par le menu tout ce qui était survenu, ajoutant en substance qu'à moins de recevoir une dot généreuse, il renverrait la jeune femme déflorée dans ses foyers. Après quoi il sentit nettement mieux.

Céleste lui avait fait bonne impression. Une fois décrassée, elle devait être agréable à regarder. Mieux valait s'efforcer d'oublier qu'elle ne serait pas pure et virginale au soir de leurs noces. L'argent qu'il allait recevoir contribuerait à adoucir cette douloureuse pensée.

Il attendit le milieu de l'après-midi pour retourner voir la jeune femme, lui laissant le temps de se reposer et de se laver. Quand il franchit la porte de son bureau, le soldat en faction lui tendit une avalanche de messages. De nombreux officiers voulaient savoir s'il allait envoyer une patrouille. Quoiqu'il en eût très envie, il fallait tout d'abord pour cela que Céleste accepte de répondre à ses questions.

Dès son arrivée, le docteur Potts le prit à part pour lui confirmer que sa promise était en excellente santé.

– En vérité, c'est très surprenant. Il s'avère même qu'elle a pris un peu de poids. Elle s'est plaint que sa robe était trop ajustée, et elle voulait même laver sa défroque indienne pour avoir quelque chose à se mettre en attendant des vêtements neufs.

– Il n'en est pas question ! explosa Jarman. Je ne veux jamais plus la voir porter ces guenilles. Avez-vous tiré d'elle des renseignements quant à la tribu qui l'a séquestrée ?

– Elle ne souhaite pas en parler.

– Il le faudra bien, pourtant. Je ferai en sorte que ces crapules soient pendues pour ce qu'ils lui ont fait.

– Apparemment, ils n'ont pas fait grand chose, si ce n'est la retenir prisonnière.

– N'essayez pas de me faire croire qu'ils l'ont gardée tout ce temps sans porter la main sur elle !

– Elle m'a regardé droit dans les yeux en m'assurant que non. Avec l'âge, j'ai appris à connaître les gens, capitaine. Aussi miraculeux que cela paraisse, je crois qu'elle dit la vérité.

– Moi pas. Elle préfère mentir que regarder la réalité en face. Mais qu'elle ne me prenne pas pour un naïf !

Il s'apprêtait à ouvrir la porte de la pièce où se trouvait Céleste. D'une main ferme, le médecin le prit par l'épaule.

– Laissez-moi vous dire une chose, jeune homme. Elle a sans doute subi des sévices dont on ne réchappe que rarement. Vous devriez remercier à genoux votre Créateur d'avoir bien voulu vous la rendre. Au lieu de quoi, vous vous indignez de sa façon de surmonter cette épreuve. Si elle préfère prétendre qu'il n'est rien arrivé, abondez dans son sens. Oubliez le passé. Il s'agit là de votre future épouse.

Jarman aurait voulu le faire taire. Au lieu de quoi il le bouscula légèrement pour entrer.

Il resta cloué sur place. Était-ce là la femme qu'il avait rencontrée quelques heures auparavant ? Celle-ci avait des yeux verts envoûtants ombrés de cils de biche, un visage d'ange qu'encadrait une chevelure soyeuse. Dieu, qu'elle était belle ! Il se passa fébrilement les doigts dans les cheveux.

– Vous...vous avez une mine superbe, bredouilla-t-il enfin.

Tout aussi énervée que lui par la situation, Sam murmura quelques remerciements.

– J'ai été assez bien traitée, en fait.

– Vous avez de la chance d'être encore en vie. Dites-moi, comment se fait-il que vous ayez voyagé seule ?

Elle lui raconta la décision prise par Francine, ce qui sembla le contrarier. Ne voulant pas créer de tension supplémentaire, elle changea de sujet. Elle avait remarqué qu'il tenait son sac à la main.

– Si vous avez regardé à l'intérieur, vous avez certainement remarqué qu'ils ne m'ont même pas volé ma dot.

– J'ai effectivement regardé... reconnut-il.

Osant un instant espérer qu'il s'était mépris sur l'avarice du marquis, il s'enquit :

– Êtes vous sûre qu'ils n'en ont pas pris une partie ?

– Impossible. Le sac ne m'a pas quittée une seconde.

Il s'agenouilla devant elle et lui prit la main.

– Je suis si soulagé de vous voir saine et sauve ! Vous devez répondre à mes questions afin que je fasse arrêter et châtier les responsables.

Elle détacha le regard, fixant au dehors la lueur dorée de fin du jour.

– Ce n'est pas nécessaire. Ils ne m'ont pas blessée. J'ai besoin d'oublier.

– Cela a dû être une terrible épreuve, je n'en doute pas. Il est bien naturel que vous vouliez tout laisser derrière vous. Cependant, insista-t-il, vous devez d'abord me dire tout ce dont vous sous souvenez. A commencer par la région où l'on vous a détenue.

– On m'a bandé les yeux à l'aller comme au retour, mentit-elle, excédée. Je n'ai pas la moindre idée de l'endroit où j'étais détenue. Et pour moi, tous les Indiens se ressemblent.

– C'étaient forcément des Kansas, à en croire la description donnée par les autres passagers du train. Avaient-ils la tête entièrement rasée à part une petite touffe ?

– Certains avaient les cheveux longs.

– Ah bon ? s'étonna-t-il.

Un seulement, lui rappela son cœur, mais elle n'avait aucune intention de le préciser.

– Ils avaient tous le visage barré de traits de peinture multicolores. Je serais incapable d'en reconnaître un seul. Et c'est tout aussi bien, car je n'ai aucune envie d'en parler.

Il lâcha les mains de Sam et se releva, le regard noir.

– Il le faudra bien, que vous le vouliez ou non, car j'ai l'intention de les faire pendre.

Le regard de Sam soutint le sien.

– Je vous l'ai déjà dit, je veux oublier. Tout cela est terminé.

– Ils doivent payer.

– A part me retenir prisonnière, ils ne m'ont absolument rien fait. Ils ne m'ont pas violentée !

Elle rougit légèrement d'avoir eu à prononcer ces derniers mots, mais il fallait que la chose soit claire une fois pour toutes. Il n'avait pas à savoir qu'elle s'était offerte à un homme. Elle garderait ce secret à jamais. Elle commençait à le trouver particulièrement antipathique. Pourquoi ne respectait-il pas sa volonté ?

Jarman s'efforçait de garder son calme. A quoi bon lui crier qu'elle mentait ? Comme l'avait dit le docteur Potts, c'était sa façon à elle de surmonter l'épreuve. En plein déni, elle faisait comme s'il ne s'était rien passé.

– Très bien, concéda-t-il. N'en parlons plus. Les avez-vous entendu prononcer des noms ?

– Je ne me souviens de rien.

– Mais vous avez dû...

Elle leva les bras au ciel, coupant :

– Non. Ne pouvons-nous pas parler d'autre chose ? De notre mariage, par exemple ?

Plus vite ils seraient mariés, plus vite elle pourrait s'adapter à sa nouvelle vie et oublier ses espoirs passés.

Pris au dépourvu – il n'avait pas l'intention de l'épouser avant d'avoir reçu le solde de la dot – Jarman éluda :

– Je ne veux pas vous presser, ma chère, pas après ce que vous avez enduré. Il ne serait pas convenable que vous logiez dans mes quartiers. Madame Larkins, l'épouse de l'un des officiers, s'était offerte à nous aider dans les préparatifs de la noce. Je lui annoncerai votre arrivée, quoiqu'elle doive certainement déjà être au courant. Je vais voir s'il est possible de vous installer là-bas dans les plus brefs délais.

– Je préférerais ne pas loger chez des inconnus. N'y a-t-il pas un hôtel ?

– Ne soyez pas ridicule. Il faut que vous voyiez du monde. Je vais de ce pas régler la chose.

Après avoir déposé un froid baiser sur son front, il sortit sans lui laisser le temps de protester davantage.

Jarman s'était armé de courage pour faire face aux autres officiers. Avant d'arriver chez les Larkins, plusieurs d'entre eux lui avaient déjà demandé des nouvelles de Céleste. Il évoqua son état de santé miraculeux, insista sur le fait qu'elle ne pouvait donner aucun indice susceptible de les mettre sur la piste des coupables. Il ne restait donc plus qu'à oublier. Mais à voir les regards qu'on lui lançait, personne n'était près d'oublier. Ah, vivement qu'il quitte le fort et retourne à la vie civile !

Madame Larkins, quant à elle, avait décidé de revenir sur son invitation.

– Qui peut dire ce que l'infortunée a subi, Capitaine, expliqua-t-elle la voix chargée d'une compassion feinte. Elle en a certainement des cauchemars et doit se réveiller au milieu de la nuit en criant. Vous comprendrez que je ne peux pas exposer mes enfants ainsi.

– Bien sûr, bien sûr...

Ballard trouvait la nouvelle fâcheuse, mais pas surprenante. Nombreux étaient ceux qui auraient réagi de même à l'égard de quiconque avait vécu parmi les Indiens. C'était sans doute pour cela que Céleste voulait rester seule, raisonna-t-il. Et ce n'était pas une si mauvaise idée, après tout. Il existait effectivement en ville une pension de famille tenue par la veuve d'un pasteur. Il pourrait peut-être la convaincre d'accueillir provisoirement Céleste.

Alors qu'il prenait congé, Mme Larkins fut prise d'un remords subit.

– Lorsque mademoiselle de Manca ira mieux, je suis persuadée que les épouses des officiers seront ravies d'organiser une soirée de bienvenue en son honneur, proposa-t-elle.

Jarman la remercia vivement. L'initiative avait tout pour lui plaire. Il faudrait bien que les officiers acceptent Céleste – lui aussi, d'ailleurs... Mais à la condition expresse que son père fasse parvenir une dot convenable, bon sang !

*

Paul avait fait disparaître les dernières peintures de guerre de son visage et de son torse. Il plia ses jambières et son pagne et les plaça dans une sacoche de selle. Il était temps de retourner à sa vie d'homme blanc.

Il lui faudrait plusieurs jours pour rejoindre son poste à Council Grove, mais il n'était pas pressé. Ces journées de solitude sur la piste lui donneraient le temps de se préparer à oublier. Il lui avait été pénible de la quitter sans un adieu. C'était même la chose la plus difficile qu'il ait jamais eue à faire. Il n'avait pas eu le choix.

Je n'ai pas su anticiper le cours que prendraient les événements, songea-t-il amèrement. Je dois désormais assumer les conséquences de ma faiblesse.

Il n'avait jamais eu l'intention de partager sa couche, et encore moins de tomber amoureux. C'était pourtant ce qu'il avait eu la stupidité de faire.

17

Sam et Maud Cammon devinrent immédiatement amies.

Maud se sentait bien seule depuis la mort de son mari, aumônier dans l'armée, tombé sur le champ de bataille. Elle avait ouvert une pension de famille afin de combler sa solitude, pour découvrir que les officiers célibataires ne lui fournissaient pas la compagnie qui lui manquait. Lorsqu'ils n'étaient pas de service au fort, ils passaient leur temps à courtiser des jeunes filles en ville. Elle ne les voyait qu'à l'occasion des repas, qu'ils avaient tôt fait d'engloutir. Maud vit en Sam la fille qu'elle n'avait jamais eue, et se prit tout de suite d'affection pour elle.

Elle l'installa dans la chambre à côté de la sienne, au rez-de-chaussée, tout près de la cuisine et à l'écart des officiers. Bien qu'ayant été mariée trente-sept ans à un pasteur, Maud était capable de lire le désir dans les yeux des hommes et n'avait pas manqué de noter la réaction de ses pensionnaires à l'arrivée de la superbe « Céleste »

Loin d'être horrifiée à l'idée que cette dernière ait passé des semaines parmi les Indiens, Maud, fascinée, voulut connaître les détails de sa captivité. Sam évoqua le tannage, la cuisine et leur façon d'élever les enfants tout en taisant soigneusement l'existence d'Esprit Sauvage. Elles s'installaient sur une douillette balancelle blanche accrochée sous le porche devant la maison, abritée du soleil par une treille de belles-de-jour aux couleurs éclatantes. Les heures s'écoulaient paisiblement à regarder les passants tandis que Sam parlait et que Maud écoutait.

Au début, Sam ne s'offusqua pas que Jarman ne vînt pas souvent lui rendre visite. Son futur mari passait après dîner tous les trois jours environ pour s'assurer qu'elle ne manquait de rien ; il lui expliquait qu'il était épuisé et fort occupé, et partait peu de temps après. Cela n'était pas pour déplaire à Sam. Tous deux se retrouvaient dans cette situation inhabituelle et inconfortable de deux inconnus devant apprendre progressivement à se connaître. Maud, en revanche, ne tarda pas à trouver la conduite de Ballard inacceptable.

– Il devrait avoir envie de passer tout son temps avec vous, puisque vous êtes fiancés, disait-elle. Le mariage est prévu pour quand, au fait ? Il est temps de commencer les préparatifs !

Rien n'avait été décidé jusqu'alors. Peu pressée de l'épouser, Sam ne le poussait pas à fixer une date.

A l'issue de l'une de ses brèves visites, Maud finit par l'interroger sans détours :

– Tenez-vous à lui le moins du monde ?

– Non.

N'ayant aucune raison de mentir, Sam rappela à Maud qu'il s'agissait d'un mariage de convenance.

– J'apprendrai peut-être un jour à l'aimer, ajouta-t-elle sans conviction. Il a l'air d'un gentleman.

Elle n'avait trouvé que ce seul compliment, refusant de reconnaître qu'elle le jugeait par moments insupportable.

– Fariboles ! protesta Maud en lui donnant une tape sur le genou. Ce n'est pas parce qu'on est un gentleman que l'on gagne l'amour d'une femme. Mon Nathan en était un, un vrai Il était bon comme l'or, un véritable homme de Dieu. Nous aussi, notre union avait été décidée par nos familles et comme vous, je me suis dit que j'apprendrais à l'aimer d'amour. Hélas, je n'y ai jamais tout à fait réussi. J'ai pleuré à sa mort, bien sûr, et il m'a manqué, car nous étions bons amis. Mais je ne suis jamais tombée amoureuse de lui comme je l'aurais désiré. C'est peut-être pour cela que nous n'avons jamais eu d'enfants, poursuivit-elle, pensive. C'est un des aspects du mariage que j'ai autant que possible évité. Dieu sait que c'était mon devoir d'épouse, mais je ne supportais pas qu'il me touche. Il a dû s'en rendre compte, puisqu'il a fini par y renoncer.

Sam n'était pas pressée d'en passer par là. Esprit Sauvage n'avait eu qu'à la regarder pour qu'un frisson lui parcoure l'échine. Il avait suffi qu'il la touchât pour qu'elle sentît une douce chaleur l'envahir. Or, les rares fois où Jarman avait déposé un léger baiser sur ses lèvres, elle n'avait rien éprouvé de tel.

– Je crois qu'il attend de savoir si vous êtes enceinte.

Sam la regarda, ébahie.

– Oui, enceinte, répéta Maud. Pour fixer la date des noces, le capitaine Ballard attend de savoir si ce qui vous est arrivé va vous amener à être mère.

Sam avait repris contenance. Elle répliqua d'un ton sans appel :

– Je n'ai pas été violée, j'ai vous l'ai déjà dit. J'ai d'ailleurs été indisposée la semaine dernière.

– Dans ce cas, vous feriez mieux d'en informer discrètement le capitaine. Sinon, il risque d'attendre plusieurs mois pour en être sûr.

– C'est impossible. Je ne peux pas aborder ce sujet. Il faudra qu'il le comprenne de lui-même.

Maud haussa les épaules.

– Vous allez donc vivre chez moi encore quelque temps. N'ayez crainte, cela ne me dérange pas le moins du monde... Et n'oubliez pas la petite fête de la semaine prochaine en votre honneur, poursuivit-elle. Après cela, il se décidera peut-être à fixer une date. Il quitte bientôt l'armée, de toute façon.

– Oui, le mois prochain.

– Alors il n'y a plus de temps à perdre, mon petit. Qu'allez-vous porter à cette fête ? Il faut que votre tenue fasse se retourner les gens. Vous êtes déjà ravissante au naturel. Quand vous serez toute pomponnée et que le capitaine Ballard verra comment les autres hommes vous contemplent, il cessera de vous négliger.

Sam en doutait. La perspective d'une soirée où elle serait le centre de l'attention était loin de déchaîner son enthousiasme. Au contraire, cela l'intimidait. Cependant, elle savait qu'avec une aiguille et du fil, Maud pouvait faire des miracles. Sa nouvelle amie avait hâte de lui confectionner une robe. De plus, les vêtements de Céleste étaient devenus inutilisables ; ils lui comprimaient la poitrine depuis qu'elle avait pris des formes. Maud décida de dessiner elle-même le patron et de ne lui montrer son ouvrage qu'au dernier moment.

– Si vous la voyez à demi terminée, expliqua-t-elle en prenant ses mesures, vous pourriez ne pas la trouver à votre goût et refuser de la porter. Patience, elle va être somptueuse.

– Vous n'allez pas faire de moi une aguicheuse !

Arborant un sourire mystérieux, Maud refusa de divulguer le moindre détail.

Et, de fait, sa création devait s'avérer éblouissante.

Sam tournait devant la glace, incapable d'en croire ses yeux. Le moindre pli de la robe de taffetas noir accrochait la lumière grâce aux minuscules paillettes scintillantes qui y étaient brodées. Sam avait l'impression d'être en plein ciel étoilé.

– Avec votre couleur de cheveux, c'est à couper le souffle, déclara Maud avec fierté. Et je savais que ce corsage ajusté vous irait à ravir.

– Vous voulez dire me dénude à ravir, rectifia Sam en contemplant son décolleté plongeant.

– Si j'avais eu des appas comme les vôtres, je n'aurais jamais pu demeurer épouse de pasteur. J'aurais saisi toutes les occasions de porter des tenues comme celle-ci. Je vois d'ici les dames patronnesses me chasser de la ville à coups de balai avec les encouragements de Nathan ! – elle gloussa à cette idée. Il aurait apprécié un tel décolleté, lui qui ne m'a jamais vue toute nue !

– Maud, je me demande parfois si vous aviez vraiment de l'affection pour votre mari.

– Oh oui, je vous assure, c'était un excellent ami. Bien des épouses ne peuvent pas en dire autant. Mais c'était aussi un homme rigide et froid. Quand je pense à toutes ces années gâchées, à ne pas montrer qui j'étais vraiment pour me conformer à celle que j'étais censée être, cela me rend furieuse. C'est sans doute pourquoi j'ai pris tant de plaisir à vous confectionner cette robe ! – Elle se pencha pour confier d'un ton malicieux : – J'ai utilisé le tissu de la tenue que je portais aux obsèques de Nathan. A l'époque, comme je ne trouvais pas de bombasin, j'avais dû me rabattre sur du taffetas. Si j'avais su que ma robe de deuil se transformerait en toilette de bal !

A ces mots, Sam fut prise d'un fou rire, qu'elle communiqua très vite à Maud. Une fois qu'elles eurent enfin retrouvé leur calme, Maud coiffa Sam à l'aide d'un fer à friser, faisant retomber des boucles en cascade sur ses épaules.

Lorsque Sam fut enfin prête, Maud ajouta une touche finale : son bijou le plus cher, des boucles d'oreilles en perles. Elle se recula pour admirer l'ensemble.

– Vous êtes resplendissante, murmura-t-elle, émerveillée.

Maud attendait impatiemment l'arrivée de Jarman. Or, la réaction de ce dernier la laissa sans voix. Il n'eut besoin que d'un regard pour s'écrier :

– Mon Dieu, qu'est-ce que cette tenue ? Mettez donc un châle !

Il était ébloui et sentait la chaleur monter en lui. Cependant, il était hors de question que sa Céleste rencontre les épouses des officiers dans une tenue aussi provocante. S'étonnant de tant d'hypocrisie, Sam était sur le point de le lui faire remarquer. Perspicace, sentant la tension monter, Maud courut chercher un châle noir. Elle le drapa autour des épaules de Sam, non sans avoir auparavant lancé à Ballard un regard courroucé.

– Ne vous inquiétez pas, dit-elle pour la réconforter, vous êtes merveilleuse ainsi. Ne laissez personne vous faire croire le contraire !

Ignorant Maud, Jarman emmena Sam. Il était temps de songer à trouver un autre logement. Cette madame Cammon semblait n'avoir pas eu l'influence salutaire escomptée sur Céleste.

Il avait hâte de recevoir l'argent de France. Sam s'avérait de plus en plus appétissante. Peut-être le mariage n'avait-il pas que des inconvénients. Bien que Jarman ait toujours su trouver des femmes, en avoir une à sa disposition chaque nuit pourrait bien se révéler agréable.

Sam, quant à elle, était encore vexée. Elle ne trouvait pas la robe si osée que ça.

– Vous n'auriez pas dû être aussi sévère, lui dit-elle, glaciale, sur le chemin. Madame Cammon s'est donné beaucoup de mal pour faire cette robe.

– Pourquoi avoir demandé un style aussi provocant ?

– C'est elle qui l'a conçue. Je n'y trouve rien à redire.

– J'oublie parfois que vous ne connaissez pas bien nos coutumes. Les Américaines sont plus traditionnalistes que les Françaises.

– Je ne suis pas d'accord, protesta-t-elle en serrant le châle contre elle. Sur le bateau, j'ai vu beaucoup de femmes porter des décolletés du même genre. Si je vous fais honte, vous n'avez qu'à me ramener.

– Gardez le châle. Ce n'est pas grave. Vous êtes si singulière que vous vous ferez remarquer de toute façon. Je sais que ce n'était pas de votre faute, mais vous avez vécu parmi les Indiens, et cela révulse les gens. Tâchez donc de ne pas attirer l'attention sur vous.

– Je n'ai jamais entendu une telle ânerie ! Ce sont ceux qui me méprisent qui devraient avoir honte, pas moi.

– Tout de même, Céleste ! soupira-t-il en s'écartant d'elle. Vivement que nous partions d'ici ! Dans une autre ville, les gens ne seront pas au courant.

– Oh, que si ! attaqua-t-elle excédée par tant de condescendance. Qui sait ? Il va peut-être me pousser des plumes, à moins qu'il me prenne l'envie de tanner des peaux de bison pour m'en faire des vêtements. Si ça se trouve, je vais carrément me transformer en Indienne !

– Allez-vous donc vous calmer ? A trop fréquenter ces sauvages, vous êtes devenue comme eux. Je ne parviens pas à imaginer qu'une personne de votre condition se comporte de la sorte.

– Me calmer ? A quoi bon ? Je me dis parfois que j'aurais mieux fait de rester à Paris !

– Figurez-vous qu'il m'est venu la même idée !

Ils ne devaient plus échanger un seul mot jusqu'à leur arrivée au fort, où Jarman, soudain plus aimable, proposa :

– Si l'on cessait de se chamailler ?

Il se promettait de lui apprendre ensuite qui était le maître.

La colère de Sam était retombée. Elle se rappela ses bonnes résolutions.

– Bon, je suis désolée. La robe était peut-être un peu osée. Je vais garder le châle.

– Bien. Nous étions un peu tendus tous les deux. Tout ira bien.

Une fois que j'aurai le reste de la dot, ajouta-t-il in petto.

Devant la résidence illuminée du commandant du fort, les officiers resplendissaient dans leurs uniformes d'apparat. Sabre au côté, ils tenaient dans leurs mains gantés de blanc de minuscules coupes à punch en cristal. Leurs épouses attendaient dans des robes aux teintes pastel, scrutant la salle pour vérifier la toilette de leurs rivales. Tous les regards se tournèrent cependant vers Sam dès qu'elle descendit de la calèche, la main de Jarman dans la sienne. Sa chevelure brillait comme du vif-argent et sa robe étoilée virevoltait autour d'elle.

A son entrée, on fit les présentations, échangea quelques plaisanteries, mais Sam se sentait mal à l'aise. Accrochée au bras de Jarman, elle regrettait d'être venue. Serait-elle jamais acceptée dans leur monde ? Jarman avait raison. Tout irait mieux dans une ville où l'on n'aurait pas entendu parler d'elle.

Lorsque Jarman l'invita à danser, elle refusa :

– Si je vais au milieu de la piste, ils vont me dévisager comme une bête curieuse.

– Détendez-vous. Souriez-leur.

– Pour quoi faire ? rétorqua-t-elle, agacée. Ils ne me sourient pas, eux. Ils me détaillent des pieds à la tête. Pourquoi m'humilier devant eux ? Je n'ai pas choisi de vivre au milieu des Indiens.

Du moins, pas au début, lui susurra une petite voix intérieure.

– Vous pourriez vous comporter comme si vous en aviez honte, suggéra Jarman.

– Ai-je laissé accroire que j'en étais fière ? riposta-t-elle.

Il secoua la tête puis s'éloigna. Cette fois, elle ne le suivit pas. Elle s'approcha d'un groupe de femmes, décidée à faire des efforts pour s'y intégrer.

– Bonsoir mesdames, les salua-t-elle aimablement. Je tenais à vous exprimer tous mes remerciements d'avoir organisé ce bal en mon honneur. J'avais tant envie de vous rencontrer.

Elles accueillirent sa présence avec une politesse guindée puis, reprenant leur conversation, entreprirent de l'ignorer. Plus déterminée que jamais, Sam ne bougea pas. Une certaine Ida Mae Brackett se plaignait que son bébé pleure sans arrêt :

– John ne ferme plus l'œil. Il menace de prendre une chambre chez madame Cammon et d'y rester tant que notre petit Johnny continuera comme cela.

– C'est peut-être à cause de votre lait ? suggéra une femme.

– J'y ai pensé et j'ai pris une nourrice pour l'allaitement. Cela n'a rien changé. On le nourrit, on le change, on lui chante des berceuses et il ne fait que pleurer. J'en deviens folle. C'est d'ailleurs pourquoi j'avais tant envie de venir ce soir afin de souffler un peu.

– Avez-vous essayé de l'ignorer ? intervint Sam.

Plusieurs femmes en eurent le souffle coupé. La mère la regarda, incrédule :

– Pardon ?

Désireuse de rendre service, Sam se lança :

– L'ignorer. Si vous l'avez nourri et qu'il est au sec, il n'a besoin de rien. Vous le bercez mais il ne veut pas s'arrêter de pleurer. Dans ce cas, il ne reste plus qu'à l'ignorer. Quand il verra que cela ne lui sert à rien de pleurer, il s'arrêtera de lui-même.

– Je n'ai jamais rien entendu de tel, répliqua Ida Mae en échangeant des regards désapprobateurs avec les autres femmes.

– Les Indiens ne s'y prennent pas autrement. On emmène le bébé à l'écart et on le laisse accroché à un buisson dans son berceau jusqu'à ce qu'il ne crie plus. Une fois calmé, la mère le ramène. Au bout de plusieurs fois, le bébé finit par comprendre que pleurer ne sert à rien, et il s'arrête.

Au fur et à mesure des explications de Sam, le visage d'Ida Mae s'était empourpré. Elle laissa enfin sa colère s'exprimer :

– Mon enfant n'est pas un Indien et je ne le traiterai pas comme tel. Vraiment, accrocher un bébé à un buisson ! Je plains d'avance ceux du capitaine Ballard !

Sur quoi toutes s'éloignèrent, offusquées. Sam comprit, le cœur serré, qu'elle aurait mieux fait de se taire. Elle avait essayé de bien faire mais, contrairement à Maud, ces femmes n'étaient pas du tout fascinées par la culture indienne. Elles ne voulaient pas même en entendre parler. Prise d'une envie de rentrer sous terre, elle décida, puisqu'elle faisait tout de travers, de ne plus quitter la pension de madame Cammon jusqu'à la démobilisation de Jarman.

Elle le chercha des yeux. Mieux valait s'en aller en prétextant une migraine subite. Hélas, Ida Mae l'avait déjà rejoint. Elle n'eut pas besoin d'entendre ce qu'ils se disaient, l'expression agacée de Jarman n'augurait rien de bon. En le voyant fondre sur elle, elle rassembla son courage.

– Comment avez-vous pu dire à madame Brackett d'accrocher son fils à un buisson ? Comment osez-vous même parler d'Indiens, qui ne valent pas mieux que des animaux ! Vous ne l'avez donc pas encore compris ? Mon Dieu, je ne peux pas vous présenter à des gens civilisés ! Vous ne l'êtes plus vous-même ! Sortons avant que vous ne me fassiez honte une nouvelle fois !

Sam se laissa prendre par le bras. Jarman se dirigea vers la sortie et salua poliment les invités en murmurant qu'elle était souffrante. Sam ne regardait personne. Elle s'était mise à haïr le monde entier : Jarman, sa vie, et jusqu'à Esprit Sauvage. S'il l'avait aimée autant qu'elle, il lui aurait épargné tout cela.

Le marquis Antoine Vallois Bruis de Manca n'avait en rien prévu ce qui allait se révéler la surprise de sa vie. Céleste venait de traverser le château devant des serviteurs médusés avant d'entrer sans frapper dans le cabinet de travail de son père. Celui-ci la dévisagea, incrédule.

– Vous ! Que faites-vous ici ? s'exclama-t-il en se levant.

Sa surprise devint colère lorsqu'il se remémora la traduction de la récente lettre de Jarman qui l'avait tant amusé.

– Comment a-t-il osé vous renvoyer ? aboya-t-il. Pour qui se prend-il ? Rejeter ma fille pour une simple histoire d'argent ? Alors que c'est une question d'honneur, d'accord entre deux familles...

Remarquant les yeux écarquillés et le ventre gonflé de sa fille, il n'acheva pas sa phrase.

– Et il... vous a renvoyée enceinte ! balbutia-t-il en retombant sur sa chaise.

– Père, vous devez m'écouter, implora Céleste en se précipitant vers lui.

Elle l'entoura de ses bras.

– Je ne suis pas allée en Amérique. C'était au-dessus de mes forces. J'étais amoureuse de quelqu'un d'autre. Je l'ai épousé. Je porte son enfant et...

– Qui ?

Il la saisit par les épaules et se mit à la secouer violemment.

– Que s'est-il passé, dans ce cas ? Vous n'êtes donc jamais partie ?

Il la lâcha pour parcourir une nouvelle fois la traduction reçue le matin même. Cet arrogant crapaud refusait d'épouser Céleste tant qu'il n'avait pas une dot plus conséquente. Dans le cas contraire, il menaçait de la renvoyer en France. La lettre faisait mention d'un enlèvement par des Indiens. Le mariage n'avait pas encore eu lieu. Et comme Céleste avait été déflorée, Jarman s'estimait en droit de réclamer une compensation supplémentaire.

Pourtant, elle se trouvait ici même, sous ses yeux. Toutes les pièces du puzzle s'assemblèrent soudain devant lui et il sentit la rage l'étouffer.

– Samantha !

Il avait éructé le prénom d'une voix étranglée, et lâcha si brusquement Céleste qu'elle faillit en perdre l'équilibre.

– C'est donc ça : vous l'avez envoyée à votre place ! Elle a disparu le jour même de votre départ. J'ai dépensé une fortune pour la retrouver. J'ai même songé qu'elle avait pu s'embarquer clandestinement sur le paquebot, mais le commandant de bord m'a assuré que vous étiez arrivée à bon port avec une seule compagne de voyage. Vous vous êtes bien moquée de moi. Vous n'êtes jamais partie !

Il levait la main pour la frapper lorsque Jacques, qui se tenait de l'autre côté de la porte, prêt à toute éventualité, fit irruption dans la pièce. Il n'avait pas cru un instant que Céleste parvienne à amadouer son père.

– Vous n'avez pas intérêt ! s'écria-t-il en projetant le marquis sur sa chaise. C'est ma femme, vous entendez ! Je ne vous laisserai pas porter la main sur elle !

Céleste n'avait pas prévu la tournure que prendraient les événements. En désespoir de cause, elle s'agenouilla aux pieds de son père, l'implorant :

– Père, pardonnez-moi... mais j'aime Jacques. J'attends un enfant de lui. Nous n'avons nulle part où aller, nous sommes sans le sou. Nous avons besoin de votre aide. Je vous en prie, laissez-nous revenir. Quelle importance que Jarman ait pris Sam pour moi ? A l'heure qu'il est, ils sont déjà mariés et heureux.

Réfléchissez, poursuivit-elle tandis qu'il l'écoutait dans un silence de marbre. Tout s'est passé pour le mieux. Sam a quelqu'un pour veiller sur elle et vous, vous m'aurez près de vous et vous serez bientôt grand-père.

Elle tremblait, le visage empli de larmes.

– Sortez d'ici !

– Papa...

Livide, Antoine lui indiquait la porte. Si tous deux ne partaient pas, il ne répondrait plus de ses actes. Il n'avait jamais désiré une femme autant que Samantha. Elle incarnait à ses yeux la jeunesse, la fraîcheur et l'innocence. Il l'aurait gardée à ses côtés pendant des années, lui aurait appris à satisfaire le moindre de ses désirs. Non seulement Céleste l'avait privé de ce rêve, mais elle l'avait aussi déshonoré en se mésalliant avec un roturier. Lançant un regard méprisant à Jacques, il siffla :

– Le fils du jardinier ! Vous êtes la femme d'un laquais ! Comment avez-vous pu être assez stupide pour vous imaginer que je reconnaîtrais le produit d'une telle union ? Disparaissez de mes yeux, de ma vie. Vous n'êtes plus ma fille.

Ces dernières paroles étaient sans réplique, pareilles à des clous refermant un cercueil.

Céleste s'accrocha de toutes ses forces aux jambes de son père.

– Non, papa, ne me chassez pas ! J'ai besoin de vous. Mon bébé aussi.

Antoine soutint le regard de défi de Jacques.

– Emmène-la et disparaissez à jamais. Et dis à tes parents qu'ils devront avoir quitté le château avant ce soir.

– Papa, vous ne pouvez pas faire cela !

Jacques lui prit la main et la souleva dans ses bras.

– Cesse de ramper devant lui, il n'en vaut pas la peine. C'est un être immonde. Je ne veux pas que mon enfant ait à le connaître.

Lorsqu'il fut enfin seul, le marquis sortit une bouteille de son bureau, se versa un verre et se pencha en arrière, fulminant. Ils paieraient tous leur désobéissance et leur duplicité. Lorsque Jarman découvrirait que son mariage était une imposture, nul doute qu'il chasserait Samantha. Celle-ci se retrouverait seule et sans ressources. Elle pouvait mourir de faim, il n'en avait cure. Et Céleste aussi. Il ne voulait plus jamais les revoir. Il avait ses biens, sa place dans la société et ses femmes. Il n'avait besoin de rien d'autre.

Cette nuit-là, après avoir installé son père, sa mère et Céleste chez des cousins habitant aux environs de Paris, Jacques retourna au château. Il entra subrepticement et se rendit dans le bureau du marquis. Un jour, alors qu'il prenait soin des plates-bandes situées devant ces fenêtres, il avait surpris le marquis en train de retirer du mur un cadre derrière lequel était dissimulée une cache.

En quelques secondes, Jacques prit de quoi subvenir aux besoins de Céleste et de sa propre famille pendant quelques années. Il emporta également des bijoux, qui devaient de toute façon appartenir à Céleste. Le temps que le marquis s'aperçoive de cette double disparition, ils seraient loin, très loin et hors d'atteinte.

Oui, l'Italie, songea-t-il. C'était l'endroit idéal pour fonder une famille.

18

Dans les semaines qui suivirent l'incident du bal, Jarman ne décoléra pas, tout en se félicitant d'avoir un prétexte pour différer les noces. Il ne comptait pas s'engager avant d'avoir reçu des nouvelles du marquis, mais se prenait parfois à espérer que celui-ci n'accède pas à sa demande, afin qu'il puisse lui renvoyer sa fille. Sa tête de mule de fille, qui ne cédait pas d'un pouce sur la question des Indiens, qu'elle persistait à louer, ni sur celle de la robe fabriquée par Maud... Ni sur quoi que ce soit, en fait.

– Il est préférable que je cesse de vous rendre visite pendant quelques temps, avait-il expliqué, à bout de nerfs, lors d'une de leurs conversations à couteaux tirés qui auguraient bien mal du mariage. Évaluez la situation. Une fois que vous vous serez calmée, vous comprendrez à quel point votre réaction était absurde. Je demanderai au docteur Potts de vous prescrire un remède pour vos nerfs. Vous souffrez certainement d'un choc à retardement.

Sur ces mots, il avait planté là Sam, et était parti au dîner où il devait originellement l'emmener. Sam l'aurait volontiers poursuivi en criant « bon débarras ». Au lieu de s'emporter davantage, elle prit conscience qu'échapper aux obligations du fort n'était pas pour lui déplaire. Et pourquoi ne pas tout changer ? Pourquoi ne pas se rendre à Abilene, y rejoindre Belle ? Son amie pourrait peut-être l'aider à trouver un emploi de joueuse professionnelle dans l'un des saloons de la ville...

– Grand Dieu, vous êtes encore là, mon petit ?

Sam sursauta. Maud venait d'apparaître dans l'embrasure de la porte, coupant court à sa rêverie. Les épaules couvertes d'un épais châle de laine, son hôtesse s'apprêtait à sortir dans la froidure de la soirée automnale.

– Où est donc passé le capitaine Ballard ? J'ai entendu des éclats de voix. Si vous ne cessez de vous disputer tous les deux, je n'aurai bientôt plus besoin de finir la robe de mariée !

Sam n'avait aucune envie d'évoquer le sujet, du moins pas pour l'instant. Quoique Maud ait à l'occasion exprimé des doutes sur le mariage, son hôtesse n'approuverait pas l'idée folle qui venait de lui traverser l'esprit.

– Nous étions invités à dîner, mais je n'ai pas envie de sortir. Je crois que je vais monter me coucher et lire un peu.

– C'est impossible.

Sam se trouvait déjà devant Maud, prête à quitter la pièce. Elle s'arrêta.

– Pourquoi donc ?

– Avez-vous oublié que je ne serai pas rentrée avant minuit ? Depuis que mademoiselle Gooding est tombée malade, les dames de la paroisse la veillent à tour de rôle. Ce soir, c'est à moi. J'ai accepté car je croyais que vous seriez de sortie avec le capitaine.

– Qu'est-ce que cela peut faire ?

– A moi, rien. Mais vous connaissez les hommes... Il ne serait pas convenable que vous restiez seule sans chaperon au milieu de tous mes pensionnaires. Il ne vous reste donc plus qu'à m'accompagner, j'imagine...

Sam déclina l'invitation avec véhémence. Il était hors de question de suivre Maud comme un petit enfant qu'on ne peut laisser seul. Il devait bien y avoir un moyen de contourner la règle.

– Je n'ai qu'à rester dans ma chambre. Ils ne sont même pas censés savoir que je suis là.

Ce fut Maud qui céda.

– Bon, d'accord. Mais arrangez-vous pour que personne ne sache que vous êtes restée ! fit-elle en sortant à la hâte.

Sam monta dans sa chambre, où elle se changea et se vêtit d'une robe de mousseline toute simple. Il était trop tôt pour se coucher. D'ailleurs, elle n'avait pas sommeil. Elle ne faisait rien de fatigant de ses journées. Au plus, elle aidait Maud à faire la cuisine et le ménage. Les jours se suivaient et se ressemblaient. Sa vie lui semblait à présent si monotone...

Si seulement elle partait pour Abilene, elle serait débarrassée de cet ennui, et de ce capitaine Ballard si autoritaire... D'ailleurs, l'idée n'était pas si folle, après tout. Il suffisait de trouver le moyen d'y aller.

Elle réfléchit. Elle n'avait certes pas de quoi acheter un billet de train, Jarman étant en possession de sa dot. Emprunter de l'argent à Maud était hors de question. Celle-ci avait beau être une femme courageuse et ne pas apprécier le capitaine, elle désapprouvait certaines choses. Les jeux d'argent, en particulier...

Sam fut une nouvelle fois brusquement ramenée à la réalité en entendant des bruits de pas et des voix masculines.

Que se passait-il ? Elle ouvrit la porte et longea sans bruit le couloir pour en avoir le cœur net. Elle reconnut la voix de certains officiers. Comment se faisait-il qu'ils rentrent si tôt et se dirigent vers la cave ? Elle entendit le lieutenant qui grommelait :

– Dunnigan ferait mieux de se dépêcher d'arriver avec les cartes. On ne peut jouer que jusqu'à minuit.

Sam sentit un frisson la parcourir. Ils s'apprêtaient à faire un poker !

Sa décision fut rapide. Elle leur laissa toutefois le temps de s'installer en bas et de distribuer les cartes avant de faire irruption dans la pièce tel un lutin malicieux.

– Mademoiselle de Manca !

Le lieutenant Hallaby s'était levé d'un bond en l'apercevant. Sa chaise retomba dans un vacarme assourdissant. Les autres échangèrent des regards inquiets. Le capitaine Finton fut le premier à recouvrer ses esprits et à présenter ses excuses :

– Nous sommes navrés. Nous étions persuadés que la maison était vide. Nous serons partis dans un instant.

Hallaby rassemblait déjà les cartes tandis que les autres retiraient leur première mise.

– Nous vous serions reconnaissants de n'en parler à personne, plaida l'un des autres officiers. Nous ne recommencerons pas, c'est promis. C'est juste que nous aimons faire un petit poker de temps à autre. Habituellement, nous restons très discrets car si madame Maud s'en apercevait, elle refuserait de nous garder.

– C'est vrai, ajouta Finton. Au fort, les quartiers des officiers sont pleins, avec toutes les compagnies qui viennent passer l'hiver ici. Qui sait où nous pourrions trouver un logement décent si elle nous mettait dehors.

Sam jugea qu'elle les avait laissés assez longtemps sur le gril.

– Détendez-vous, Messieurs, fit-elle en s'étirant les doigts. Nous pouvons certainement trouver un terrain d'entente.

– Je crains fort de ne pas comprendre, répondit Finton en haussant un sourcil.

Prise d'une joie qu'elle n'avait pas connue depuis ces merveilleux, ces lointains moments passés avec Esprit Sauvage, Sam annonça avec effronterie :

– Si vous me laissez jouer, je resterai bouche cousue.

Et lorsque résonnèrent au rez-de-chaussée les douze coups de minuit, Sam avait gagné une somme largement suffisante pour régler son billet de train.

Les hommes étaient abasourdis. Elle avait peut-être triché, mais comment savoir ? De toute manière, elle était douée, et savait visiblement ce qu'elle faisait. Dunnigan la félicita à contrecœur.

– Dès que nous aurons trouvé un autre lieu où nous réunir, je vous le ferai savoir.

– N'ayez aucune crainte au sujet de votre fiancé, ajouta Finton avec un clin d'œil. Motus et bouche cousue.

– Mais à la condition que vous acceptiez de jouer à nouveau.

Dunnigan ne souriait pas. Il n'aimait pas perdre, et encore moins en face d'une femme – si ravissante fût-elle.

Sam ne fit aucune promesse, ni ne refusa l'invitation. Elle ne comptait divulguer à personne la porte de sortie qu'elle avait trouvée.

Elle venait à peine de regagner sa chambre lorsqu'elle entendit Maud rentrer.

Trop énervée pour s'endormir, Sam resta éveillée jusqu'au petit jour à s'interroger sur son avenir et à soupeser le pour et le contre. Jarman préviendrait certainement le marquis de ce qui s'était passé, mais ce n'était pas le moment de tergiverser. Après tout, Céleste avait juré qu'elle ne reverrait jamais plus son père. Que ce vieillard lubrique s'inquiète donc de la disparition de sa fille ! Méchant comme il était, il méritait de souffrir.

C'était décidé, elle allait partir. Non sans avoir eu un tête-à-tête avec Maud, pour lui expliquer que c'était à son avis la meilleure solution. Elle écouterait tous les arguments de son amie... qui resteraient dans le vide, car une nouvelle vie, une vie de liberté, s'ouvrait devant Sam.

Elle en aurait été totalement ravie si elle n'avait pas conscience que chaque pas l'éloignait davantage du seul homme qu'elle ait jamais aimé. Mais, se souvint-elle avec un affreux pincement au cœur, ce n'était pas elle qui avait décidé de quitter Esprit Sauvage. Et, malgré tous les efforts déployés pour le haïr, Sam savait que si cela n'avait tenu qu'à elle, elle se trouverait encore dans ses bras.

Jarman n'avait pas vraiment envie de se rendre seul au dîner chez les Brackett, mais il s'y sentait tenu. Il arriva pour l'apéritif. Après avoir excusé Céleste, il sirota du vin, faute d'alcools forts.

La soirée n'aurait sans doute rien de passionnant. Il avait hâte qu'elle se termine pour pouvoir aller noyer discrètement son chagrin en ville. Il se préoccupait peu de la petite crise de nerfs de Céleste, mais davantage de rester sans nouvelles du marquis. Quoiqu'elle lui procurât un revenu régulier, il détestait la vie de garnison. Or, par la faute de cet aigrefin, il risquait désormais de ne jamais connaître les délices de la fortune.

– Eh bien, capitaine, vous avez l'air si en colère que je crains pour ce pied de verre !

Peu avant que l'on serve le dîner, il était sorti sur le porche de la maison de ses hôtes. Il se rendit compte qu'Ida Mae Brackett l'y avait suivi.

– Votre fiancée serait-elle souffrante ? s'enquit-elle en jouant la compassion.

– En quelque sorte.

Ida Mae ne put s'empêcher d'aborder le sujet qui la tracassait encore et toujours.

– Mon bébé continue de pleurer sans arrêt. Je vais peut-être être forcée de suivre le conseil de votre fiancée et d'aller l'accrocher à un buisson.

– Oh, Madame, je vous ai déjà dit que j'étais absolument désolé, soupira-t-il pour s'efforcer de l'amadouer. Je ne sais pas ce qui est passé par la tête de Céleste. Elle s'en veut terriblement.

Mal à l'aise, il avala une dernière gorgée en se balançant d'un pied sur l'autre. Bien qu'il lui tardât de rentrer dans la maison, il n'osait l'abandonner là de peur de manquer de tact.

– Vraiment ? Je n'en suis pas certaine. Elle n'a pas réagi comme cette délicieuse Myriam Appleby – la fille du juge Quigby, vous souvenez-vous d'elle ? Lorsque son père et elle sont passés en ville, nous avons organisé une petite soirée en leur honneur. Eh bien, si Myriam avait été enlevée par les Indiens, elle en serait morte de honte. Une jeune femme charmante et bien élevée. Celui qui l'épousera aura de quoi être fier. Et il possédera d'emblée une petite famille. J'ai rencontré son fils, un garçon adorable...

Ah, il aurait peut-être mieux fait de se fiancer avec cette Myriam. Certes, le juge n'était pas fortuné, mais il aurait été à même de lui fournir des appuis financiers. Il se montrerait sans doute très reconnaissant envers celui qui consentirait à le débarrasser de sa veuve de fille...

Jarman fut tiré d'affaire par la cloche annonçant que le dîner était servi. Dès qu'il en eut l'occasion, il faussa compagnie aux convives et se rendit en ville retrouver Martita et une bouteille de whisky. Ces deux plaisirs, conjugués, sauraient un temps lui faire oublier ses soucis.

Comme à son habitude, il regagna ses quartiers en pleine nuit, étourdi par l'alcool, fourbu des ardeurs déployées par Martita. Il tituba jusqu'à sa chambre, s'écroula en travers de son lit et sombra aussitôt dans le sommeil.

Il n'avait pas remarqué la lettre de France qu'on avait glissée sous sa porte.

Maud pleurait en serrant Sam dans ses bras pour lui dire adieu. Celle-ci avait loué les services d'un conducteur propriétaire d'un chariot bâché pour l'emmener jusqu'à Kansas City. De là, elle prendrait le train de midi pour Abilene.

– Vous êtes sûre que c'est bien ce que vous voulez ? s'émouvait Maud. Je ne peux que comprendre vos raisons. Comme je vous l'ai dit quand vous faisiez vos bagages, je redoutais ce mariage, sans oser vous en parler. Vous méritez quelqu'un de doux et de compréhensif, pas un tel prétentieux. Mais vous voir partir toute seule comme cela, mon petit... Je vais me faire un sang d'encre en attendant de vos nouvelles. Et si vous ne trouviez pas votre amie ?

– Elle y sera. Allons, Maud, ne vous inquiétez pas pour moi. Tout ira bien. Je n'ai pas le choix. Si je refuse de l'épouser, Jarman me renverra en France.

Maud se tamponna ses yeux de son mouchoir.

– Votre oncle est un bien méchant homme, s'indigna-t-elle. Tenter de séduire sa propre nièce ! Pas étonnant que vous ayez consenti à un voyage aussi long pour épouser un inconnu ! Je ne vous reprocherai jamais de ne pas vouloir retourner en France.

Sam se sentait un peu coupable de son demi-mensonge, mais elle se refusait à dévoiler l'échange d'identité et avait préféré s'inventer un oncle libidineux.

– N'oubliez pas, rappela-t-elle en la serrant une dernière fois dans ses bras. Vous ne devez dire où je suis sous aucun prétexte.

– Je vous en fais le serment !

Sam dévala les marches et monta dans le chariot qui l'attendait, se demandant sombrement si elle allait jamais trouver son destin véritable.

19

Jarman écumait de rage lorsqu'il reposa la lettre rédigée par le traducteur du marquis. Avoir été la victime d'un si grossier subterfuge était plus qu'il ne pouvait admettre. La déception n'était évidemment pas d'ordre sentimental, puisqu'il n'avait jamais été amoureux de cette fille. Non, il avait failli épouser une usurpatrice – et qui plus est, une demi-mondaine, une femme de mauvaise vie, aux dires du marquis !

Ces maudits Indiens l'avaient involontairement aidé. Sans l'enlèvement, lui et « Céleste » auraient probablement convolé dès sa descente du train et il aurait attendu pour se plaindre de la dot. Il n'avait modéré ses ardeurs qu'en raison de son état et de l'argent espéré. Il s'en félicitait désormais.

Seul dans le bâtiment, car les autres officiers étaient déjà en service, il se mit à casser tout ce qui lui tombait sous la main, non sans maudire à haute voix toutes les Samantha Labrune, marquis et autres pitoyables dots. Ce n'est que lorsqu'une chaise traversa une fenêtre dans un fracas de verre brisé que les soldats se trouvant sur le terrain de manœuvres rompirent les rangs à la hâte pour voir se qui se passait. A l'arrivée de l'officier de jour, Jarman avait retrouvé son calme.

Après avoir parcouru du regard les décombres de la pièce, le lieutenant Bowman fit sortir tout le monde. Il referma la porte derrière lui et tenta de raisonner Jarman :

– Capitaine, je ne sais pas ce qui a pu se passer pour que vous vous emportiez à ce point, mais je tiens au nom de tous à vous assurer de notre sympathie dans l'épreuve que vous traversez.

Hésitant à critiquer un supérieur hiérarchique, il s'interrompit un instant... puis se lança : les circonstances l'exigeaient.

– Il est de mon devoir de vous informer que l'on parle beaucoup de votre consommation immodérée d'alcool ces derniers temps. Je crains fort d'être contraint de faire un rapport au général Schofield à Saint-Louis après ce dernier incident.

Jarman éclata d'un rire hystérique, contemplant les dégâts.

– Si vous croyez que vous m'impressionnez, lieutenant ! Dans deux semaines, je serai parti d'ici. Je n'ai rien à faire de vos menaces !

Il le bouscula et se rua dehors, vers les écuries, où il sella son cheval pour galoper à bride abattue vers la pension de famille où résidait la fausse Céleste. Réussirait-il à ne pas étrangler cette catin lorsqu'il la verrait ? Et au fait, qui était-elle, en vérité ? Le marquis ne l'expliquait pas : il n'avait eu vent du subterfuge que récemment ; en grand seigneur, il lui proposait de conserver la dot. Comme s'il pouvait espérer la récupérer ! songea Jarman, mâchoires serrées.

Maud balayait le perron lorsqu'il arrêta brutalement sa monture dans un nuage de poussière.

– Avez-vous besoin d'arriver ici comme un fou furieux ? Je n'ai aucune envie que vous m'obligiez à recommencer ce que je suis en train de faire !

– Où est Céles...

Il ne prononça pas la fin de son nom. La colère le submergeant à nouveau, il dut se retenir pour ne pas la qualifier de traînée – ce qu'elle était pourtant. A quoi bon se ridiculiser en faisant savoir qu'il s'était fait berner ?

– Céleste, répéta-t-il d'un ton plus assuré. Où est-elle ?

– Partie.

Maud se tourna et continua à balayer.

Il mit pied à terre, devinant au ton et à l'attitude de Maud que quelque chose n'allait pas.

– Que voulez-vous dire ? A-t-elle dit où elle allait, à quelle heure elle reviendrait ?

– Elle ne reviendra pas.

Quand il essaya de lui bloquer le passage, Maud, qui ne l'avait jamais apprécié, le menaça de son balai :

– Sortez de mon chemin.

– De quoi parlez-vous ? Elle ne peut pas partir. Elle n'a nulle part où aller.

– Dieu y pourvoira. Maintenant, lâchez ça, sortez de ma propriété.

– Pas tant que vous ne m'avez pas dit où elle est allée.

– Je n'ai rien à vous dire, si ce n'est que je la comprends. Vous devriez avoir honte de la manière dont vous l'avez reçue. Je dirai même plus, Capitaine, ces Indiens l'ont mieux traitée que la plupart des Blancs d'ici. Peut-être qu'elle est repartie chez eux, allez savoir !

Il lui arracha le balai des mains, le jeta sur la pelouse.

– Qu'elle aille au diable !

Après quoi, enfourchant son cheval, il repartit dans un nuage de poussière.

Ainsi, Samantha Labrune s'était sauvée. Elle devait se savoir proche d'être démasquée. C'était une sage décision, car lui-même n'aurait pas répondu de ses actes s'il l'avait trouvée.

Sur le chemin du retour, il eut soudain une illumination. Il lui restait un espoir : prendre le Juge pour associé. En ajoutant la dot à la mise du père de Myriam, il pourrait finalement ouvrir un établissement de jeux.

L'exaltation le gagna soudain, le faisant renoncer à épiloguer sur l'incroyable trahison de cette Samantha Labrune. Mais que cette friponne ne s'avise pas de se trouver sur son chemin ! Il conservait sa mésaventure à l'esprit.

Sachant qu'elle devait économiser son argent, Sam acheta le billet de train le moins cher possible sur la ligne du Kansas Pacific Railway. Elle fut donc reléguée à la voiture destinée aux « immigrants ». Celle-ci, assez spartiates, avait pour toute commodité des sièges inconfortables, quelques lits superposés aux matelas emplis de paille, des toilettes et un poêle à charbon ventru.

L'absence de luxe était cependant le moindre des soucis de Sam. Ce qui la préoccupait, c'était de mettre la main sur Belle. Si elle ne trouvait pas son amie au plus vite, sa situation financière aurait tôt fait de se dégrader.

Pour ce voyage de deux jours, elle s'était vêtue d'un ensemble en laine cardée grise, sachant par expérience qu'il résisterait aux cendres, fumée, rayons du soleil et autres poussières de la Prairie. Néanmoins, ayant apporté dans son sac une tenue de rechange, c'est en costume de voyage écossais rouge et portant un chapeau à brides assorti qu'elle descendit du train à Abilene.

Elle ressentit aussitôt les trépidations de la ville. Elle était entourée d'hommes d'affaires venus de l'Est pour conclure des marchés, ou y repartant. Certains fêtaient les affaires juteuses qu'ils venaient de réaliser. Des parcs à bestiaux tout proches s'élevaient d'incessants beuglements, et on entendait le son reconnaissable entre mille des cornes s'entrechoquant, on allait peser les bœufs, puis les faire monter sur une passerelle menant à quelque train. L'air était si chargé de poussière qu'il lui piquait les narines.

Elle préféra marcher plutôt que louer une carriole ; le centre de la ville semblait être situé trois rues plus loin à peine. On était au milieu de l'après-midi. Si elle voulait trouver Belle avant la tombée de la nuit, il lui faudrait visiter tous les établissements de jeu.

Déambulant le long des trottoirs en planches, elle passa devant un magasin de meubles, une bijouterie, puis le bureau du journal local, dont la façade en pin brut avait été montée à la hâte. Elle remarqua d'autres enseignes annonçant des maréchaux-ferrants, des ferblantiers, des selliers, des médecins, des avocats, des dentistes, des épiciers, des banquiers puis repéra enfin ce qu'elle cherchait : un saloon.

Elle poussa les deux battants du portillon en bois, entra et s'arrêta, le temps que ses yeux s'habituent à la pénombre. Un bar couvrait la totalité d'un mur couvert d'une glace et d'étagères où reposaient des verres de toutes tailles. Les quelques clients se retournèrent à son entrer.

– Vous désirez, ma petite dame ? s'enquit le barman en fronçant les sourcils.

Comme elle n'avait pas l'air d'une prostituée, restaient deux hypothèses : c'était soit l'une de ces dames patronnesses qui prêchaient contre les méfaits du whisky, soit une épouse à la recherche de son mari. Dans les deux cas, c'était mauvais pour le commerce, et il fallait s'en débarrasser au plus vite.

Faisant fi des soupirs et autres ricanements, Sam se dirigea droit vers le comptoir.

– Je cherche une joueuse du nom de...

– Allez dans le quartier qu'on appelle l'Enclave du diable, en descendant la rue. Le patron ne veut pas de joueuses ici.

– Non, nous, on fait meilleur usage des femmes ! s'esclaffa quelqu'un tout près d'elle. Tu cherches du travail, petite ?

Sam le fit taire d'un regard méprisant et balaya du regard l'assemblée. Elle n'était pas d'humeur à supporter leurs plaisanteries paillardes.

Une rue plus loin, elle entra dans un autre saloon, très élégant celui-là : l'Alamo, qui arborait des portes vitrées et des nus façon Renaissance au mur. Sam prit son temps pour traverser la salle qu'agrandissaient les glaces immenses où se reflétaient des rangées de bouteilles de rhum, de cognac et de whisky, ainsi que des pyramides de verres à bière. A sa grande stupéfaction, elle aperçut même des piles d'or sur les tapis verts des tables de jeu ! Apparemment, les cow-boys et conducteurs de bestiaux qui parcouraient les plaines du Kansas misaient là des milliers de dollars.

Elle aborda un joueur de piano mécanique auquel elle reposa sa question.

– Continuez plus bas, suggéra-t-il sans s'arrêter de jouer. Si elle est à Abilene, vous ne pouvez pas la manquer. Mais si vous devez aller à l'Enclave du diable, vous feriez mieux de vous dépêcher. Ce n'est pas un endroit très fréquentable pour les dames le soir... à moins que vous ne soyez une reine de la nuit ?

Il lui avait fait un clin d'œil. Quoique ne connaissant pas le terme, Sam en devina le sens. Cette Enclave du diable aiguisait sa curiosité.

– Vous êtes la seconde personne à me conseiller. Mais où cela se trouve-t-il exactement ?

– C'est le quartier chaud. Le quartier des filles de joie et du jeu – mais surtout des filles de joie. Les bien-pensants de notre ville les ont parquées là-bas parce qu'elles sont plus difficiles à canaliser qu'un troupeau de jeunes taureaux. Il y en a deux qui se sont baignées toutes nues dans la rivière avec leurs clients pas plus tard qu'hier !

– Mon amie n'est pas une prostituée, précisa aussitôt Sam. C'est une...

Elle n'eut pas le temps de finir sa phrase car des coups de feu venait de retentir. Avant qu'elle ait pu réagir, le pianiste l'avait saisie par la taille et précipitée au sol. Les autres consommateurs, eux aussi, s'étaient mis à l'abri.

Dans la rue, deux cow-boys à cheval se défoulaient en tirant en l'air avec des cris de joie : ils avaient convoyé tout l'été vingt-cinq mille têtes de bétail. Dès qu'ils furent assez loin, le pianiste aida Sam à se relever.

– Ils sont inoffensifs. Ils ne pensent qu'à faire la fête, expliqua-t-il, mais on a parfois droit à une balle perdue. C'est arrivé il y a quelques semaines à un petit garçon qui a eu la malchance de se trouver dehors au mauvais moment. Autant éviter les risques inutiles... Au fait, je m'appelle Hank, ajouta-t-il en lui tendant la main.

Sam lui rendit sa poignée de mains.

– Ils font tous cela ? Si un enfant a été tué, pourquoi la loi ne punit-elle pas...

– Il n'y a pas de loi à proprement parler. Ni aucun marshall. Personne n'essaie vraiment de faire respecter l'ordre public. Le dernier shérif élu, c'est Jake Whaley, mais il passe le plus clair de son temps dans son épicerie à la sortie de la ville. Comme on dit ici, avec le bétail, c'est l'enfer qui arrive. Des meurtres, des attaques à main armée, des règlements de compte, des bagarres... tout y est. – il la regarda fixement – Mais, et vous, que venez-vous faire ici ?

– Je vous l'ai déjà dit. Je suis à la recherche d'une amie qui travaille quelque part dans cette ville comme croupier.

Il se gratta pensivement la tête, avant de claquer des doigts, radieux :

– Ah ! Je me disais bien ! J'ai entendu parler d'une joueuse qui était arrivée ici il y a quelques temps. Elle s'est associée avec un certain Lyman Guthrie qui possède un saloon dans l'Enclave du diable. Si elle n'a pas quitté la ville, c'est là que vous la trouverez. Tournez à droite en sortant et continuez tout droit. Vous ne pouvez pas le rater. L'endroit s'appelle le Lucky Steer.

Sam suivit ses indications, pénétrant plus avant dans la rue aux relents de soufre. De part et d'autre, il y avait tout ce dont pouvait rêver un cow-boy en goguette : un bain et une coupe de cheveux pour cinquante cents ; un verre de tord-boyaux du Kansas pour vingt-cinq ; des tripots omniprésents ; des femmes outrageusement fardées qui traînaient près des saloons dans leurs robes et boas de plumes ou restaient assises à leur fenêtre du premier étage dans des déshabillés aguichants.

Tout au bout de la rue, Sam aperçut le Lucky Steer. Elle allait dans cette direction quand une reine de la nuit se pencha de sa fenêtre :

– Ne perds pas ton temps, Lyman n'accepte pas les putains dans son saloon. Elles travaillent en haut, avec Louretta. Adresse-toi à elle... Cela dit, je ne crois pas qu'elle embauche en ce moment.

Visiblement, qu'elle soit bien habillée ou non, une femme qui se promenait dans le quartier était considérée comme une prostituée.

– Je ne cherche pas ce type de travail. Vous ne sauriez pas par hasard s'il a toujours une femme comme croupier ?

– Mais si, pour sûr.

Sam se mit à courir. Croyant que son cœur allait lui sortir de la poitrine, elle ouvrit à la volée les portes du Lucky Steer. Avant même qu'elle ait eut le temps de jeter un coup d'œil, un cri s'élevait :

– Céleste ! Bon sang, si je m'attendais à ça !

Quelques secondes plus tard, Belle Cooley l'étreignait de toutes ses forces.

– Je n'en crois pas mes yeux, s'écria-t-elle en se reculant enfin pour mieux la regarder. Que s'est-il passé ? Je t'imaginais déjà mariée et enceinte jusqu'aux yeux. – elle tapota le ventre plat de Sam.

Cette dernière n'avait pas encore réussi à dire un mot qu'un homme longiligne s'approcha et lui lança un regard curieux.

– Qui êtes-vous donc ?

– Je te présente mademoiselle Céleste de Manca, de Paris, la capitale de la France, répondit Belle sans lui laisser souffler mot. Et tu as peut-être en face de toi le nouveau croupier que tu cherchais... Ai-je raison ? demanda-t-elle en se tournant vers Sam. Es-tu venue chercher un emploi, disons... parce que le mariage n'a pas eu lieu ?

– Tout juste ! confirma joyeusement son amie. Mais à un détail près, s'empressa-t-elle d'ajouter. Je m'appelle Sam, pas Céleste de Manca.

– Quoi ? Qu'est-ce que c'est que cette histoire ?

– Elle est très longue à raconter, expliqua Sam, qui savourait cet instant. Nous aurons tout le temps de boire une bouteille de vin. Vous pourriez peut-être en commander une ?

*

Dans son campement, Paul attendait qu'Aigle Intrépide vienne lui révéler le sort réservé au dernier criminel amené au juge Quigby, laissé à un autre agent de façon à ce que lui-même reste anonyme. Sa position l'exigeait : une fois arrivé à Council Grove pour prendre ses fonctions, il avait en effet appris qu'on l'avait choisi comme enquêteur infiltré, étant donné qu'il parlait la plupart des dialectes indiens de la région et pouvait passer pour un Peau-Rouge. En quelques semaines seulement, il avait arrêté plusieurs Blancs faisant de la contrebande d'armes et de whisky auprès des tribus, et démantelé une bande organisée qui kidnappait de jeunes Indiennes pour les vendre comme esclaves au Mexique.

Paul aimait ce travail, qui lui permettait de faire le bien autour de lui et lui évitait de penser à Céleste de Manca... Ou plutôt, de se languir d'elle. Car il en était amoureux, et malgré ses quelques tentatives pour se perdre avec d'autres femmes, il n'était pas parvenu à extirper ce souvenir de son esprit ni de son cœur. Aigle Intrépide ayant quitté l'armée peu de temps après l'arrivée de Céleste au fort, alors que celle-ci n'avait pas encore épousé Ballard, Paul ne disposait plus d'aucune information. Deux mois s'étaient écoulés depuis la démission de son ami. Le mariage avait certainement eu lieu. Il était temps désormais de penser à son propre avenir. Et à son travail.

Lorsque Aigle Intrépide arriva enfin, un simple regard suffit à Paul pour comprendre que ses prévisions les plus pessimistes s'étaient réalisées. Une fois de plus, le juge avait fait libérer un criminel.

– Il se moque bien des Indiens, expliqua Aigle Intrépide. Il n'hésitera pas à faire pendre un homme qui s'est servi d'une arme, parce qu'il a pris la violence en grippe, Dieu sait pourquoi... Mais si les victimes sont des Indiens, il se contente de faire la leçon aux coupables puis de les relâcher.

– Bon sang ! Alors que je risque ma vie pour les arrêter !

– Je ne sais que te dire, mon frère. C'est un juge. Ses décisions ont force de loi.

– Ah oui ? Eh bien, il est temps de lui rappeler son

obligation d'appliquer toutes les lois, pas seulement celles qui lui plaisent ! éclata Paul.

– Comment comptes-tu t'y prendre ?

– Je dois traverser le territoire indien pour rattraper les crapules qui ont intercepté les provisions destinées aux Osages. En revenant, je passerai lui rendre une petite visite. Il sera obligé de m'écouter, que ça lui plaise ou non !

20

Fascinée, Belle avait écouté Sam lui révéler le subterfuge, puis son enlèvement par les Indiens.

– S'il a jamais existé une femme capable de s'adapter au Far West, c'est bien toi, Sam Labrune, et je suis fière d'être ton amie ! la congratula-t-elle avec une tape dans le dos.

Lyman Guthrie lui aussi avait suivi son récit. Il se révéla ravi de pouvoir engager Sam dans sa salle de jeux.

– Oh, ce n'est encore le luxe, mais les affaires tournent de mieux en mieux. Belle y est pour beaucoup. Certains hommes ne viennent ici que pour se mesurer à elle. Pour faire comme moi : gagner au jeu l'argent qui leur servira à ouvrir un saloon.

Sam souleva un sourcil étonné.

– Eh oui, expliqua-t-il. Sinon, je n'aurais jamais pu. J'étais barman au Texas. Quand j'ai entendu dire qu'Abilene était en pleine expansion, j'ai pensé qu'il y avait de l'argent à gagner. Je suis venu, j'ai eu de la chance, et voilà !

Belle devait par la suite confier à Sam qu'elle craignait que Lyman ne perdît tout, car c'était un vrai drogué du jeu.

– Je passe mon temps à le sortir de situations délicates. Quand il perd gros contre quelqu'un, je suis obligée de tout regagner pour lui. Le jour où je ne serai plus là pour voler à son secours, il plongera.

– Oh, tu n'as quand même pas l'intention de quitter la ville ? Je viens juste d'arriver !

– Si, mais tu n'auras qu'à venir avec moi. Il paraît que c'est mort par ici, à partir de novembre. Les troupeaux ne reviennent qu'au printemps. J'irai faire un tour au Texas et puis, qui sait, d'ici là, j'aurai peut-être assez d'argent de côté pour ouvrir ma propre salle.

Sam déclina l'invitation.

– Je suis fatiguée de voyager. Il est temps que je me pose quelque part. Je crois que ce sera ici.

En cette fin de matinée, le saloon était vide, les clients n'arrivant pas avant midi. Sam et Belle battaient des cartes pour passer le temps. Belle, qui n'avait pas réagi sur-le-champ aux propos de Sam, mit soudain les cartes de côté.

– Peut-être as-tu l'espoir de te faire à nouveau enlever par les Indiens ?

Sam regarda Belle comme si celle-ci n'avait pas toute sa tête.

– C'est ridicule. Comment peux-tu dire une chose pareille ?

– Au cas où l'un d'entre eux aurait les yeux bleus... taquina Belle.

Sam avait évoqué Esprit Sauvage, passant bien sûr sous silence le fait qu'ils avaient été amants. Pourquoi son amie la titillait-elle ? Ses mains se mirent à trembler. Elle laissa même échapper quelques cartes.

– C'est complètement absurde.

– Sam, je ne suis pas née de la dernière pluie. Il y a des signes qui ne trompent pas. Je l'ai lu dans tes yeux quand tu parlais de lui. J'ai senti que tu t'es prise d'affection pour lui... J'ai l'impression que tu ne m'as pas tout raconté.

– Tu te fais des idées ! se défendit Sam en ramassant les cartes. C'était une brute, un sauvage, comme les gens d'ici se plaisent à le dire. Je ne veux plus jamais le voir – elle tremblait toujours –, mon Dieu, Belle, tu es aussi méfiante que Jarman. Je n'ai pas été violée !

– Je n'ai jamais dit ça.

– Alors, où veux-tu en venir ?

– A rien de particulier, soupira Belle. Je trouve juste difficile à croire que tu aies passé tant de temps avec un homme aussi beau sans finir par coucher avec lui. Je suis persuadée que c'est ce qui s'est passé... et que tu es même tombée amoureuse, que tu l'admettes ou pas. Tu refuses peut-être de te l'avouer... Et comme je disais. Il y a des signes qui ne trompent pas, ajouta-t-elle avec un petit sourire entendu.

– Tu fais erreur. Je n'aurais jamais dû te parler de lui. Je ne m'intéresse à personne. Je veux gagner de l'argent, subvenir seule à mes besoins et je refuse de dépendre d'un homme !

– Bon, bon, admettons, fit Belle avec un sourire. Mais c'est bien pratique, un homme, quand on a envie d'être aimée, crois-en mon expérience !

C'est alors qu'entrèrent plusieurs cow-boys décidés à faire une partie de cartes matinale, au grand soulagement de Sam. Il lui était déjà si pénible de refouler le souvenir ému de ses nuits de passion dans les bras de Paul, d'oublier leurs baisers enflammés... Alors qu'elle aurait tant voulu retrouver cette extase passée, son amie venait de l'y replonger davantage !

Dans les semaines qui suivirent, Sam se révéla très compétente, ainsi que l'avait prédit Belle. Lyman jubilait de voir ainsi prospérer son entreprise. Il arborait désormais chemise à jabot et cravate de soie. Il se mit à fumer de longs cigares de luxe et à approvisionner le bar en cognac français pour les clients ayant beaucoup d'argent à dépenser. Il offrit également à Belle et Sam des robes qui avaient dû lui coûter une fortune. Sam découvrit bien vite son penchant pour Louretta, une prostituée qui officiait avec plusieurs autres à l'étage ; cependant, à la grande satisfaction des deux amies, Lyman n'autorisait pas les filles de joie à fréquenter son établissement. Dans les autres saloons, on trouvait pianistes, joueurs de violon, serveuses aguichantes passant avec leur plateau de demis pour proposer leurs charmes... Au Lucky Steer, les amateurs de cartes venaient trouver une atmosphère plus tamisée, propice à la concentration et au gros jeu.

A l'occasion, Belle rencontrait un homme à qui elle ne se contentait pas de soutirer son argent, et disparaissait alors avec lui pour la nuit. Sam, pour sa part, ne pensait qu'au travail, et gagnait bien sa vie. Elle finit par se prendre à rêver d'ouvrir un jour son propre établissement. Il était temps de penser à son avenir. Comme l'avait prévenue son amie, Lyman buvait trop et prenait des risques inconsidérés au jeu. Tôt ou tard, il se retrouverait sur la paille.

Elle ne passait que peu de temps dans sa chambre au-dessus du Lucky Steer. Louretta n'appréciait ni sa présence ni celle de Belle, mais Lyman tenait à les loger là : c'était une solution pratique et économique. Sam vivait donc au jour le jour, travaillant beaucoup, dormant peu et tentant sans succès d'oublier certains yeux bleus et leurs folles nuits sous les étoiles.

Paul sortit de chez le barbier rasé de près, les cheveux propres, légèrement coupés. Il venait de prendre un bain et de passer un pantalon, une chemise propre et des bottes cirées et ne ressemblait plus en rien au chasseur hirsute qu'il était en arrivant.

Il était désormais un agent aux affaires indiennes fort présentable, venu solliciter une entrevue avec le juge

Quigby. Ce dernier habitait à la sortie d'Abilene et ne se rendait pas souvent en ville. Faute de palais de justice, les audiences de son tribunal avaient lieu dans un saloon. Cependant, comme aucune n'était prévue se jour-là, Quibgy serait certainement chez lui, lui avait-on expliqué.

Paul trouva sans difficulté la demeure, une maison blanche toute simple, assez isolée, située en face d'une chapelle et d'un cimetière. Avant de se changer, Paul avait comme à l'accoutumée fait la tournée des bars pour écouter ce qui s'y racontait. Quand trois hommes s'étaient mis à échanger des blagues cruelles sur ce juge qui s'efforçait à tout prix de marier sa fille, il avait prêté l'oreille.

– On dit même que madame Myriam organise chez elle des séances de spiritisme pour communiquer avec son défunt mari, avait renchéri l'un d'eux. Paraît qu'elle est complètement piquée depuis que...

Paul, pris de pitié pour la timide jeune femme qu'il avait rencontrée au fort, n'avait pas voulu en entendre davantage. Il était sorti. Une fois chez le juge, voyant que plusieurs personnes attendaient d'être reçues, il avait décidé de revenir à la première heure le lendemain matin.

Il continua sa tournée des bars avant de se diriger vers l'Enclave du diable. Il n'avait pas possédé de femme récemment. Depuis Céleste, les autres n'avaient plus aucun attrait pour lui. Cependant, il se sentait seul. Quelques verres et une putain au tempérament fougueux ne lui feraient pas de mal, après tout – même si rien ne remplacerait jamais l'émerveillement de tenir Céleste dans ses bras.

Mais bon sang, pourquoi ne parvenait-il pas à oublier celle-ci ? Il décida derechef d'aller voir Louretta, dont il avait eu l'occasion d'apprécier les talents par le passé.

En arrivant devant le Lucky Steer plein à craquer, il fut impressionné par l'air de prospérité qu'affichait désormais la salle de jeu. Il s'apprêtait à vérifier de visu de quoi il retournait lorsque Louretta, qui l'avait aperçu de sa fenêtre, arriva en courant.

– Tu ne vas quand même pas perdre ton temps à jouer, s'écria-t-elle en se pendant à son cou. Tu m'as tellement manqué ! Je vais te garder toute la nuit. Et la première galipette, je te la fais gratis !

Moins expansif qu'elle dans ses effusions, il profita de l'entrée de quelqu'un dans le saloon pour jeter un rapide coup d'œil à l'intérieur. Guthrie n'avait pas lésiné sur le décor. Des lustres composés d'immenses lampes à huile baignaient désormais la salle d'une lumière éclatante.

Un reflet familier le figea sur place. Il venait d'apercevoir tout au fond, de dos, une silhouette féminine avec de longs cheveux argentés. Il n'en connaissait qu'une...

– Qu'est-ce que tu as ? s'enquit Louretta. On dirait que tu as vu un fantôme !

Les portes s'étaient refermées. Paul cligna les yeux et secoua la tête, dubitatif. Non, il ne pouvait s'agir que d'un effet de son imagination...

Néanmoins, il fallait en avoir le cœur net.

– J'ai cru voir une femme qui avait des cheveux d'une drôle de couleur. On dirait du vif-argent.

– Tu as bien vu. C'est le nouveau croupier de Guthrie. Elle est douée. Une vraie magicienne avec les cartes. Jusqu'à présent, personne ne l'a surprise à tricher.

C'était impossible. Céleste était devenue madame Jarman Ballard. Elle ne pouvait travailler dans un tripot de la Sodome des plaines, comme la surnommaient les prêcheurs...

Il ne put toutefois s'empêcher de demander :

– Comment s'appelle-t-elle ?

– Sam. Tu perds ton temps. Avec les hommes, elle se contente de jouer aux cartes. Laisse tomber. Viens avec moi.

Jarman était mal à l'aise. Pas seulement à cause du divan recouvert de laine brute qui lui piquait les fesses, ni du repas à peine mangeable qu'il venait de terminer. Il se sentait comme une mouche prise dans une toile d'araignée et aurait souhaité être n'importe où plutôt que dans le petit salon du juge Quigby en compagnie de sa fille.

Elle était à faire peur, il ne trouvait pas d'autre expression. Le vêtement noir qu'elle portait avait tout du linceul. Ses cheveux filasses lui pendaient dans le dos. Elle ne les repoussait même pas quand ils lui tombaient devant les yeux, ce qui avait au moins le mérite de dissimuler un peu son regard de chien battu.

Ravi de voir Jarman, le juge l'avait emmené dans son bureau, au mépris de ceux qui attendaient. Il avait compati, stupéfait, au récit de la duplicité de Samantha Labrune, puis avait raconté la tragédie qui l'avait frappé. Son petit-fils avait péri, victime d'une fusillade dans les rues d'Abilene quelques semaines auparavant.

Jarman constata que le chagrin avait vieilli l'homme. Il l'écouta expliquer rageusement qu'il ferait tout ce qui était en son pouvoir pour débarrasser le Kansas de la racaille porteuse d'armes. Il se vantait du nombre d'hommes qu'il avait déjà envoyés à l'échafaud. Ensuite, il en vint au sujet de sa visite : lui demander une aide financière pour ouvrir un établissement de jeu.

Pour la première fois depuis son arrivée, il avait vu le regard du juge s'éclairer. Mais celui-ci avait murmuré en secouant la tête :

– Je ne sais pas, Ballard. Je ne sais pas. Ce ne serait pas correct.

– Personne ne sera au courant. J'ai un peu d'argent de côté. Je vous demande juste d'ajouter le complément. C'est moi qui ferai tout le travail. Vous n'aurez plus qu'à attendre de récupérer votre part des bénéfices.

– Cela demande réflexion.

– Ne réfléchissez pas trop longtemps, insista Jarman. C'est le moment de se lancer. Il y a de l'argent à prendre, et je n'aime pas rester là à regarder les autres s'en mettre plein les poches.

Après avoir allumé un cigare, Quigby s'était adossé contre son fauteuil en cuir.

– Cela me plairait bien. Vraiment, avait-il fini par lâcher entre deux ronds de fumée. J'ai l'argent, mais je risque d'en avoir besoin pour Myriam. Elle ne va pas bien, vous savez...

– Je suis navré de l'apprendre.

– Elle nécessite une attention de tous les instants. Depuis la disparition de Tommy, elle n'est plus elle-même. Elle a des comportements étranges. Je ne peux pas veiller sur elle constamment car je suis souvent amené à me déplacer. Il est même probable que je sois obligé d'engager quelqu'un. Et si je me vois forcé de la faire soigner dans une clinique de la côte Est, toutes mes économies vont y passer. Quel dommage ! J'aurais tant aimé m'associer à votre entreprise, mais je dois penser à ma fille. Elle est tout ce qui me reste.

Le vieil homme était rusé. Jarman avait compris le sous-entendu. S'il consentait à épouser Myriam, son père avancerait l'argent. Jarman dit qu'il avait besoin de réfléchir, ce qui ne fut pas pour surprendre Quigby.

Ensuite, Myriam n'avait pas prononcé un mot de tout le repas, se contentant de leur servir du poulet bouilli insipide, des pommes de terres spongieuses et une soupe aux haricots sans aucun goût. Prétextant quelques dossiers à étudier, Quigby les avait laissés seuls dans le petit salon. Et à présent, Jarman se sentait piégé.

Il comptait s'échapper au plus vite, malgré les règles de la bienséance.

– Mes condoléances pour ce qui est arrivé à Tommy, Myriam, lâcha-t-il sans savoir quoi dire.

Elle hocha la tête interminablement puis murmura d'une voix d'outre-tombe :

– Il est mieux là où il est. Il me dira quand communiquer avec lui.

Jarman se pencha en avant, espérant avoir mal entendu.

Elle remarqua son air sceptique et, prise d'une animation soudaine ajouta :

– Les mort communiquent avec les vivants, si ceux-ci y croient, monsieur Ballard. J'ai plusieurs amis qui essaient eux aussi de parler à des êtres chers passés de l'autre côté. Vous devriez vous joindre à nous. Il y a peut-être quelqu'un qu'il vous plairait d'évoquer.

N'y tenant plus, Jarman se leva brusquement.

– Je viens de me rappeler que j'avais un autre rendez-vous, s'excusa-t-il en se dirigeant vers la porte. Auriez-vous l'obligeance de saluer votre père pour moi et de lui dire que je le contacterai ?

– Mais...

– Je vous remercie pour cet agréable dîner.

Il se précipita dehors, où il s'épongea le front pour chasser la sueur froide qui le parcourait.

Bon sang, cette femme était folle à lier ! Il y avait peut-être une solution : il était fort au poker, connaissait tous les trucs. S'il arrivait à dépouiller un riche éleveur, il n'aurait pas à passer sous les fourches caudines du juge...

Il passa quelques heures à arpenter les rues d'Abilene. Et lorsqu'il entendit un passant expliquer, animé, que le Lucky Steer était si bondé qu'on n'arrivait pas à atteindre les tables de jeu, il se rendit derechef à l'établissement, curieux d'en connaître la raison. Les joueurs attendant leur tour se tenaient au bar, adossés les uns contre les autres. Il leur demanda pourquoi ils n'allaient pas jouer ailleurs.

– Ici, la vue est plus belle, répondit en ricanant l'homme à côté de lui. J'ai peu de chances de gagner, mais je préfère perdre contre une beauté que contre les vieux crapauds qu'on trouve partout ailleurs !

Jarman terminait son whisky. Il suivit le regard de l'homme. S'étranglant soudain, il se plia en deux.

– C'est trop fort pour vous ? demanda son voisin en lui tapotant le dos.

Jarman ne répondit pas. S'il avait des difficultés à respirer, ce n'était pas seulement parce qu'il avait avalé de travers.

Un autre coup d'œil, et il n'y eut plus aucun doute. C'était Céleste – Non, pas Céleste, corrigea-t-il aussitôt. Samantha Labrune !

Et quant à lui, se rendit-il soudain compte, ce n'était pas l'alcool qui l'étouffait, mais la rage.

21

Quand Sam, épuisée, quitta la salle encore bondée pour monter à sa chambre par l'escalier extérieur, il était près de trois heures du matin. Elle restait en général jusqu'à l'aube, mais comment aurait-elle pu sourire et inciter les joueurs à parier en étant d'une humeur si maussade ?

Belle s'en était allée. Son amie n'avait révélé ses intentions qu'à la dernière minute, alors que, tous bagages faits, elle s'apprêtait à partir au bras d'un riche éleveur texan qui lui avait promis de lui offrir une salle de jeu et éventuellement de l'épouser, s'il trouvait le moyen de faire accepter la chose à sa femme légitime. Après avoir sans succès proposé à Sam de les accompagner, Belle l'avait une dernière fois taquinée sur l'Indien aux yeux bleus... pour recevoir, comme d'habitude, de véhémentes dénégations. Après quoi elles s'étaient fait des adieux larmoyants. Sam était désormais seule.

Elle referma la porte derrière elle, descendit les stores de la fenêtre donnant sur la rue encore animée et alluma sa lampe de chevet. Sa chambre était chichement meublée d'un lit métallique, d'une table bancale, de deux chaises et d'une armoire délabrée. Les murs étaient de bois brut, tels qu'au premier jour. Un lieu sinistre, mais Sam n'en avait cure. Elle ne venait là que pour dormir, se changer et faire sa toilette. Sa vie se trouvait en bas, dans la salle.

Elle tira de sous le lit la boîte où elle rangeait son argent en attendant d'aller le déposer à la banque et y plaça sa paye, un rouleau de billets que lui donnait Lyman à la fin de son service.

Ses yeux la piquaient, chacun de ses muscles était douloureux. Elle éteignit la lampe, se dévêtit, passa une chemise de nuit, et sombra aussitôt dans le sommeil.

Elle n'entendit rien : ni la serrure qu'on forçait, ni les gonds qui grinçaient, ni celui qui entrait subrepticement. Elle ne se réveilla qu'au moment où des lèvres moites se pressèrent contre les siennes, la faisant violemment sursauter.

– Espèce de garce !

Au même instant, elle sentit la froideur de l'acier contre sa joue.

– Pas un cri ou je te tue !

Les yeux exorbités de terreur, elle reconnut Jarman.

– Vous !

– Mademoiselle Céleste de Manca ! nargua-t-il. Tu n'es qu'une intrigante. Je sais tout. Tu croyais vraiment que je ne me vengerais pas ?

Son haleine était chargée de whisky. Il était complètement ivre. Elle devait s'efforcer de lui faire comprendre qu'elle ne lui avait jamais voulu de mal.

– J'aurais tout fait pour être une bonne épouse, Jarman, croyez-moi. Mais vous ne m'en avez pas laissé la possibilité.

– La ferme ! Tu m'as menti et tu vas me le payer. Je suis au courant de vos manigances, à toi et la fille du marquis. Tu savais que je finirais par tout découvrir, et tu t'es sauvée quand j'ai tardé à t'épouser. Tu as gagné du fric depuis, hein ? Eh bien, il me revient de droit pour me dédommager de ce vous m'avez escroqué. Où le ranges-tu ?

Il appuya plus fort le revolver contre le visage de Sam, qui souhaitait de toutes ses forces qu'il parte. En effet, dans l'état de colère et d'ébriété où il se trouvait, il était capable de tout.

– Sous le lit, répondit-elle sans hésiter. Prenez-le et partez. Je n'en parlerai à personne, je le jure.

– Tu le jures, rétorqua-t-il avec un rire sardonique. Ai-je bien entendu ? Comme si ça voulait dire quelque chose dans ta bouche !

Il se redressa avec difficulté, la maintenant en joue tandis qu'il saisissait la boîte de sa main libre. Il ôta le couvercle et eut un rictus en contemplant le contenu.

– Pas mal... Pas mal du tout. Pas encore assez, mais au moins je n'aurai pas besoin de me marier avec cette folle.

Sam ne savait pas de quoi il parlait et cela lui importait peu. Malgré les vapeurs d'alcool qui obscurcissaient sa vision, Jarman remarqua enfin la terreur qui se lisait sur son visage. Il abaissa le regard sur sa poitrine haletante. Le drap était tombé. Il contempla la pointe délicate de ses seins au travers la chemise de nuit et s'humecta les lèvres. Un désir irrépressible montait en lui.

Lâchant la boîte, il bondit sur elle, déchirant son vêtement tout en lui maintenant de l'autre main le revolver contre la tempe.

– Je n'aurais jamais cru passer après un Indien. Mais il ne sera pas dit qu'un sale Peau-Rouge aura...

S'en tenir compte de l'arme, Sam se mit à se débattre et à hurler à pleins poumons. Jarman essaya de l'enfourcher pour l'immobiliser. Relevant brusquement les genoux, elle le propulsa en avant, et son geste dévia le canon au moment où le coup partait. Cette déflagration si près de son oreille l'assourdit un instant, mais elle parvint à tourner la tête pour lui mordre le poignet. Il lâcha le revolver en gémissant de douleur.

Dans la chambre mitoyenne, Paul s'était endormi après avoir feint l'ivresse. Bien sûr il avait eu besoin de faire l'amour... mais Céleste se révélait décidément la seule femme qu'il aimait, qu'il désirait !

Dès le premier cri, il fut totalement réveillé ; quand le coup de feu retentit, il avait déjà enfilé son pantalon et ouvert la porte. Louretta émergea du sommeil et s'assit sur le lit.

– Qu'est-ce que tu fabriques ? soupira-t-elle en le voyant sortir.

Paul se trouvait déjà à côté. Dans la pénombre, il discerna un homme et une femme qui se battaient sur le lit. Il fut au-dessus d'eux en deux enjambées, assommant de la crosse de son revolver l'homme, qui s'effondra.

– Êtes-vous touchée ? s'enquit Paul.

– Non, il m'a manquée.

Sam, tremblante, avait remonté le drap sur elle et s'était roulée en boule contre la tête de lit. Elle releva la tête. Des gens couraient dans le couloir. Il y avait des visages dans l'embrasure de la porte.

Serrant contre elle sa robe de chambre, Louretta se fraya un chemin à l'intérieur.

– Bon sang, Sam, qu'est-ce qui se passe ?

Elle alluma la lampe.

– Depuis quand tu t'es mise à ton compte ? C'est chez moi, ici, Lyman me loue tout le premier. Si je t'ai laissé cette chambre, c'est pour lui rendre service, par pour qui tu y fasses la putain, ou alors il faut me donner mon pourcentage !... Tu es blessée ?

Le dos tourné à Sam, Paul observait attentivement l'homme étendu sur le sol. Il était en civil, mais ces boucles blondes en bataille...

Ballard ! Mais non, ce chien n'avait rien à faire à Abilene.

Il le retourna. C'était bien lui. Au même instant, un frisson se mit à le parcourir : il venait d'entendre la femme assurer à Louretta qu'elle était saine et sauve. Cet accent français si familier... Cette chevelure argentée entr'aperçue... Ballard...

Les pensées de Paul décrivaient un tourbillon. Était-ce possible ? Lentement, il se retourna. Encore bouleversée, Sam le vit à peine. Jusqu'à ce que son regard se pose sur le torse nu et s'aimante à la cicatrice.

Les souvenirs affluèrent en elle. Elle ne douta pas un instant et murmura dans un souffle :

– Esprit Sauvage !

Paul se raidit, à la recherche d'une réponse appropriée.

– C'est toi.

– Je ne sais pas de quoi vous parlez, ma petite dame.

Il lui fallait gagner du temps, comprendre ce que tout cela signifiait. Pendant ce temps, Louretta ne perdait pas une miette du dialogue.

– C'est bien toi ! insista Sam, dont l'étonnement avait cédé la place à la colère.

Un cri se fit entendre. Paul vit un homme corpulent écarter les badauds. Il reconnut un certain Jake Wheeley, auquel il avait eu affaire par le passé. Jake le salua, examina l'homme inconscient à terre et alla vérifier l'impact de balle derrière la tête de lit.

– On ne va pas tarder à avoir une autre pendaison, on dirait. Le juge Quigby adore faire se balancer au bout d'une corde les gars qui abusent de leur arme. Bon, comment c'est arrivé ?

Sam avait toujours les yeux rivés dans ceux de Paul.

– Il s'est introduit dans ma chambre par effraction... puis il... répondit-elle d'une voix hachée.

Elle s'interrompit, décidant de ne pas mentionner la tentative de viol, et conclut après une longue inspiration :

– ...Nous nous sommes battus. Un coup est parti. Je ne crois pas qu'il ait essayé de me tuer. Sortez-le d'ici, s'il vous plaît.

– Son compte est bon, déclara Jake en avançant vers les curieux. Embarquez-le.

Louretta brûlait de curiosité et de colère. Dès que la chambre se fut vidée, elle les soumit à un feu roulant de questions :

– Vous avez l'air de vous connaître... Alors, Sam, c'est quoi ce cirque ? Tu t'es fait des clients dans mon dos ?

Sam ne savait pas combien de temps elle réussirait à contenir sa colère envers Paul devant Louretta. Elle avait absolument besoin d'être seule. Elle indiqua la porte d'un doigt tremblant.

– Dehors ! Tous les deux !

– Je n'irai nulle part, fit obstinément Louretta. Pas tant que tu n'auras pas répondu.

– Dans ce cas, c'est nous qui allons sortir, intervint Paul.

Avant que Louretta ait eu le temps de réagir, il avait enveloppé Sam dans une couverture, l'avait soulevée dans ses bras et portée hors de la pièce, non sans subir ses récriminations.

– Et tu vas où comme ça ? demanda Louretta qui les suivait de près.

– Parler. Ça ne te concerne pas. Quant à toi, Sam, arrête de râler sinon toute la ville va accourir, prévint-il. On va régler ça entre nous.

Sam, bien qu'écumant de rage, acquiesça. Il n'était pas dans son intérêt de créer un nouvel attroupement. En revanche, elle tenait à savoir qui il était et de quel droit il jouait avec la vie des autres.

Les rares personnes passant dans la rue à cette heure tardive n'attachèrent guère d'importance au spectacle saugrenu qu'ils offraient. Après tout, plus rien n'était surprenant à Abilene.

– Où m'emmènes-tu ? grommela Sam, les mâchoires serrées.

– Si tu recommences à m'insulter, je te préviens, je te lâche dans le premier abreuvoir, répondit-il en riant.

– Tu ne le ferais pas.

Mais elle l'en savait capable et retint sa langue.

Une chambre d'hôtel était hors de question. L'écurie toute proche constituerait un lieu assez intime pour parler, décida Paul. Il y régnait une âcre odeur de foin et de chevaux. La petite lanterne accrochée à une poutre jetait une lueur fantomatique sur les animaux. Il porta Sam jusqu'au grenier et la lâcha sans ménagement sur la paille.

– Maintenant, parlons.

– Mais enfin, qui donc es-tu ? demanda-t-elle, la gorge serrée.

Paul la contemplait avec délice, frémissant au souvenir de toutes les nuits où il avait rêvé de la tenir dans ses bras. Mais les yeux de chat lui disaient que la distance s'imposait.

– Vas-tu cesser de me regarder comme ça ? attaqua-t-elle. D'abord, tu te moques de moi en prétendant ne pas parler anglais. Ensuite tu mens en prétendant que tu es métis. J'exige la vérité !

Il n'avait plus le choix. Cela n'avait probablement plus aucune importance, de toute façon.

– Je m'appelle Paul Ramsey, expliqua-t-il.

Ensuite, il lui raconta tout, concluant par des excuses pour l'angoisse causée en l'enlevant.

– En fait, tu m'as rendu service, reconnut-elle, bouleversée par ces révélations.

– A toi, maintenant. Que fais-tu dans un tripot sous un faux nom à Abilene ?

– Ce ne sont pas tes affaires. Mais Sam est mon vrai nom, c'est le diminutif de Samantha.

Elle lui raconta cependant le stratagème imaginé par Céleste et les raisons qui l'avaient poussée à jouer le jeu.

Paul loua son courage et sa détermination à échapper aux griffes du marquis.

– Votre plan était ingénieux. Il aurait pu fonctionner, même si tu ne t'étais pas fait enlever par les Indiens, mais il aurait fallu que Ballard récupère une dot suffisante. C'était la seule raison qui le poussait à épouser Céleste, je l'ai tout de suite compris. Sans l'avarice du marquis, Ballard n'aurait pas écrit, il ne saurait toujours pas la vérité et vous seriez mariés tous les deux.

Sam ne put s'empêcher d'éclater de rire.

– Je devrais donc remercier ce vieux satyre de m'avoir involontairement épargné un tel destin !

– Et pourquoi Ballard s'en est-il pris à toi ce soir ?

– Il ne savait pas que j'étais à Abilene. J'étais partie de mon propre chef parce que je n'en pouvais plus, malgré ma promesse. Il n'a découvert mon identité qu'après mon départ. En me voyant au saloon, il a perdu la tête et m'a suivie jusqu'à ma chambre. Tu connais la suite. J'ai eu de la chance que tu te trouves dans la pièce à côté.

Contre son gré, la voix de Sam s'était teintée d'amertume. Elle ne parvenait pas à réprimer son émotion car elle tenait toujours profondément à lui.

Paul nota la colère et la douleur qui se peignaient sur son visage.

– Tout cela t'a fait souffrir. Je regrette, murmura-t-il.

– Oui, reconnut-elle sans détours. J'étais assez sotte pour croire que tu tenais à moi, et tu m'as quittée comme un lâche. Mais... – Et là, elle mentait – ...mais cela n'a plus d'importance à présent. J'ai compris que c'était ma vulnérabilité qui m'avait poussée vers toi, que nous n'avions en fait qu'un moment à passer ensemble...

Sans crier gare, Paul l'interrompit : il prit son visage entre ses mains et lui asséna un baiser retentissant.

– Tu parles toujours trop, yeux de chat, fit-il en souriant. Lorsque j'ai dû te laisser partir, j'ai souffert mille morts. Je ne pouvais pas te garder à mes côtés parce que je n'étais pas sûr que tu accepterais la vérité. De plus, je suis agent des affaires indiennes. Si Ballard avait découvert que je lui avais volé sa fiancée, il aurait lancé la troupe contre moi, et surtout contre mes frères les Kansas. Je n'avais pas le choix, tu comprends ? ...Mais c'est de l'histoire ancienne, s'empressa-t-il d'ajouter en la mitraillant d'une salve de baisers. Tu ne l'as pas épousé. Il a quitté l'armée... et il ne peut rien prouver.

Sam, le regard toujours rivé sur lui, s'efforçait de tout assimiler.

– Et si je te pardonne de m'avoir quittée sans un adieu, que se passera-t-il ? finit-elle par demander.

– Ceci, fit-il en la rapprochant de lui.

Ils s'embrassèrent. Il passa une main dans l'épaisse chevelure de Sam, fit tomber la couverture, puis déchira rapidement sa chemise de nuit. Il écrasa une main sur son sein, la serra longuement contre lui.

Les mains de Sam vinrent s'aimanter à cette taille étroite – il était nu, sans qu'elle l'ait vu faire. Elle parcourut les cuisses familières. Pour être tout contre elle, Paul l'encercla de ses jambes, et elle se noya dans ses baisers, comme si leur étreinte devait durer toujours. Il l'étendit enfin sous lui. Ils ne sentaient même pas le foin piquer leur chair nue. Brûlantes et avides, les lèvres de Paul vinrent lui mordiller le cou. Elle se cambra, écrasant le ventre sur l'os de son bassin.

– J'en ai tant rêvé ! lâcha-t-il sauvagement. Je t'ai dans la peau.

La morale n'avait plus cours. Sam était hors du temps. Seule comptait la magie de l'instant, de cette proximité charnelle, de leurs cœurs battant à l'unisson.

– Tu n'as jamais cessé de me hanter, affirma-t-elle en scellant de sa bouche cette déclaration d'amour.

Elle sentait Paul près de la terrasser. Quand il plongea en elle, elle fut soudain inondée de sensations. Son corps lui ordonnait de se donner sans réserve. Elle retrouva d'instinct le rythme de leurs délices d'antan. Ils jouirent en même temps, dans un embrasement d'une intensité inouïe. Il étouffa le cri de plaisir de Sam en lui écrasant les lèvres sous les siennes, tandis qu'elle griffait son dos aux muscles durs comme la pierre.

Pendant, une éternité, ils furent incapables de prononcer le moindre mot. Puis, sous l'empire de leur passion, ils reprirent ensemble la route de leur désir – une route plus douce cette fois, une route de la soie, semée de frissons et d'extases moins pressantes.

Finalement, au comble de l'épuisement, ils s'abandonnèrent au sommeil, encore enlacés.

Ils avaient la vie devant eux pour s'émerveiller de leur amour et construire un avenir partagé. Il leur suffisait pour l'instant d'être seuls au monde et de se repaître l'un de l'autre. Ils avaient joui ensemble. Ils s'endormiraient ensemble.

La prison, rudimentaire, se limitait à une cabane sans fenêtres où la seule lumière était celle qui filtrait à travers les planches. Jarman ne goûtait guère la compagnie de deux ivrognes puants qui y ronflaient entre deux haut-le-cœur. Il avait mal au crâne, mais ce n'était rien à côté de la colère qui l'avait envahi en apprenant de l'un de ses geôliers que l'homme qui l'avait frappé n'était autre que Paul Ramsey. Le jour viendrait où il lui réglerait son compte, à celui-là. En attendant, pourquoi le juge n'était-il toujours pas arrivé ? Au responsable, un certain Jake Whaley, il s'était pourtant présenté comme un ami et lui avait fait promettre d'aller prévenir Quigby.

Des bruits de pas. Collant l'œil à une fente de la porte, Jarman reconnut Quigby et Whaley.

– Sortez-moi de là ! s'écria-t-il, à bout de patience. Je ne peux plus respirer avec ces pochards.

Dès que la porte fut déverrouillée, Jarman se précipita hors de sa cellule. Le juge se tourna vers Whaley.

– Laissez-nous, dit-il d'un ton qui ne souffrait pas la réplique.

Dès qu'ils furent seuls, il balaya Jarman d'un regard empreint de mépris.

– Vous vous êtes fourré dans un sale pétrin, mon garçon. Je ne vois pas les armes d'un bon œil, vous le savez. La balle que vous avez tirée aurait pu tuer quelqu'un.

– C'était un accident, je vous le jure ! plaida Jarman. J'essayais seulement de lui faire peur. Je ne voulais pas tirer, mais sa main a heurté la mienne et le coup est parti. C'était Samantha Labrune, cette traînée qui a tenter de se faire passer pour ma fiancée.

– Peu m'importe ! déclara Quigby, blanc de rage. Vous n'aviez aucun droit d'entrer chez elle par effraction et encore moins de la menacer. Je peux vous envoyer à la potence pour cela !

– Je ne lui voulais pas de mal, vous devez me croire.

Craignant soudain que Quigby ne mette sa menace à exécution, Jarman tomba à genoux pour implorer sa clémence.

En réprimant un sourire, le juge songea qu'il pouvait tirer parti de la situation.

– Levez-vous.

Jarman obtempéra.

– Allons chez moi. Myriam aura bientôt préparé le petit déjeuner. Mais d'abord, vous avez besoin de prendre un bain et de vous changer. Je vais envoyer quelqu'un chercher vos affaires.

Reconnaissant de la grâce qui lui avait été accordée, Jarman ne résista pas.

– Elle aime commencer la journée de bonne heure, poursuivit Quigby tandis qu'ils cheminaient dans la quiétude matinale. Elle a hâte de retrouver les folles de son cercle spirite. Ces femmes ont, elles aussi, perdu des êtres chers victimes de la violence. Elles sont persuadées qu'à force d'insister, les esprits des morts leur parleront tôt ou tard...

Voilà qui est tout à fait inoffensif, du moment que cela les aide à surmonter leur chagrin. Moi, je passe mon temps à rétablir l'ordre dans ce territoire sans foi ni loi. Mais cela me préoccupe de devoir la laisser seule. Elle a besoin d'un mari qui veille sur elle, conclut-il en jetant un regard perçant à Jarman.

La gorge de ce dernier se serra : il venait de deviner quel était le prix de sa grâce.

– Ah... poursuivit Quigby en poussant un long soupir. Je sais bien que d'aucuns diraient qu'il est trop tôt, qu'elle est encore en deuil. Mais cela ne les regarde pas. Après tout, si j'ai le pouvoir de vie ou de mort, qui saurait mettre en question mon jugement ? Il s'agit du bien de ma fille.

Jarman marchait à côté de lui d'un pas ferme, hochant la tête à intervalles réguliers. Il ne savait que dire. Quigby lui proposait clairement les termes du marché. Il avait eu la vie sauve à la condition d'épouser Myriam.

Devant la maison, le regard éteint, les yeux cernés, le visage rendu blafard par la douleur et le désespoir, la fille du juge les regarda arriver. Elle rentra sans les saluer.

Jarman sentit ses genoux fléchir. Comme s'il craignait qu'il se sauvât, Quigby posa une main ferme sur son épaule tandis qu'ils gravissaient ensemble le perron.

– La cérémonie sera simple. Dans l'intimité. A vous ensuite d'ouvrir ce casino et de le faire prospérer. Tout se passera bien, j'en suis convaincu, mon garçon.

Jarman venait d'échapper à la potence, mais il sentit qu'il venait de se mettre la corde au cou.

22

Avec l'aube, la raison reprit ses droits. Malgré la passion qui les enflammait, Paul et Sam savaient qu'ils étaient encore des inconnus l'un pour l'autre, puisqu'ils ne s'étaient pas rencontrés sous leur véritable identité. Tandis que les premiers rayons du soleil chassaient l'obscurité du grenier qui leur servait de refuge, ils tentèrent de faire à nouveau connaissance.

Paul évoqua ses liens avec les Kansas afin que Sam comprît comment il avait pu prendre part à l'enlèvement ; il expliqua également ses démêlés avec Ballard.

Sam raconta son enfance, sa famille, la vie dans les catacombes. La tête posée sur l'épaule de Paul, elle parcourait de ses doigts les abdominaux plats et fermes.

Il l'écouta en silence puis suggéra :

– Nous ferions bien de partir tous les deux quelques temps. Ballard va être fou de rage quand il saura que c'est moi qui l'ai assommé. S'il nous voyait ensemble, cela ne ferait qu'envenimer les choses. Il lui faudra du temps pour se calmer et tourner la page ; quant à nous, nous devons apprendre à nous connaître. – Il l'embrassa sur le front – Et je ne veux plus te laisser partir, Sam...

Il s'interrompit pour savourer ce prénom, qui ne lui venait pas encore aussi naturellement que Céleste, mais qui lui convenait mieux.

– ...Que dirais-tu d'une escapade de quelques semaines ?

Sam n'avait pas envie de jouer les coquettes ni les prudes.

– Rien ne me plairait plus.

– Alors prépare tes affaires pendant que je rendrai visite au juge. C'est tout de même ce qui m'a amené à Abilene... Essaie de prendre peu de choses, car je dois continuer à travailler. Nous irons dans les réserves indiennes et nous dormirons à la belle étoile. Je réussirai peut-être à te persuader de quitter cette ville.

Sam, surprise qu'il n'apprécie pas la vie qu'elle menait, répliqua du tac au tac :

– C'est ici que je veux vivre. Je m'y sens bien et je gagne bien ma vie.

– Il existe d'autres façons de le faire. Ailleurs que dans un saloon rempli d'ivrognes et de putains.

– Les filles travaillent à l'étage... Comme tu le sais, ne put-elle s'empêcher d'ajouter.

– C'est là que je t'ai trouvée.

– Je ne travaillais pas, tu le sais bien.

– Le fait est que tu ferais une excellente catin si jamais tu le voulais... Mais je tuerais le premier qui te toucherait !

Il l'embrassa avec tendresse et la serra longuement dans ses bras, ne s'écartant que pour déclarer :

– Je tiens à toi, Sam, plus que je n'ai jamais tenu à quiconque. Mais je ne peux rien te promettre.

Leurs regards se rencontrèrent dans la lumière rose et or du jour naissant.

Tu l'aimes et tu la désires, se dit Paul. Pas seulement maintenant, mais pour toujours. Cela dit, tu n'es pas du genre à te marier et à fonder une famille.

En es-tu si sûr ?

Tout cela était arrivé trop vite. Il avait besoin de temps pour comprendre, être certain de l'attachement de Sam à son égard. Jusque là, il saurait réfréner ses ardeurs.

Sam le dévisagea, interloquée. Croyait-il qu'elle exigeait des promesses ? Comme elle avait failli épouser un parfait inconnu, il s'imaginait peut-être qu'elle recherchait absolument le mariage.

– Je ne te demande rien, Paul. Pourquoi suis-je contente de mon travail, d'après toi ? Parce que je subviens à mes besoins. Je n'ai pas besoin d'un homme !

– Sauf de temps en temps, taquina-t-il pour faire retomber la tension. Mais ce ne sera pas maintenant. Il faut que nous partions avant l'arrivée des palefreniers.

Comme Sam ne comptait pas traverser la rue vêtue d'une simple couverture, Paul partit à la hâte lui chercher des vêtements dans sa chambre. Puis il la raccompagna au Lucky Steer, où Sam prépara quelques affaires avant de prévenir Lyman qu'elle s'absenterait quelque temps. Elle ne pensait qu'à une chose : être de nouveau avec Paul. Elle ne remarqua même pas le visage blême de colère de Jarman Ballard, qui l'observait de l'autre côté de la rue.

Jarman ne savait plus qui, de Paul Ramsey ou de Samantha Labrune, le mettait le plus en furie. Les pièces de ce maudit puzzle s'assemblaient enfin.

Comment ne l'avait-il pas deviné plus tôt ? Ramsey, frère de sang des Kansas, avait forcément joué les complices dans l'enlèvement de sa fausse fiancée. Cette petite traînée et ce demi-sauvage étaient amants, de toute évidence. Ils avaient dû se rencontrer durant sa captivité. Ils s'étaient ri de lui. C'était par leur faute, par leurs manigances, qu'il avait été condamné à épouser une morte-vivante Mais l'heure de la vengeance allait sonner. Ils allaient payer, tous les deux, et connaître à leur tour l'enfer.

Le juge Quigby foudroya Paul du regard. Comment osait-il discuter le bien-fondé de ses arrêts ?

– Je risque ma vie pour arrêter les malfaiteurs et vous les relâchez, monsieur le juge, poursuivit Paul, imperturbable. Je veux savoir pourquoi. Si les victimes étaient des Blancs et non des Indiens, vous les auriez envoyés en prison ou à la potence.

– Je n'ai aucune critique à recevoir de vous. Déjà, à Fort Leavenworth, vous m'aviez presque traité de bourreau.

– Quant à vous, vous m'avez méprisé pour ma familiarité avec les Indiens... Mais je n'ai que faire de votre opinion. C'est l'équité qui m'importe. Vous avez été nommé ici pour rendre la justice, or ce n'est pas ce que vous faites. Il se raidit. Je tiens également à vous signaler que votre incapacité à remplir vos fonctions complique considérablement ma tâche.

Quigby s'efforça de ne pas perdre son calme. Il ne voulait pas donner cette satisfaction à Ramsey.

– J'ai peu d'estime pour les agents aux affaires indiennes. Vous êtes pour la plupart inefficaces, voire carrément malhonnêtes. Comme ce collègue à vous qui a amassé une petite fortune – vingt-cinq mille dollars au bas mot – en moins de deux ans en revendant des biens qui appartenaient aux Cheyennes. Je n'ajoute aucune foi à vos dires, et je ne condamnerai personne sur de telles bases...Faut-il vous rappeler que j'ai le pouvoir de vous faire révoquer ? ajouta-t-il avec un sourire narquois.

– Cela vaut également pour vous, monsieur le juge. J'ai le moyen de faire connaître en haut lieu vos écarts de conduite.

Quigby se redressa sur sa chaise.

– Vous osez me menacer ? Quittez ce bureau sur-le-champ !

Paul ne bougea pas d'un pouce.

– Je ne porterai plainte qu'en dernier recours. Je suis d'abord venu vous expliquer le problème, pour vous entendre dire que vous ferez appliquer la loi quelle que soit la victime.

– Je n'aurais pas été nommé à ce poste si je n'en avais pas été estimé digne !

– Et je ne l'ai pas été au mien pour laisser courir les criminels.

– Si mes arrêts n'ont pas l'heur de vous plaire, tant pis pour vous.

Paul comprit qu'essayer de raisonner un homme aux opinions aussi arrêtées était peine perdue, et que porter plainte ne ferait qu'envenimer les choses. Quigby ne l'aimait pas. A l'avenir, il livrerait ses prisonniers à un agent d'un autre district afin qu'ils soient déférés devant un vrai juge, au risque de laisser penser que lui-même ne faisait pas son travail correctement.

– Cette discussion ne mène à rien, conclut-il en se levant.

– Je n'oublierai pas vos menaces, Ramsey.

Paul se mordit la langue pour ne pas répliquer. Il songea un instant à s'enquérir du sort réservé à Ballard, mais y renonça. Il ne voulait penser qu'à Sam, et il s'empressa de la rejoindre.

Sam et Paul partirent ensemble près de deux semaines, deux semaines passées à redécouvrir les merveilles de l'amour et à apprendre à mieux se connaître. Sam fut touchée de la compassion de Paul à l'égard des Indiens, et surtout des enfants, qu'il encourageait dans leurs études, ainsi que des vieillards, dont il écoutait attentivement les récriminations.

Ils visitèrent plusieurs réserves. Sam apprécia tout particulièrement de retourner à celle des Kansas... qui ne comprirent pas ce qu'elle faisait au côté d'Esprit Sauvage. Paul leur révéla la véritable identité de Sam et expliqua qu'elle était au courant de tout. Les femmes de la tribu, qui la respectaient pour son courage, la revirent avec plaisir.

Sam réprimanda gentiment Aigle Intrépide pour la façon dont celui-ci l'avait traitée lors de l'attaque du train ; de son côté, le brave lui rappela en souriant le langage peu châtié dans lequel elle avait riposté.

– Il est certains mots des Blancs que je préfère ne pas connaître, conclut-il d'un air faussement dégoûté.

Ils se firent des excuses mutuelles et, au moment de lui faire ses adieux, Sam sut qu'elle s'était fait un ami.

– Si un jour tu as besoin de moi, tu n'as qu'à m'envoyer un télégramme, offrit-il.

– Où donc ?

– Ceux de ma tribu écoutent les fils-qui-chantent. Nous savons en reconnaître les sons. On me transmettra ton message. Demande à Esprit Sauvage, il arrive toujours à me joindre.

Cependant, Paul venait d'apprendre qu'il devait retourner sur le territoire indien. On avait encore volé des provisions destinées à une réserve. Il allait traquer les hors-la-loi et s'assurer qu'ils ne seraient pas jugés dans la juridiction de Quigby.

Pour leurs derniers moments d'intimité, ils louèrent discrètement une chambre dans un petit hôtel d'Abilene. Sam y rejoignit Paul par l'escalier de service. Étant connue en ville, elle voulait éviter les commérages. Pour Lyman, elle était censée être à Leavenworth chez une vieille amie.

Après une nuit de passion incandescente, ils restèrent blottis l'un contre l'autre, le cœur serré à l'idée de devoir être séparés de nouveau.

– Cela me fait de la peine de te laisser, Sam. Surtout ici. Cet endroit est dangereux. Il n'y a qu'à voir comment le petit-fils du juge Quigby est mort... Si tu veux aller ailleurs, je t'y emmènerai.

– Non, je gagne bien ma vie ici.

– L'argent est donc si important pour toi ?

– Oui, surtout quand on n'en a pas. La pauvreté rend vulnérable. Je le sais pour y être passée. Je n'ai pas l'intention que cela se reproduise.

Il resta un moment sans mot dire avant de lui rappeler doucement :

– Je t'ai dit que je ne pouvais rien te promettre, mais tu sais que je tiens à toi. J'espère qu'un jour, nous pourrons vivre ensemble. En attendant, j'aimerais savoir que tu es en sécurité et que je n'ai pas à me faire de souci pour toi.

Il s'attendait peut-être à ce qu'elle se contente d'attendre patiemment qu'il daigne l'épouser ? Sam se retint de lui demander pour qui il se prenait. Belle lui avait appris à cacher ses émotions devant les autres joueurs qui auraient pu en tirer profit, et cette règle s'appliquait aussi à la vie. Elle ne voulait pas mettre Paul en position de supériorité. Elle risquait de perdre son amour. L'enjeu était de taille.

Paul interpréta mal son silence. Il supposa que ses craintes étaient d'ordre financier et ne songea pas qu'elle hésitait à renoncer à son emploi.

– Je peux t'aider financièrement, s'il le faut, ajouta-t-il sur un ton un peu trop magnanime.

C'était la chose à ne pas dire.

– Tu me prends pour une femme de petite vertu ! s'indigna-t-elle.

– Qu'est-ce que tu racontes ?

Elle se dressa d'un bond sur le lit et rassembla brusquement ses vêtements.

– Fille de joie en France, puta au Mexique, filles perdues et reines de la nuit ici... Les noms différent suivant les pays, mais cela revient toujours au même. Une putain. Une prostituée. Je m'en voudrais de me faire entretenir par un homme ! Qu'as-tu à m'offrir, d'ailleurs ?

– elle le fusilla du regard en essayant de passer sa chemise. Tu m'as dit que tu gagnais cent vingt-cinq dollars par mois. C'est ce que je remporte en une soirée – et encore, s'il n'y a pas beaucoup de monde !

Elle exagérait un tant soit peu, mais il n'avait pas besoin de le savoir.

– En trichant aux cartes ? riposta-t-il.

– Sache que je ne le fais jamais contre un joueur honnête. En revanche, si je repère un filou, je le plumerai jusqu'à son dernier cent, et sans une once de remords.

Paul se connaissait assez pour savoir qu'il valait mieux partir avant de sortir de ses gonds. Tous les deux étaient si tendus par cette séparation qu'ils risquaient de prononcer des paroles qu'ils regretteraient par la suite.

Il sortit du lit et, après s'être rhabillé à son tour, boucla son double ceinturon, prit son chapeau et se dirigea vers la porte.

– Tu trouveras bien la sortie, lâcha-t-il d'un ton sec.

– Et aussi le chemin du Lucky Steer. Au moins, là-bas, je n'ai pas à m'excuser de ce que je suis !

Il avait déjà ouvert la porte. Il se retourna. Les yeux de chat qu'il adorait lançaient des éclairs. La magnifique crinière argentée, toute désordonnée, dévalait ces épaules qu'il aimait. Elle avait les joues rouges, non sous l'effet de la passion, mais sous celui de la colère.

– Nous avions besoin de passer du temps ensemble, mais visiblement, plus maintenant.

Il partit sur ces mots. Sam prit la sortie de service en luttant contre ses larmes.

Quoiqu'elle l'aimât de tout son être, elle n'abdiquerait son indépendance pour aucun homme.

La plupart des tripots ne fermaient que lorsque les derniers joueurs, renonçant finalement à regagner leurs pertes, sortaient en titubant dans la nuit. Le personnel nettoyait la salle, dées leur départ, pour le début de la nouvelle journée.

Les employés balayaient les mégots jusqu'aux trottoirs en planches. Passant devant les établissements, Sam entendit le bruit des verres qu'on lavait, des chaises et tables qu'on rangeait. Certains jetèrent sur elle un rapide coup d'œil. Avec sa robe de mousseline et ses bottes, elle avait l'air d'une ménagère faisant ses courses.

Sam traversa l'Enclave du diable et se rendit directement au Lucky Steer. Elle était sur le point de monter à l'étage lorsqu'elle vit Jimmy Tucker. Assis dehors, le menton appuyé sur les mains, l'apprenti de Lyman paraissait de fort mauvaise humeur.

– Que fais-tu là ? le réprimanda-t-elle gentiment. Monsieur Guthrie va te houspiller s'il te surprend à lambiner.

– Oh, ça non. Il vient de me mettre à la porte. Les autres saloons n'embauchent pas, et je n'ai plus rien à faire, maintenant. C'est maman qui va me tomber dessus si je rentre à la maison sans ramener d'argent !

– Pourquoi t'a-t-il renvoyé ?

– Je n'en sais rien, mademoiselle. Quand je suis entré, il était prostré à une table. Il s'est mis à jurer dès qu'il m'a vu, et il m'a ordonné de partir. Vous n'avez qu'à lui demander.

C'était bien ce qu'elle comptait faire, et sur-le-champ.

Lyman releva la tête à son approche.

– Tiens, tu es revenue ? Ah, trop tard, ma belle, tout est fini.

Il enfouit à nouveau sa tête dans ses bras.

Se rapprochant, Sam vit qu'il était ivre, et qu'il avait pleuré.

– Tu as encore joué, n'est-ce pas ? reprocha-t-elle, espérant malgré tout se tromper. Combien as-tu perdu cette fois ?

Lyman saisit la bouteille posée sur la table et avala une longue rasade avant d'avouer :

– Beaucoup trop. Je ne peux pas rembourser. Je vais tout perdre. Et ça vaut sans doute mieux, parce que je ne suis pas fait pour cette vie. Je vais repartir au Texas. Je me trouverai bien un petit emploi de barman. Je n'aurais jamais dû arrêter. J'aurais dû savoir que les cartes ne me valaient rien. Avant de s'enfuir de la maison, ma femme m'avait dit que j'avais la fièvre du jeu. Elle n'avait pas tort. Elle...

– Tais-toi. Laisse-moi réfléchir.

Par le passé, Belle avait sorti Lyman de bien des situations épineuses. Sam était sûre qu'elle pourrait y parvenir aussi.

– Combien as-tu perdu ? Je peux te le regagner.

Lyman prit une autre rasade, hoqueta, puis la regarda, l'air honteux.

– Tu ferais ça pour moi, Sam ? Alors, tu es mon amie, comme Belle ? Mais c'est la dernière fois que ça m'arrive, parce que si tu gagnes, je vais te laisser le Lucky Steer. Oui, ma petite dame, la maison sera toute à toi. Tu n'auras qu'à me donner de l'argent pour m'installer au Texas, et le saloon sera à toi.

Cette proposition aiguisa l'intérêt de Sam. Si elle en devenait propriétaire, elle ferait du Lucky Steer la meilleure salle de jeux de la ville. Elle pourrait même le transférer dans le quartier chic, là où se trouvait l'Alamo.

– Je vais te prendre au mot, parce que si ce n'est pas moi qui rachète ton affaire, ton adversaire risque de me jeter dehors. A combien s'élève ta dette ?

– Dix mille dollars.

– Qu'est-ce qui t'a pris de jouer si gros ?

La voix de Lyman s'emplit de mépris en décrivant celui qui l'avait incité à augmenter la mise.

– Il n'arrêtait pas de dire que je ne savais pas gagner tout seul, sans une femme pour m'aider. J'ai essayé de lui prouver le contraire mais...

Sa voix se perdit dans un sanglot désabusé.

Sam sentit monter en elle l'exaltation du défi.

– Eh bien, nous allons le conforter dans son opinion. C'est une femme qui va sauver le Lucky Steer. Comment s'appelle-t-il, ce flambeur qui se croit imbattable ?

Les yeux rougis de Lyman reflétaient la désolation de son âme.

– Ballard. C'est le salopard qui avait forcé ta chambre. Pendant ton absence, il s'est marié avec la fille du juge Quigby. Il a dit qu'il voulait offrir un casino à son épouse comme cadeau de noces.

Sam se prit de pitié pour Myriam. Comment la jeune veuve avait-elle pu accepter une telle union ? Mais, pour l'instant, ce qui importait, c'était de se venger de Ballard. Oh, que cette victoire serait douce, songea-t-elle en se mettant à battre des cartes.

– Ne t'inquiète pas, assura-t-elle. La mariée sera déçue... mais pas autant que son époux !

23

Sam n'avait aucune intention de se rendre chez les Quigby pour y trouver Jarman. Du reste, ce dernier ne devait pas passer beaucoup de temps avec Myriam, qu'il n'avait certainement pas épousée par amour.

Sam connaissait de vue la plupart des hommes qui se rendaient à l'épicerie de Jake Whaley pour bavarder autour d'une bière. Ils sauraient bien lui dire où l'on pouvait trouver Jarman.

– Je l'ai pas vu, répondit d'abord Jake, assis sur un tonneau de farine à se curer les dents avec un couteau.

Son air entendu et les coups d'œil amusés échangés avec les autres n'échappèrent pas à Sam.

– Vous pourriez me raconter ce qui s'est passé après l'arrestation de l'autre soir.

– Je ne suis ni marshall, ni shérif, s'empressa-t-il de lui rappeler. Je n'arrête personne. Je me contente de les jeter en prison en attendant que le juge décide quoi faire.

– Tout de même, vous devez bien savoir s'il a été condamné !

Probablement pas, sinon il ne serait pas en liberté, mais elle voulait l'entendre de la bouche de Jake.

– Condamné à se marier avec une folle, pour sûr ! s'esclaffa l'un des hommes.

Tous éclatèrent de rire, sauf Sam, qui trouvait la remarque cruelle. Peut-être que ce mariage avait été sa seule échappatoire, après tout. Son hilarité retombée, Jake lui raconta qu'après une nuit en cellule destinée à le calmer, le juge l'avait relâché.

– On ne peut en vouloir à un homme de perdre la tête quand il trouve sa fiancée au lit avec un autre, conclut-il.

– C'est absurde. Je ne suis pas sa fiancée, et d'ailleurs...

– On est au courant, coupa un autre. Il a refusé de se marier avec une fille facile.

– C'est le gendre du juge maintenant, intervint un troisième. Il n'a plus de soucis à se faire.

– A part d'être marié avec une folle ! répéta, ravi, celui qui avait lancé la blague.

Tous s'esclaffèrent de plus belle. Sam les foudroya du regard.

– Vous me dégoûtez. Je ne suis pas une fille facile. Ça ne vous regarde en rien, mais sachez que j'étais seule quand il a fait irruption dans ma chambre. Il a fallu qu'on vienne à mon secours.

– On dit ça. Moi, je sais ce que je sais.

– Allez au diable !

Elle se retourna vers Jake.

– Où peut-on trouver Ballard durant la journée ? demanda-t-elle, blême de rage.

Le rires s'étaient tus. Jake regarda l'horloge.

– A cette heure-ci, il doit déjeuner au Drovers' Cottage. Il fraie avec la haute, maintenant.

Le Drovers' Cottage était le meilleur restaurant de la ville. On ne pouvait manquer de remarquer cet immeuble vert et jaune vif de trois étages doté de stores vénitiens. Là, installés dans la vaste véranda, les conducteurs de bétail pouvaient se détendre, parler affaires ou assister au spectacle des trains arrivant en gare. La gastronomie de l'établissement était, disait-on, aussi fine que dans les endroits les plus réputés de l'est du pays. Lorsque Sam franchit le seuil dans sa belle robe en cachemire bleu surmontée d'une veste croisée, les clients se retournèrent sur son passage. Un serveur vint aussitôt à sa rencontre : les femmes seules n'y étaient pas les bienvenues.

Avant même qu'on ait eu le temps de la prier de quitter les lieux, elle avait repéré Jarman, attablé en compagnie de deux éleveurs bien habillés.

– Auriez-vous l'amabilité d'informer Monsieur Ballard que mademoiselle Labrune souhaiterait s'entretenir avec lui sur la véranda ?

Le serveur s'empressa d'accéder à sa demande, soulagé qu'elle n'ait pas demandé une table.

Sam s'installa à l'écart, tout au fond. A peine s'était-elle assise sur un rocking-chair que Jarman arrivait, rouge de colère.

– Par le Malin, que veux-tu de moi, catin ? Comment oses-tu me faire appeler comme si j'étais ton valet ?

Elle le dévisagea avec aplomb et réussit même à arborer un sourire ironique.

– Vous avez fait irruption dans ma chambre parce que vous étiez ivre et hors de vous. Et parce que vous espériez me voler mon argent, ce que vous n'avez pas réussi à faire, heureusement. Comment osez-vous répandre des calomnies sur mon compte, dire que j'étais votre fiancée et que vous m'avez surprise dans les bras d'un autre ?

– Je dis ce qu'il me plaît. Au cas où tu ne le saurais pas, mon beau-père est un homme important, ce qui m'octroie certains privilèges. J'avais toutes les raisons d'être furieux. Avec tout ce que tu m'as fait endurer, je te devais bien ça.

– Vous n'en aviez qu'après la dot de Céleste – que vous avez gardée, du reste. Vous devriez avoir honte de vous. Vous n'êtes qu'un menteur et un voleur.

– Et toi une putain doublée d'une arnaqueuse !

Sam s'était promis de ne perdre son calme sous aucun prétexte. Elle comptait le piquer au vif pour lui faire relever le défi au poker.

– Vous vous vantez de votre belle-famille... N'est-ce pas ce mariage qui vous a valu d'être libéré après votre forfait ? ne put-elle pourtant s'empêcher d'attaquer.

S'adossant à la balustrade, il croisa les bras.

– Je n'ai commis aucun forfait. D'après le juge, ma réaction était compréhensible, compte tenu des circonstances. Mais je suis sûr que ce n'est pas ce qui t'amène ici. Tu dois plutôt t'inquiéter pour ton emploi au Lucky Steer après que j'ai gagné contre Lyman. Malheureusement, quand j'ai dit à Louretta que ses filles pouvaient travailler dans le saloon, elle n'a accepté qu'à la condition que je te renvoie. Elle a l'air de ne pas voir d'un bon œil que tu lui aies soufflé Ramsey.

Sam ne pipant mot, il poursuivit, content de lui :

– Peut-être aurai-je pitié de toi. A la condition que... – son regard s'attarda sur le décolleté de Sam – ...que tu me donnes de très bons motifs pour te garder.

– Plutôt mourir que de travailler chez vous !

– Fort bien. Je ne veux plus te voir ici. Si tu n'as rien à ajouter, je vais retrouver mes amis.

Elle passa à l'attaque.

– En fait, je suis venue vous défier de faire une partie de poker contre moi. Je veux récupérer ce que Lyman a perdu.

Il fut secoué d'un rire rauque.

– Ne sois pas ridicule. Je ne joue jamais au poker contre une femme !

Un peu plus loin, quelques hommes les observaient avec curiosité. Il les remarqua.

– Sors d'ici, répéta-t-il. Je suis un homme marié et bientôt un notable. Je ne veux pas faire jaser en parlant en public avec une femme de ton espèce.

– Si vous refusez de jouer contre moi, toute la ville le saura. Et vous passerez pour ce que vous êtes : un couard. Je doute que cela soit bon pour vos affaires et votre réputation.

Il se retourna et la dévisagea, blême de rage. Il la haïssait de tout son être. Seigneur, pourquoi ne pas l'avoir bâillonnée et ligotée pour lui montrer qui était le maître ? Elle ne serait pas là à le narguer. Il avait fait la faute d'arriver éméché dans sa chambre. Et, autre erreur fatale, de se laisser forcer la main par le juge, qui n'était pas si riche que prévu.

Dieu soit loué, il avait au moins eu une bonne idée : manipuler Guthrie, en l'absence de Samantha, et le faire jouer gros. Il allait devenir propriétaire de la salle de jeu la plus prospère d'Abilene. Quand l'argent commencerait à rentrer à flots, il serait temps de régler sa situation matrimoniale.

Le voyant crispé, Sam sentit qu'elle le tenait.

– Alors, que décidez-vous ? s'enquit-elle d'une voix presque suave. Aurez-vous le cran de relever le défi ?

On la disait très forte aux cartes, une des meilleures. Ses gains considérables en étaient la preuve. Elle avait raison. Refuser cette partie entacherait sa réputation...

Qu'ai-je à craindre ? songea-t-il. Il connaissait tous les trucs et se passait même le bout des doigts au papier émeri pour mieux lire les cartes marquées par ses soins.

Finalement, posant les mains sur la chaise devant elle, il se pencha pour murmurer sans risquer d'être entendu :

– Je ne jouerai qu'à une seule condition.

– Aucune condition, rétorqua-t-elle en secouant la tête.

– Tu me prends pour un imbécile ? Pourquoi m'engagerais-je dans une partie où tu n'as rien à miser ? Qu'est-ce que j'aurais à gagner ? Je doute que tu disposes de la somme qu'il faut.

Les économies de Sam ne représentaient qu'une fraction de la valeur de ce que Lyman avait perdu. Elle concéda :

– Je trouverai des associés. Si je devais perdre, vous récupéreriez votre argent.

– Non, fit-il en se passant la langue sur les lèvres. Mon mariage avec Myriam présente certains avantages, mais il manque de certains autres. Si tu perds, j'exige d'être payé en nature. Quand je veux. Aussi longtemps que je veux. Jure-le-moi. Si tu ne tiens pas parole, je te tuerai.

Il s'interrompit pour afficher un sourire narquois.

– C'est à mon tour de te demander si tu as assez de cran !

Elle se leva, l'affrontant du regard.

– C'est moi qui ai lancé ce défi. – Elle le repoussa d'une pichenette – Et vous, vous vous êtes contenté de le relever.

Sur ce, elle regagna sa chambre pour s'entraîner aux cartes, car ils avaient finalement convenu que la partie aurait lieu le soir même à vingt heures.

Quelque temps après, Louretta vint frapper à sa porte.

– Je n'ai pas le temps, répondit Sam, agacée.

Dans l'embrasure, la fille trop maquillée avait les poings sur les hanches.

– C'est bien dommage, parce qu'il le faut. Je n'apprécie pas que tu sois partie avec mon meilleur client, et...

– Paul n'est pas assez souvent en ville pour être ce que tu dis, riposta Sam d'un ton sec pour couper court à la discussion.

Depuis leur dispute, elle avait le cœur lourd et pas la moindre envie de parler de lui avec une de ses supposées conquêtes. Elle s'apprêtait à refermer la porte quand Louretta la bloqua du pied.

– Trouve-toi une autre chambre. Je refuse que tu restes ici.

La seule façon de se débarrasser d'elle était de lui donner du grain à moudre.

– A partir de demain, c'est toi qui devras aller chercher ailleurs, contra Sam. Va voir Lyman, il va tout t'expliquer.

Repoussant doucement vers la sortie une Louretta tout étonnée, Sam ferma la porte à clé.

La prostituée resta un instant sur le palier, s'efforçant de contenir sa rage. Elle tenait beaucoup à Paul Ramsey, non seulement parce qu'il s'agissait d'un amant hors pair, mais parce qu'il était attentionné et d'agréable compagnie ; elle lui en voulait d'avoir volé au secours de Sam. Pour qui se prenait-elle, cette petite prétentieuse ? Dès que sa voisine de palier s'était absentée de sa chambre, Louretta s'était levée, bien décidée à jeter ses affaires dehors – elle possédait un passe –, mais elle avait aperçu Paul dans le couloir. Entrouvrant la porte de sa chambre, elle n'avait eu que le temps de le voir glisser une enveloppe sous celle de Sam. Il l'avait saluée poliment et s'était esquivé.

Changeant d'avis, elle avait, de suite, récupéré la lettre, comptant en faire bon usage. Son meilleur client depuis peu, Jarman Ballard, ne lui avait-il pas demandé de l'informer des moindres faits et gestes de Paul et de Sam ?

Au Lucky Steer, la salle du fond, réservée aux joueurs qui misaient gros, s'était remplie à l'annonce du défi lancé par Sam.

Lyman ne pouvait s'empêcher de trembler en servant aux consommateurs bière, whisky, œufs durs au vinaigre et pieds de cochon fumés. Sam arriva peu avant l'heure dite, très concentrée. Elle n'était pas d'humeur à parler car elle avait besoin de toute son énergie. Elle avait choisi sa tenue avec soin : une robe ample en satin bleu vif avec des manchettes en dentelles où elle avait dissimulé un jeu de cartes supplémentaire, car on n'est jamais trop prudent.

Jarman, vêtu comme un dandy, arborait un sourire insolent en traversant le saloon. Il annonça à qui voulait l'entendre qu'il allait remporter la partie, il le sentait dans ses veines.

– J'ai pris la liberté de nous réserver une chambre à l'Alamo, chuchota-t-il à l'oreille de Sam, déjà installée. Le cadre y sera plus plaisant que dans la tienne, tu en conviendras. J'ai également commandé du champagne pour fêter la nuit de noces que nous n'avons jamais eue.

Il déposa un rapide baiser sur sa joue avant qu'elle n'ait eu le temps de le gifler.

Désignant la chaise en face d'elle, elle déclara d'une voix glaciale :

– Finissons-en. Je ne compte pas passer plus de temps que nécessaire en votre compagnie.

– Nous allons être très, très proches, Samantha, tu vas voir.

Elle constata avec déplaisir qu'il n'était pas incommodé le moins du monde par la foule qui les entourait. Il coupa, formant deux paquets égaux qu'il battit en les intercalant avec une implacable exactitude. Il avait dû trouver le moyen de marquer les cartes avec une aiguille.

Lorsque ce fut son tour de distribuer, Sam tenta en vain de percevoir les marques. Au regard brillant de Ballard, elle vit qu'il avait remarqué ses soupçons.

L'issue était encore indécise, chacun gagnant des donnes à son tour. Ballard jouait au chat et à la souris avec elle. Elle exigea un nouveau paquet, mais il réussit à repérer les cartes maîtresses en peu de temps. Visiblement, il savait ce qu'il faisait.

Malgré son talent, Sam s'endettait de plus en plus. Elle avait espéré gagner à la loyale ; hélas, la chance n'était pas de son côté. Lorsqu'elle eut perdu toutes les économies qu'elle avait sorties de la banque, il trouva le moyen de la faire sortir de ses gonds.

– A partir de maintenant, l'argent est inutile, annonça-t-il à la cantonade. Samantha et moi avons passé un accord.

Quelques ricanements entendus s'élevèrent derrière le dos de Sam. Elle se hérissa. Elle ne pouvait se permettre de perdre, pas seulement à cause de la promesse faite à Lyman. Sa fierté était en jeu, à présent. Plutôt mourir que de passer une seule nuit avec Jarman.

Celui-ci gagna vingt-deux donnes de suite. Quand elle avait un brelan de dames, il sortait trois rois. Si elle avait trois as, il la coiffait avec une suite.

– Tu as perdu, lança-t-il enfin en abattant un carré de six sur son brelan de dames. Terminé. Il se fait tard, je vais me coucher.

Ponctuant ses dernières paroles d'un bâillement feint, il se leva en tirant bruyamment sa chaise.

Cela faisait un bon bout de temps que Lyman s'était réfugié dans un coin pour téter une bouteille de whisky. A l'annonce officielle de la déroute de Sam, il poussa un long gémissement et s'écroula.

Sam profita de cette diversion pour remplacer le jeu de cartes par celui qu'elle gardait dans sa manchette.

– Attendez un instant.

Tous les regards se braquèrent aussitôt sur elle. A l'affût d'une ruse, Jarman évalua la situation. Les cartes étaient comme tout à l'heure, entassées sur la table, n'attendant que d'être rangées ou battues. Cependant, la partie était finie. Où voulait-elle en venir ?

– Une dernière donne. Quitte ou double.

Amusé, il haussa un sourcil.

– Pour quoi faire ? Vous avez perdu tout ce que vous aviez – vraiment tout.

– Je veux une chance supplémentaire. C'est moi qui donne.

– J'ai déjà gagné, vous n'avez plus rien à miser. Pourquoi devrais-je prendre le risque de perdre ?

– Parce que sinon, c'est que vous n'avez rien dans le ventre !

Ses paroles claquèrent comme un fouet, déchirant l'atmosphère déjà tendue. Ceux qui avaient commencé à partir revinrent sur leurs pas. Jarman ne pouvait se dérober sans perdre la face.

– Si je vous surprends à tricher...

– Si vous avez des preuves...

– Allez, distribuez ; qu'on en finisse une bonne fois.

Lyman se redressa tant bien que mal pour se joindre à la foule. Sam ignora le regard provocateur de Jarman, destiné à la déconcentrer. Feignant de battre les cartes, elle les replaça dans l'ordre exact où elle les avait mises. Elle lui distribua cinq cartes se suivant dans la couleur. Une quinte parfaite. Il se déclara servi.

D'habitude impassible, Jarman ne put s'empêcher de ricaner en abattant ses cartes :

– Quelle perte de temps !

Un murmure s'éleva parmi les spectateurs. Pris de vertige, Lyman s'accrocha au bras de son voisin.

– Pas si vite, riposta Sam.

Le regard rivé dans celui, jubilant, de Jarman, elle retourna ses cartes une à une. Full de sept par les dix. Il était battu.

– Maintenant, la partie est vraiment terminée, conclut-elle avec un sourire des plus suaves.

24

Jarman remua et se mit à grogner. Il avait des hauts-le-cœur et mal à la tête. Mieux valait ne pas bouger de l'endroit où il se trouvait.

Il ouvrit un œil. A la lueur filtrant à travers les volets, il vit que le jour se levait. Il devait malheureusement faire de même et sortir d'ici avant que les rues ne regorgent de monde : on était dimanche, et Myriam l'attendrait pour aller à l'église.

Dieu merci, Quigby était absent. Le juge lui aurait inévitablement reproché d'avoir passé la nuit hors de la maison. Mais lorsqu'il avait perdu la partie de poker, il avait cédé à son impulsion première : aller se saouler. Louretta s'était employée à l'y aider. Il se trouvait à présent dans son lit, affligé d'une atroce gueule de bois – et d'autant plus furieux que Samantha reposait dans la chambre à côté.

Elle avait triché. Cette petite traînée avait remplacé le jeu truqué de Jarman par un autre sans que personne ne s'en rende compte. Et il était incapable de le prouver. Elle avait gagné. Ah, bon sang, comme il regrettait cette idée de monter un casino ! Tous ses projets et ses rêves tombaient à l'eau, à présent, et il n'avait plus qu'une envie : recouvrer sa liberté.

Être l'époux de Myriam, c'était être marié avec un cadavre. Le soir de leur nuit de noces, elle aurait aussi bien pu reposer dans la tombe. Elle s'était montrée si raide, si froide, qu'il avait été incapable de consommer. Il s'était levé, rhabillé, puis glissé hors de la maison pour aller rendre une petite visite à Louretta, chez qui il était régulièrement revenu depuis lors.

Obsédée par l'idée de communiquer avec les esprits, Myriam restait indifférente à tout ce qui l'entourait, et ne faisait jamais la moindre remarque lorsqu'il rentrait tard le soir. Jarman la trouvait dérangée, et bonne pour l'asile, mais il savait que le juge ne consentirait jamais à y envoyer sa fille. Jarman le détestait de plus en plus, celui-là. Ah, s'il n'y avait eu que ce mariage ! Mais Quigby laissait depuis libre cours à son autoritarisme. Il passait son temps à traiter Jarman comme un domestique, à lui rappeler la dette qu'il avait à son égard. Jarman était certain que s'il avait pu remporter la partie de la veille, la salle de jeu aurait fini par lui rapporter assez d'argent pour échapper à son sort funeste... Mais cette maudite Samantha venait une nouvelle fois de réduire ses espoirs à néant. Il allait trouver le moyen de le lui faire payer... Ainsi qu'à Ramsey ! se jura-t-il en serrant les dents contre la migraine qui lui martelait le crâne.

A son côté, Louretta roula sur le dos et se mit à ronfler. Dégoûté, il lui donna un coup de coude. Elle s'éveilla avec un grognement de surprise.

– Tu es toujours là ? C'est bien. Avec toute cette gnôle que tu as descendue hier, j'avais peur de ne pas pouvoir t'en donner pour ton argent. Mais si tu es prêt, allons-y.

Elle amorça un mouvement pour se couler près de lui, mais il la repoussa.

– Ne sois pas ridicule. Je suis à moitié mort de fatigue. Lève-toi plutôt et trouve-moi un bon café chaud, histoire de me remettre sur pieds et de sortir de ce trou à rats.

Louretta fronça les sourcils. Les rideaux rouges en fausse dentelle, le couvre-lit à fleurs, les belles lampes à huile, les nus accrochés au mur Elle avait tenté de donner un air gai à la pièce, allant jusqu'à ajouter à l'entrée, pour le plaisir du visiteur, un rideau de perles qui tintait agréablement au passage. Non, Jarman ne pouvait détester à ce point ce décor. Il devait y avoir autre chose derrière son agacement.

– Tu penses à elle, hein ? fit-elle, compatissante. Ah ça, mon chou, je peux pas te le reprocher. Moi aussi, ça me tape sur les nerfs de la savoir à côté. Malheureusement, on n'y peut rien, étant donné ce qui s'est passé hier soir.

– Ne me reparle pas de ça ! gémit-il en enfouissant la tête sous l'oreiller.

– Elle va probablement me jeter dehors dès que cet endroit lui appartiendra.

Il se redressa instantanément.

– Comment ça ?

– Lyman m'a dit qu'il avait l'intention de tout lui vendre. Il veut arrêter. D'après lui, c'est idiot de posséder un casino quand on a la fièvre du jeu.

Oubliant son état, Jarman bondit du lit.

– Ça, c'est le bouquet ! Je dois partir d'ici tout de suite. Je refuse de rester une minute de plus !

Il avait grommelé à voix basse, de peur que Samantha ne l'entende depuis sa chambre. Il était hors de question de vivre dans la même ville que cette femme, pour la voir parader comme propriétaire des lieux qu'il avait convoités, tandis que lui-même servait de mari à une maboule et de laquais au père de celle-ci. Il devait se débrouiller pour quitter Abilene, ou il allait devenir fou.

– Alors, tu vas m'emmener ailleurs ? s'exclama Louretta en s'efforçant de ne pas parler trop fort. Oh, Jarman, mais c'est formidable ! Tu penses à quoi ? Je n'ai pas besoin que ce soit très grand. Cinq pièces suffiraient.

J'ai trois filles qui travaillent pour moi, mais j'aurai de quoi en prendre une quatrième, et...

Il ne parvenait pas à penser tant sa migraine le lancinait.

– Plus tard, Louretta, intima-t-il en se comprimant les tempes. Bon, tu me trouves du café, oui ou non ?

Louretta enfila ses vêtements et se précipita hors de la pièce. Vite de retour, elle attendit qu'il ait terminé sa première tasse, et tenta de réaborder le sujet. Mais Jarman ne voulait pas perdre de temps à discuter de projets qu'il n'avait aucune intention de concrétiser. Il avait décidé de quitter la ville. Il ignorait encore comment et quand il le ferait, mais c'était dit. Néanmoins, tant qu'il était là, autant se ménager gratuitement une place au chaud dans le lit de Louretta.

Il afficha un sourire mielleux :

– Donne-moi un peu de temps pour y réfléchir. Il faut songer à tout.

– Bien sûr, tu as raison ! fit-elle, radieuse. Au fait, ajouta-t-elle pensivement, que disait cette lettre ? Est-ce que Paul va revenir bientôt ? Je préférerais être partie à ce moment-là.

Jarman, occupé à ajuster son chapeau, s'apprêtait à ouvrir la porte. Il avait besoin d'être seul pour pouvoir échafauder ses projets.

– Qui ? Quelle lettre ?

– Celle que je t'ai donnée hier soir. Tu sais bien. C'est Paul qui l'a glissée sous la porte de Sam.

Tout lui revint soudain. La veille, il avait grimpé l'escalier en titubant, en revenant du saloon où il s'était précipité dès la fin de la partie pour noyer son échec dans l'alcool, tandis que Louretta l'attendait dans sa chambre. Jarman se souvenait, à présent. Elle lui avait donné une enveloppe en expliquant quelque chose à propos de Samantha et de Ramsey, mais son ébriété l'avait empêché de prêter la moindre attention à ce qu'elle disait.

Il tâta son manteau et finit par sentir un papier dans sa poche de poitrine. Il en extirpa la lettre et sentit exploser un mélange d'excitation et de fureur en découvrant le texte.

« Très chère Sam. Je suis désolé de ce qui est arrivé à l'hôtel. J'avais tort. Je n'ai jamais été doué pour les mots, mais je voudrais te dire que je t'aime. C'est la raison pour laquelle je te veux près de moi, là où je puisse te protéger, et puisque je dois t'épouser pour cela, cette lettre est donc une demande en mariage, si tu veux bien de moi. Je n'avais jamais cru que ce jour viendrait, le Seigneur m'en soit témoin. Mais il est vrai aussi que je n'avais jamais songé pouvoir rencontrer quelqu'un comme toi.

Je ne serai pas de retour avant dimanche en huit. Cela ne m'enchante guère, mais j'ai encore du travail et je dois voir le juge Quigby lundi. Je te rendrai donc visite à ce moment-là pour te demander ta réponse.

Paul, qui attend ce jour avec ferveur ».

Après avoir rempli une seconde fois la tasse de Jarman, Louretta alla se poster à côté des fenêtres. Puisqu'il ne voulait pas qu'elle se mette tout de suite en quête d'un appartement, elle décida de passer la journée à récupérer. De toute façon, il y avait des chances pour qu'il revienne plus tard. C'était généralement ce qu'il faisait lorsqu'il s'était montré incapable d'accéder au plaisir durant la nuit.

Elle entendit un chariot descendre la rue. Celui des convoyeurs de fonds de Juby Fowler, sans doute. Il passait maintenant devant l'immeuble, et sa supposition se confirma. Le conducteur ne pressait pas les chevaux. A côté de lui, fusil posé sur les genoux, le garde avait la tête qui dodelinait.

– Harold et Charlie sont vraiment réglés comme une horloge, remarqua-t-elle distraitement. Tous les dimanche matin que Dieu fait, qu'il pleuve ou qu'il vente, ils passent là avec les fonds de ce vieux grippe-sou de Fowler. Tu te rends compte, avec tout ce qu'il gagne dans sa salle de jeu, il ne veut même pas investir dans un comptable ! Un de ces jours, ils vont se faire attaquer.

Une idée s'infiltra dans les méandres embrumés du cerveau de Jarman, mais il fut incapable de la formuler. Pourtant, quelque chose lui disait qu'il était sur le point de résoudre tous ses problèmes à la fois... Mais les phrases de Louretta lui parvenaient à travers le coton qui lui collait au crâne.

– Non, je ne crois pas, répondit-il, pensif. J'ai entendu les gens en parler. Le ranch de Fowler ne se trouve pas très loin d'ici, à quinze kilomètres tout au plus. Et c'est une véritable forteresse, à ce qu'on dit. Il y a des dizaines de gardes, et...

Il s'interrompit : un frisson venait de le parcourir en même temps que l'idée se manifestait enfin, dans toute sa splendeur.

– Seigneur ! Ça y est ! s'écria-t-il, oubliant sa retenue.

Louretta se retourna. Elle ne l'avait pas vraiment écouté, car il donnait l'impression de se parler à lui-même. Elle vit la façon dont il considérait la lettre, toujours entre ses mains, la rougeur qui avait soudain envahi son visage...

– Ça dit quoi ? demanda-t-elle, tout excitée.

Elle dut poser la question une seconde fois, car il rêvassait à son tour. Il finit par répondre :

– Oh, ils se sont querellés dans un quelconque hôtel. Ça n'a aucune importance. Bon, il faut que je parte.

Sur quoi il se précipita dehors pour éviter de nouvelles questions.

Plus il y songea, plus il se sentit excité. Le dimanche suivant à l'aube, le chariot allait se faire attaquer, par tous les diables ! Et cela tomberait à pic, parce qu'il connaissait assez bien Abilene maintenant. La route menant chez Fowler passait pile devant la maison du juge. Idéal pour une embuscade.

Jarman détacha bien vite sa monture, l'enfourcha et la talonna comme un beau diable, bien décidé à rattraper le convoi. Lorsque ce fut fait, il ralentit l'allure afin de se concentrer sur les aspects pratiques de son projet. Il suivit Harold et Charlie jusqu'à chez Quigby, où il descendit de cheval. Là, continuant leur chemin, ils passèrent le cimetière et l'église, pour disparaître dans un virage bordé d'épais buissons. Ça va marcher ! songea-t-il.

Cependant, il devrait prendre beaucoup de précautions dans l'élaboration de son plan, dont l'exécution aurait lieu le dimanche suivant. Et ce ne sera pas le seul à être exécuté ! jubila-t-il en songeant à Ramsey. Quand à Samantha, il s'en chargerait plus tard. Et cette fois, elle n'aurait personne pour venir à sa rescousse.

Il pénétra dans la maison et fut vite incommodé par l'odeur d'encens due à la séance occulte de la nuit précédente. Myriam paraissait faible et docile, mais elle restait capable de deviner que Jarman ne reviendrait pas de la nuit quand le juge s'absentait. Le guéridon et les chaises se trouvaient toujours au milieu de la pièce, et elle n'avait pas encore débarrassé les reliefs de la collation servie à ses visiteuses.

Jarman, surexcité, se fichait soudain comme d'une guigne de ce à quoi elle pouvait bien occuper ses soirées. Tout ce qu'il voulait, c'était une autre dose de café. Il s'en fit une pleine cafetière, qui l'aida à passer une nouvelle fois en revue les détails de son stratagème.

Lorsque Myriam risqua un œil dans la pièce quelque temps plus tard, l'air si lointain qu'on aurait pu la prendre pour une somnambule, c'est sur un ton agréable qu'il lui demanda si elle souhaitait qu'il l'accompagne à l'église.

Une fois dûment assis sur le banc aux côtés de sa femme, Jarman fit mine de prêter attention aux paroles du pasteur. En réalité il observait l'intérieur de l'édifice pour en noter les moindres recoins. Le lieu était parfait pour dissimuler son futur butin. Qui songerait à l'y chercher, et d'ailleurs qui y penserait ? Il prétendrait avoir entendu des coups de feu et s'être précipité dehors au moment même où les bandits s'enfuyaient. Ensuite, quand son plan serait exécuté, et que Ramsey, condamné à mort par le juge pour attaque à main armée, se balancerait au bout d'une corde, il ne lui resterait plus qu'à revenir ici et cette fois il sortirait vainqueur de son stratagème. On ne le prendrait pas, car personne ne le soupçonnerait jamais. Et il serait suffisamment riche pour refaire sa vie dans une nouvelle ville. Le seul élément manquant était un complice ressemblant physiquement à Paul Ramsey.

Plus tard dans l'après-midi, il se rendit en ville pour s'adjoindre les services de l'homme auquel il songeait depuis un moment. Un certain Pike Albritton, décrit un jour par le juge, alors qu'ils venaient de le croiser devant un saloon, comme « de la racaille capable de tuer un homme pour le prix d'une bière » Il s'en était souvenu soudain. Et c'était exactement le genre d'homme qu'il lui fallait. Albritton était grand, massif. Il avait de longs cheveux bruns, qu'il ne tressait pas, certes, et qui lui pendaient tout gras dans le dos, mais qui ferait la différence avec Paul ? De toute manière, les « malfaiteurs » auraient tous les deux le visage recouvert d'un foulard.

Lyman reposa son stylo à plume et poussa la feuille de papier devant Sam.

– Voilà. Comme ça, le Lucky Steer est à toi.

Sam contempla le document qui légalisait la promesse de la veille. Le terrain et le bâtiment lui appartenaient, désormais. Elle se sentait extrêmement émue car, en dehors de ses vêtements, c'était la première fois de sa vie qu'elle possédait quelque chose.

– Es-tu certain de ce que tu fais ?

Elle guetta le visage de son interlocuteur, à la recherche d'une quelconque marque de doute. A la moindre réticence de sa part, elle était décidée à abandonner son dû.

– Totalement.

– Dans ce cas, accepte au moins que je te donne plus.

– Tu m'as réglé très précisément ce que j'ai payé pour le terrain et le bois[3]. Tu m'as rendu ce que j'y ai investi.

Sam secoua la tête.

– Non, Lyman. Tu en as fait l'une des salles de jeu les plus fréquentées de l'Enclave du Diable, où elle n'a d'ailleurs pas à être située puisque ce n'est pas une maison close. Enfin, en ce qui concerne le rez-de-chaussée...

Elle se félicita au passage de pouvoir bientôt expulser Louretta et sa colonie de coquettes sales.

Secouant la tête, Lyman leva son verre de whisky pour porter un toast. Elle tendit le bras pour placer ses main sur la sienne.

– Bon, capitula-t-elle. Mais tu peux rester. Travailler avec moi. J'aurai bien besoin de toi au bar.

– Impossible. Je repars au Texas. Cela faisait déjà un moment que j'avais le mal du pays, et tout ce dont j'ai besoin, c'est de quoi manger et d'un toit pour dormir. Au moins, en ne possédant rien, je suis sûr que je ne pourrai rien perdre ! – Repoussant sa chaise, il lui adressa un sourire affectueux – Et quant à toi, Sam, tu

---

3. Dans le Far West, il était de coutume d'aider ses concitoyens à bâtir les constructions en bois (N.d.T.).

n'as aucun besoin d'un homme. Tu es le genre de femme qui peut parfaitement se débrouiller sans nous. Alors cesse de te faire du souci pour moi, et mets-toi au travail, conclut-il. Que cet endroit devienne une oasis pour rupins, comme à l'Alamo. Tu en es capable, tu sais !

Après le départ de Lyman, qui prenait le train du soir pour Salina, Sam erra dans le bâtiment désert en songeant aux améliorations qu'elle apporterait à la décoration. En tous cas, Lyman avait tort sur un point : elle avait besoin d'un homme. Mais un seul s'imposait à son esprit : Paul Ramsey. Et si l'occasion lui en était donnée une nouvelle fois, elle se montrerait prête à abandonner son nouveau commerce, sans remords, pour être auprès de Paul. Le tout était de trouver le moyen de le lui dire. Et peut-être que s'il cessait d'être têtu comme une mule, s'il admettait l'évidence, acceptait d'avouer qu'il l'aimait, probablement alors accepterait-elle de devenir sa femme, même si cela impliquait des sacrifices. Une chose était sûre, cependant : elle ne laisserait pas tout choir pour attendre qu'il daigne lui rendre de temps en temps une petite visite. Elle avait refusé de jouer les courtisanes de luxe à Paris, ce n'était pas pour tomber aussi bas que des femmes comme Louretta !

Louretta. Sam inspira profondément puis, enfin décidée à l'affrontement inévitable, monta à l'étage mettre fin à cette situation.

Elle cogna à la porte. Quelques instants plus tard, la prostituée apparut sur le seuil de la porte, seulement vêtue d'une robe de satin rouge qu'elle maintenait rabattue contre sa forte poitrine.

– Tu veux quoi ? demanda-t-elle sur un ton de défi. Je travaille la nuit, l'aurais-tu oublié ? Je n'aime pas qu'on me réveille quand il fait encore jour.

– Eh bien, c'est précisément ce qui m'amène, Louretta, répondit Sam en lui mettant sous le nez l'accord passé avec Jarman. Désormais, tu ne vas plus travailler ici. Le Lucky Steer m'appartient.

Louretta fronça les sourcils.

– Je le savais ! Et ce n'est pas parce que tu n'apprécies pas de voir mes filles travailler ici. C'est à cause de lui. De Paul. Tu ne supportes pas de me savoir dans la maison alors qu'il m'a rendu visite. Tu es jalouse !

Sam n'avait pas la moindre intention d'admettre que c'était peut-être le cas. Elle n'était pas non plus d'humeur à discuter.

– Il n'y a aucune raison pour que nous en venions aux mains. Je t'accorde même une semaine pour vous permettre de trouver autre chose, à toi et aux filles.

– Oh, ça ne me prendra pas tout ce temps. Je peux être partie d'ici demain.

– Parfait, dans ce cas.

Sam tourna les talons.

– Et dès que je connaîtrai ma nouvelle adresse, je te l'enverrai, pour que tu la donnes à Paul. Il va se demander où je suis passée. Il est venu me voir hier matin. Il m'a dit que vous vous étiez écharpés dans un hôtel, tous les deux. Je sais l'écouter quand il est en colère, et aussi comment le rendre heureux. Il me revient toujours !

Sam s'était retournée et luttait pour conserver son calme, se refusant à laisser voir combien les paroles de Louretta l'avaient touchée à vif. La prostituée ne pouvait pas mentir. Sinon, comment aurait-elle eu vent de leur rencontre à l'hôtel et de leur prise de bec ?

Louretta vit que son histoire concoctée à la hâte avait eu l'effet voulu.

– Ça m'étonne que tu ne l'aies pas croisé, conclut-elle, triomphante. Tu devais être en bas avec Lyman...

Sam n'en pouvait plus.

– Eh bien, fais-moi savoir où tu te trouveras, coupa-t-elle, au prix d'un immense effort de volonté. Je me ferai un plaisir de lui faire passer le message.

Oh, comment avait-il pu la tenir dans ses bras toute une nuit, pour se rendre dans ceux d'une autre à la première altercation ? Était-ce là tout ce qu'elle signifiait pour lui ? Quelques moments de plaisir que l'on pouvait oublier à cause d'une brusque poussée de colère ? Qu'il aille donc au diable !

Se précipitant dans sa chambre, elle ferma la porte et mit le verrou, avant de se jeter sur le lit et de donner libre cours aux larmes refoulées jusque-là. Oui, elle allait pleurer une dernière fois sur ce qui n'avait jamais été, ne pourrait jamais être...

Et ensuite, se jura-t-elle avec ferveur, elle le bannirait pour toujours de son esprit et de son cœur.

25

Sam, qui se tenait à la fenêtre de sa chambre pensa qu'il lui fallait descendre allumer le poêle. Comme Lyman avant elle, elle n'ouvrait pas la salle de jeux le dimanche, mais le ciel gris et chargé laissait présager une journée de froid. Elle risquait de s'ennuyer toute seule, donc autant rester au chaud.

Bien que Lyman ne fût parti que depuis une semaine, Sam sentait déjà que le Lucky Steer serait très rentable. Lyman avait effectivement gagné de l'argent, mais ses clients, profitant de son penchant pour la bouteille, avaient accumulé dettes de jeu et ardoises et ne les remboursaient qu'en partie sans s'en inquiéter outre mesure. Lyman n'y avait jamais prêté attention. Depuis la partie contre Ballard, l'établissement ne désemplissait pas. Et maintenant, dans le tiroir-caisse de Sam s'amoncelaient or et billets, et non plus reconnaissances de dettes.

Que vais-je faire de tout cela ? se demanda-t-elle, morose, en contemplant la rue déserte en contrebas. A quoi bon avoir tant d'argent sans personne avec qui le partager ? D'ici un an ou deux, elle aurait gagné assez pour s'arrêter, vendre et s'en aller. Pour aller où, et pour quoi faire ? Sans Paul, cette existence n'avait plus de sens... Mais puisqu'il était trop têtu pour s'établir, qu'il ne compte pas sur elle pour être sa maîtresse !

Elle vit passer le chariot bâché de Fowler. Juste à l'heure, comme tous les dimanches – le seul jour où elle pouvait se lever tôt pour profiter des premières heures de la journée, les plus lumineuses.

Ce vieil excentrique de Juby Fowler préférait compter son argent chez lui ? Eh bien, quant à elle, comme Lyman, elle payait Jake Fowler et un adjoint pour qu'ils convoïent or et espèces à la banque dès les enjeux finis, le samedi. Edgar Miller avait l'obligeance d'ouvrir ses guichets à tous les propriétaires de salles de jeu qui préféraient ne pas conserver de grosses sommes jusqu'au lundi.

Elle observa le chariot qui s'éloignait dans un nuage de poussière, puis décida de sortir de sa minuscule chambre. Depuis que Louretta et ses filles ne travaillaient plus à l'étage, les dimanches après-midi étaient lugubres dans l'immeuble. Si elle descendait au saloon, quelqu'un s'arrêterait peut-être pour boire un café et lui faire la conversation ? Tout, pourvu qu'elle ne souffre plus à se languir de Paul.

Harold Veazey tenait mollement les rênes. A force de faire le chemin, les chevaux connaissaient la route et avançaient sans qu'on les guide.

A sa droite, la tête de Charlie Knight dodelinait. La carabine était posée à ses pieds en cas de besoin. Toutefois, ni l'un ni l'autre ne s'inquiétaient. Le trajet était relativement court et les bandits s'attaquaient plutôt à des convois plus conséquents, tels ceux d'une banque.

Harold bâilla et s'étira. Le chariot approchait d'un virage. Il fit claquer les rênes, soucieux d'accélérer un peu. Il avait hâte de rentrer chez lui pour découvrir quel bon plat sa femme lui avait préparé. Ensuite, il se recoucherait et dormirait jusqu'à midi.

Ils venaient de dépasser la maison du juge Quigby. Il jeta un coup d'œil à Charlie, qui dormait du sommeil du juste. Il songea un instant à le réveiller pour qu'il lui tienne compagnie durant les vingt dernières minutes du trajet...

– Nom de Dieu ! s'écria-t-il en tirant brusquement sur les rênes pour arrêter les chevaux.

Il se figea en voyant deux hommes au visage dissimulé sous un foulard leur barrer soudain le passage en brandissant leurs armes. Charlie se réveilla en sursaut, et réagit plus vite que son ami : il s'empara de sa carabine.

Le bandit le plus grand lui tira immédiatement une balle dans le poignet.

Sa victime poussa un cri de douleur, lâcha son arme et se saisit de son poignet sanglant.

Harold ne réagit pas. Il n'allait pas se sacrifier pour l'argent de Fowler.

– Prenez tout, M'sieur, mais ne tirez pas ! s'écria-t-il, tremblant. C'est pas mon argent, de toute façon.

Jarman fut ennuyé que Pike ait dégainé si vite. Il ne voulait pas de coups de feu avant qu'ils aient déchargé la caisse qui contenait l'argent. Espérons que personne n'a rien entendu, se dit-il en mettant pied à terre.

– Attends, ordonna-t-il à Pike. Laisse que j'attrape la caisse.

Il joignit le geste à la parole.

– Ne me faites pas de mal, hein ? continuait de geindre Harold. Prenez tout et partez. Pour ce que ça peut nous faire que...

Pike fit feu de nouveau. Harold s'écroula, frappé d'une balle.

– Enfant de salaud ! hurla Charlie.

Pike atteignit Charlie d'une balle entre les deux yeux. Lâchant la caisse, Jarman s'approcha de son complice, glapissant :

– Ramsey, espèce d'imbécile ! Tu n'étais pas censé le tuer !

Malgré son énervement, il s'était souvenu de faire entendre le nom de son ennemi.

– La ferme, ordonna son complice en pointant son arme sur lui. Ou alors je te fais sauter la cervelle à toi aussi.

Jarman bougea les lèvres sans émettre le moindre son. Il avait les yeux rivés sur le canon meurtrier.

– Partageons le butin avant que je change d'avis et que je prenne tout, ajouta Pike en rengainant son revolver et en descendant de cheval à son tour.

Jarman préféra ne pas le contredire. D'ailleurs, cette partie de son plan n'était peut-être pas à l'eau, après tout. Il venait de remarquer que le premier convoyeur, allongé face à lui, respirait encore malgré ses paupières closes.

Trop occupé à ouvrir la caisse pour en extraire sa part, Pike n'y prit pas garde.

– J'ai pris plus que prévu, ajouta-t-il en se retournant les poches bourrées, vers sa monture. Il y a toujours un supplément quand je tue. Je vais de l'autre côté de la frontière. Adios, amigo.

Il ponctua ses paroles d'un salut du chapeau et partit au grand galop.

Jarman profita que Harold était encore conscient pour s'écrier :

– Va au diable, Paul Ramsey ! Tu n'avais pas besoin de les tuer !

A présent, Il devait faire vite. Comme la caisse n'était ni encombrante, ni lourde, maintenant que Pike avait pris sa part, il n'aurait aucun mal à la transporter. Il la plaça aisément sur ses épaules puis, tirant son cheval par la bride, partit à pied vers l'église.

Son cœur fit un bond dans sa poitrine lorsqu'il aperçut Myriam. Celle-ci, vêtue d'une simple robe de chambre, courait à sa rencontre. Quelle bêtise d'avoir si vite baissé son foulard ! Elle ralentit en le reconnaissant, puis s'arrêta, attendant qu'il parvienne à son niveau.

– Qu'est-ce que tu fais ici ? attaqua-t-il, pris d'une furieuse envie de poser la caisse pour la frapper. Rentre à la maison tout de suite !

Myriam pâlit ; elle avait aperçu le chariot et les deux corps derrière lui. Son regard passa de la caisse au foulard. Jarman n'en portait jamais, d'habitude.

– J'ai entendu des coups de feu, bredouilla-t-elle. Je suis venue voir...

Rien ne se passait comme prévu. Jarman bouillait sur place.

– Je t'ai dit de rentrer. Tu n'as rien à faire ici.

Mais Myriam ne lui obéit pas. Il y avait des blessés, voire des morts, et cela semblait laisser Jarman indifférent. Elle regarda de nouveau la caisse :

– Qu'y a-t-il là-dedans ? Pourquoi partez-vous au lieu de leur venir en aide ? On leur a tiré dessus. Ces coups de feu que j'ai entendus...

Il la souleva d'une main, la serrant à la gorge. Elle essaya en vain de pousser un cri. Les yeux exorbités, elle se maintint tant bien que mal sur la pointe des pieds.

– Cela ne te concerne en rien. Va à la maison, restes-y et oublie tout ce que tu as vu et entendu. Je te dirai quoi faire en temps utile. Compris ?

Elle esquissa un hochement de tête.

– Si tu ne fais pas exactement ce que je te demande, je te préviens que je tuerai ton père. Et toi, je te ferai interner à vie dans un asile de fous. Fous le camp.

Il la repoussa si brutalement qu'elle faillit en tomber à la renverse.

Myriam prit ses jambes à son cou. Arrivée chez elle, elle claqua la porte. Son cœur battait la chamade, et elle respirait encore avec difficulté. Elle venait de prendre conscience avec horreur que son mari s'était fait le complice d'une attaque à main armée suivie d'un meurtre. Pire encore, elle ne pouvait rien dire à qui que ce fût.

Elle attendit d'avoir repris son souffle pour regarder par la fenêtre, cachée derrière les rideaux. Peut-être avait-il changé d'avis et voudrait-il la tuer pour s'assurer de son silence ?

Elle le vit se diriger vers l'église avec la caisse. Que faisait-il ? Prise d'un pressentiment, elle décida d'aller se rendre compte par elle-même.

Dès qu'il fut à l'intérieur du bâtiment, elle se précipita à l'entrée, pour l'observer à travers les portes entrouvertes. Il se trouvait près de la chaire. Il déplaça quelque chose pour séparer plusieurs planches disjointes, sous lesquelles il dissimula la caisse.

Lorsque Jarman rentra à la maison, il trouva Myriam assise à la table de la cuisine, la tête dans les mains. Prenant place à côté d'elle, il la secoua sans ménagement.

– Maintenant, écoute-moi bien, énonça-t-il lentement. Ce matin, nous avons été réveillés par des coups de feu. Je suis sorti voir ce qui se passait. Je suis rentré un peu plus tard et je t'ai raconté que le chariot de Juby Fowler s'était fait attaquer et que les deux convoyeurs de fonds étaient blessés. J'ai dit que j'allais les transporter en ville. C'est exactement ce que je vais faire maintenant. C'est tout ce que tu as besoin de savoir et de raconter, si on te demande quoi que ce soit. Compris ?

Elle faiblit sous son regard menaçant, pour répondre dans un murmure à peine audible :

– Je ne dirai rien d'autre, Jarman, je vous le jure.

Il l'attrapa par les cheveux.

– Tu as intérêt, fit-il en les lui tirant. Sinon, je te jure que je ferai ce que j'ai dit !

Dès qu'il l'eut lâchée, elle s'enfuit dans sa chambre et se glissa sous ses couvertures. Comment avait-elle pu se laisser imposer un tel mariage par son père ? Celui-ci l'avait culpabilisée, expliquant qu'il s'inquiétait de la laisser seule, qu'il était de son devoir de prendre un mari afin de le tranquilliser. Pour sa part, Jarman avait su la persuader qu'il voulait fonder une famille et qu'il se montrerait bon envers elle. Elle avait eu la folie de le croire. Il ne supportait même pas de la toucher. En outre, en surprenant une conversation entre son père et lui, elle avait compris qu'ils avaient conclu quelque accord financier.

Elle se mit à pleurer. Son père n'allait pas tarder à rentrer. Elle devait se ressaisir, sinon celui-ci aurait des soupçons et lui poserait des questions. Or, même s'il avait en quelque sorte payé Jarman pour l'épouser, le juge ne supporterait pas qu'il la maltraite...

Ah ! Si seulement elle pouvait entrer en contact avec Thomas ou son fils, ils sauraient trouver des mots réconfortants, elle le sentait !

Mordant un coin d'oreiller pour étouffer ses douloureux sanglots, elle songea que Jarman n'avait rien à craindre. Elle serait muette, de peur qu'il ne fasse du mal à son père et ne l'envoie à l'asile. Simplement, qu'on la laisse organiser des séances de spiritisme.

Sam avait entendu le vacarme. Elle courut à la porte, juste à temps pour voir déboucher un attelage qui tirait un chariot portant deux cadavres, ou ce qui y ressemblait. Les badauds accouraient, mais elle rentra à l'intérieur. Dans une ville sans foi ni loi, tout pouvait arriver. Elle apprendrait bien assez tôt ce qui s'était passé.

Elle n'eut pas longtemps à attendre. Il ne faisait pas encore nuit que Lisa Calhoun, une reine de la nuit qui travaillait au saloon en face, arriva dans tous ses états :

– Tu sais ce qui est arrivé ? Le chariot de Fowler a été attaqué. Ca s'est passé près de l'église. Charlie Knight a été tué et Harold Veazey n'en a plus pour longtemps. Tu ne devineras pas ? C'est l'homme que tu as battu aux cartes pour récupérer ton saloon qui les a ramenés. Il paraît qu'il habite pas loin.

Sam l'avait reconnu quand il était descendu du chariot, mais elle ne s'en était pas souciée. Lisa partit colporter son récit. Sam se remit au travail, rangea des verres, vérifia les stocks, s'occupant pour éviter de penser à Paul. Mais rien n'y fit tant son amour et sa souffrance la troublaient.

Elle avait presque fini son travail lorsqu'un des habitués de l'épicerie de Jake franchit le seuil du saloon.

– C'est Jake qui m'envoie vous chercher. Il a mis un ami à vous en prison. Ce type veut vous voir.

Ne comprenant pas où il voulait en venir, elle lui demanda des explications, qui la firent chanceler sur place.

– Il s'appelle Paul Ramsey. Jake l'a arrêté pour le hold-up du fourgon et le meurtre de Charlie Knight. Maintenant que Harold Veazey vient de mourir, il est accusé d'un double meurtre.

– Mais... C'est impossible !

– Si, Madame, c'est lui qui a fait le coup. Avant de mourir, Harold a fait une description qui correspondait. Il a même entendu son complice l'appeler par son nom. Le gars veut vous voir.

Sans hésiter, Sam prit son châle et lui emboîta le pas. Elle ne songeait plus à sa colère, seulement à l'amour qu'elle éprouvait pour Paul.

Une foule bruyante s'était attroupée devant la prison rudimentaire située derrière l'épicerie de Jake. Sam s'approcha de l'homme qui en gardait la porte.

– Laissez-moi entrer. Il veut me voir.

Les badauds commençaient à murmurer entre eux. L'homme fronça les sourcils.

– Écoutez, je sais pas, esquiva-t-il, Jake est pas là...
– C'est hors de question.
Se retournant, Sam vit Jarman avancer sur elle à grandes enjambées. Ses yeux brillaient de triomphe.
– Si vous vous montrez très aimable, je vous laisserai peut-être lui parler juste avant qu'il se balance au bout d'une corde.
Elle réprima sa fureur.
– En quoi cela vous concerne-t-il, Jarman ?
– Disons que mon beau-père m'a chargé d'organiser cette petite pendaison.
– Pendaison ? fit-elle, incrédule.
Parcourant l'assemblée d'un regard circulaire, elle n'y reconnut aucun visage sensible à la folie de la situation.
– Il n'a pas été jugé. On ne peut pas pendre quiconque sans procès.
Jarman eut un sourire satisfait.
– Oh, il l'a eu, son procès ! Dès son retour en ville, le juge s'en est occupé. Il sera exécuté après-demain à l'aube. On a déjà prévenu le bourreau préféré du Juge à Junction City. Il sait leur passer la corde juste comme il faut, pour qu'ils souffrent un peu, histoire de méditer sur leur péchés.
Sam réfrénait toujours l'hystérie qu'elle sentait monter en elle. Elle ne lui laisserait pas le plaisir de la voir exploser de colère.
– Je veux le voir. Jake dit qu'il m'a demandé.
– Cela ne veut pas dire que je vais vous y autoriser.
– Ce n'est pas de votre ressort, bon sang !
Jarman s'emporta le premier. L'attrapant par les épaules, il l'éloigna de la porte.
– Ne me parlez pas comme ça. Je vais vous faire chasser de cette ville, sale catin. Vous avez fait assez de mal comme ça.
– Ballard, ôtez vous de mon chemin.

Tous les regards s'étaient braqués sur Jake Whaley, qui venait de bousculer Jarman.

– Vous le regretterez, vous verrez ! Mon beau-père en sera informé !

Jake était déjà occupé à ouvrir la serrure de la prison.

– Continuez à me chercher noise, Ballard, et je vous casse la figure.

Il se tourna, mais Jarman avait déjà battu en retraite sous les quolibets de la foule.

– Entrez. Je ne peux vous accorder que quelques minutes.

Sam se précipita à l'intérieur. Paul la serra fort dans ses bras.

– Dieu merci, tu es venue !

Il huma ses cheveux pour s'imprégner d'elle.

– Je craignais qu'ils ne te laissent pas entrer.

Au lieu de partager son ardeur, Sam recula et le regarda dans les yeux.

– Vas-tu me dire de quoi il s'agit ? demanda-t-elle d'un air sombre.

Paul trouva qu'elle avait un comportement étrange, presque hostile à son égard, mais il attribua cela à la tension nerveuse. Il lui raconta rapidement qu'en venant en ville cet après-midi, il avait été arrêté sous l'inculpation de meurtre.

– Je n'avais pas eu le temps de comprendre ce qui m'arrivait que l'on m'avait déjà condamné à être pendu. C'est tout ce que je sais, Sam. Je t'ai fait chercher pour que tu découvres ce qui se passe.

Souffrant encore qu'il ait pu aller chercher du réconfort auprès d'une autre, elle dut prendre sur elle pour répondre d'un ton neutre. Elle ne pouvait nier qu'elle l'aimait, et elle voulait qu'il vive. Elle ferait tout ce qui était en son pouvoir pour le sauver.

– L'un des hommes t'a identifié avant de mourir ?

– Oui, c'est ce que Whaley a dit, mais c'est absurde. J'étais à des lieues de cette route ce matin.

– Es-tu en mesure de le prouver ?

– Hélas non. La nuit dernière, j'ai campé entre Council Grove et Abilene et je n'ai pas vu âme qui vive. Voyons, tu sais bien que je ne ferais jamais rien de tel ! Je ne suis pas un voleur et encore moins un assassin !

Non, songea-t-elle le cœur lourd, elle n'avait pas le moindre doute sur son innocence. Cependant, à moins d'un miracle, il allait être pendu.

Soudain, elle eut une illumination. Se rapprochant de Paul, elle se mit sur la pointe des pieds pour lui chuchoter son plan à l'oreille.

– Je vais prévenir Aigle Intrépide. Il saura comment te sortir d'ici. Il m'a dit de lui envoyer un télégramme en cas d'urgence. Une fois que tu seras libre, nous réussirons à prouver ton innocence.

– Non ! répliqua-t-il fermement.

Elle le recula, incrédule.

– Non, répéta-t-il à voix basse. Il réussirait à me faire évader, mais tous les Kansas se feraient massacrer en représailles. Je n'ai pas le droit de leur faire courir un tel risque.

– C'est peut-être notre unique chance.

– Je ne la saisirai pas, riposta-t-il avec des éclairs dans le regard. Je ne veux pas être responsable de la mort de mes frères. Efforce-toi de savoir si c'est Jarman Ballard qui se trouve derrière tout cela.

– Tu crois que c'est possible ?

– Je n'en sais rien. Tout est trop bien ficelé. Il se venge peut-être de l'humiliation que je lui ai fait subir dans ta chambre.

– Ou de moi, parce que...

Lorsqu'elle elle eut achevé le récit du défi au poker, il esquissa son premier sourire. Il la serra contre lui pour la féliciter. Elle se raidit quelque peu, sans pour autant s'écarter que la première fois. Ce qu'il sentit d'ailleurs, sans y accorder trop attention.

– J'avais sous-estimé ton habilité aux cartes, Sam. Je commence à comprendre pourquoi tu ne veux pas renoncer à elles. A moins que tu aies changé d'avis en lisant...

La porte s'ouvrit à la volée. Jake les éclaira de sa lanterne.

– Vous feriez mieux de sortir, ma petite dame. Il paraît que Ballard et le juge seront ici dans quelques minutes.

– ...Fais ce que tu pourras, conclut Paul.

Il fit un pas en arrière, s'interdisant d'écouter la voix de son cœur, qui lui dictait de l'embrasser à en perdre le souffle. Mais non, pas en présence de Jake.

Sam regrettait qu'il n'ait pas fini sa phrase. Changer d'avis en lisant quoi ? Trop tard, Jake l'avait déjà prise par le bras et l'éloignait des badauds. Elle n'eut pas le temps de protester qu'il commença rapidement :

– Écoutez-moi bien. Ce n'est pas mes oignons, mais je ne suis pas fier de m'être moqué de vous l'autre jour. Maintenant que je connais mieux Ballard, je sais qu'il a menti sur ce qui s'est passé quand il a fait irruption dans votre chambre.

Sam n'avait qu'une hâte, aller au bureau du télégraphe malgré les objections de Paul, pour alerter Aigle Intrépide avant qu'il ne soit trop tard.

– Venez-en au fait, Jake, s'enquit-elle, excédée.

– J'ai parlé à Harold Veazey avant qu'il ne meure.

– A-t-il reconnu Paul ?

– J'en ai bien peur.

– Et le second bandit ?

– Sa description n'était pas assez précise, fit-il en secouant la tête. Mais il y a quelque chose qui me chiffonne.

– Pour l'amour de Dieu, parlez ! s'écria-t-elle, à bout de patience.

– Harold a dit qu'il a vu une femme.

Sam se figea.

– Je croyais qu'ils n'étaient que deux ?

– Tout juste, acquiesça Jake. Harold a dit que, quand il était à terre, celui qui s'appelait Ramsey est parti et l'autre a parlé à une femme. Il n'a pas entendu ce qu'ils se disaient, mais il était avec une femme, sûr. Eh bien ça ne colle bas.

– A moins qu'il ne s'agisse de Myriam Appleby, nota Sam dont l'esprit raisonnait à toute vitesse.

C'est ce que je pensais, fit-il en opinant tristement.

– Vous l'avez interrogée ? .

– A quoi bon ? Elle est complètement toquée. Personne ne la croirait. Si Ballard est mêlé à tout ça, vous pouvez être sûre qu'il y a pensé.

– Que peut-on faire ? fit Sam, au bord de l'hystérie. On ne peut pas laisser condamner Paul pour un crime qu'il n'a pas commis !

– Il nous faut son témoignage.

– Mais vous venez de dire que personne ne la croirait même si nous réussissions à la convaincre de parler.

– Si elle nous disait où l'argent est caché, et que nous le retrouvions, Jarman serait coincé.

Un sourire venait de se peindre sur les lèvres de Sam. Elle tenait enfin un fil d'espoir.

– Elle parlera, affirma-t-elle, soudain confiante. Et je sais comment !

Elle se précipita au bureau du télégraphe. Il était plus vital que jamais d'obtenir la venue d'Aigle Intrépide. Elle ne pouvait mener seule une séance de spiritisme.

26

Le jour allait bientôt se lever et Sam n'avait toujours pas fermé l'œil. Folle d'inquiétude, elle avait tourné et viré dans son lit tout la nuit.

Aigle Intrépide recevrait-il le message ? Arriverait-il à temps ? L'employé du télégraphe avait parcouru d'un regard stupéfait le texte sibyllin qu'elle lui avait demandé d'envoyer à Kansas City :

« Aigle Intrépide, besoin de toi. Sam »

S'il ne venait pas, elle ne pourrait plus compter que sur Jake, auquel elle n'avait pas encore raconté son plan.

Elle n'avait pas baissé les stores, et la chambre s'était emplie peu à peu de cette teinte bleutée qui, entre obscurité et aube, enveloppe le monde d'une éphémère magie. Et voici qu'il apparut soudain, remontant la vitre sans un bruit.

En reconnaissant sa grande et farouche silhouette au pied de son lit, Sam éprouva de la gratitude et non de la peur.

– Aigle Intrépide ! Tu es venu !

Vêtu de ses seules jambières moulant ses cuisses puissantes, il se tenait, là les poings sur les hanches, talons légèrement écartés, le visage zébré de peintures de guerre.

– Mon peuple a beaucoup d'oreilles et il sait s'en servir. J'ai entendu parler de l'injustice dont est victime Esprit Sauvage. Je vais le délivrer. J'ai déjà donné rendez-vous ici aux guerriers.

Ses traits taillés au burin indiquaient une résolution inflexible. Sam n'avait pas pris la peine de se dévêtir avant de s'allonger. Elle rejeta la couverture et se redressa sur le lit, puis lui prit la main pour l'inviter à s'asseoir à côté d'elle.

– Il ne le veut pas, expliqua-t-elle.

Elle s'empressa toutefois d'ajouter :

– J'ai un plan pour le sauver, mais j'ai besoin de ton aide.

– Continue.

Malgré son air sceptique, il était disposé à écouter tout ce qu'elle avait à dire.

Elle lui parla de la séance de spiritisme, des accessoires à trouver pour lui donner un air de vraisemblance. Quoiqu'il n'eût jamais entendu parler d'une telle chose et ne comprît pas à quoi elle voulait en venir, il lui promit de l'aider.

– Mais si tu échoues, j'appellerai mes braves et nous nous battrons pour Esprit Sauvage.

– Très bien. D'ici là, on ne doit pas te voir en ville. Reste ici et fais en sorte que tout soit prêt à mon retour.

Sur ces mots, elle se précipita chez Jake Whaley, qu'elle trouva assis sur son perron, le regard noir.

– Ballard a mis sa menace à exécution, grommela-t-il. Il m'a pris mon travail. C'était mal payé, mais c'était toujours ça.

Sam n'en fut pas surprise. En revanche, sitôt qu'elle entendit la suite, un frisson lui parcourut l'échine.

– Le juge a confié la prison à ce fumier, et maintenant plus personne n'a le droit de s'en approcher. Il y a des gardes partout. Les gens sont sur les nerfs. Le télégraphiste a raconté partout que vous aviez envoyé un message à un Indien hier soir. Ballard a terrorisé la ville en affirmant que Ramsey est l'ami des Kansas, et qu'ils allaient prendre la prison d'assaut. Il a même tenté de persuader Quigby d'avancer l'heure de l'exécution, mais le juge a dit qu'elle aurait lieu dans les formes.

Peu étonnée de la réaction de l'employé du télégraphe, Sam rassembla son courage pour tout raconter à Jake.

– Jake, énonça-t-elle calmement. L'Indien que j'ai fait appeler est arrivé.

– Vous allez essayer de faire évader Ramsey ? s'enquit-il, les yeux écarquillés.

– S'il faut en passer par là, oui. Mais j'ai un autre plan qui pourrait marcher, si vous voulez bien m'apporter votre concours et me promettre de n'en parler à personne.

– Vous pouvez compter sur moi, fit-il sans hésiter. Je ne veux pas laisser pendre un homme pour un crime qu'il n'a pas commis. Si Ballard est derrière tout ça, rien ne me ferait autant plaisir que de vous aider à le prouver.

– Bien. Maintenant, écoutez-moi.

Sam lui raconta son plan en détail. Jake était à la fois stupéfait et fasciné.

– Et vous voulez que je fasse la voix du mari ? demanda-t-il incrédule.

– Il le faudra bien. Aigle Intrépide ne peut pas. Il parle bien anglais, mais avec un fort accent. Elle ne s'y laisserait pas prendre.

– Qu'est-ce qui vous fait croire qu'elle marchera ? Elle connaît la voix de son ancien mari.

– Je vais vous faire répéter pour que vous ayez un ton de voix approprié, comme si vous veniez de très, très loin.

– Bon, fit-il, le visage s'illuminant peu à peu. Bien sûr que je peux. Et où cette petite réunion de fantômes va-t-elle se tenir ?

– Dans ma chambre, au-dessus du Lucky Steer.

– Vous y croyez vraiment, à votre plan ? Et si elle ne savait pas où il a caché l'argent ? Si elle ne l'avait pas vu faire ?

Sam se refusait à envisager cette éventualité.

– Nous tenterons de lui faire dire ce qu'elle a vu. Ensuite, nous verrons bien. S'il n'y a aucune preuve de la culpabilité de Jarman, je laisserai Aigle Intrépide prendre la suite, conclut-elle.

Elle rentra vite chez elle pour s'assurer que le brave suivait à la lettre ses consignes, puis revint se poster en face de l'épicerie de Jake, où elle savait que Myriam venait s'approvisionner tous les lundis.

Une heure plus tard environ, celle-ci finit par apparaître, la tête basse et les épaules voûtées, un panier vide au bras. Sam la vit entrer dans le commerce. Elle attendit quelques minutes avant de faire de même, d'une allure nonchalante. Jake était occupé à servir un client au comptoir. Il ne leva pas les yeux, mais il sentit sa présence. Myriam n'avait pas remarqué Sam. Elle était occupée à choisir des œufs, très attentivement. Elle faisait peine à voir. Elle avait tant vieilli ces derniers mois. Son visage ne reflétait que détresse et désespoir.

Comprenant qu'elle ne lèverait pas la tête, Sam prit une profonde inspiration et se décida finalement à s'approcher d'elle. Elle fit mine d'attraper une bobine de fil placée tout à côté d'elle.

– Excusez-moi, murmura-t-elle en faisant exprès de légèrement la bousculer.

Levant un instant son regard morne, Myriam reconnut soudain Sam. Elle en lâcha l'œuf qu'elle tenait, qui alla s'écraser par terre.

– Vous ! Oh Seigneur, Seigneur. Vous... vous êtes vivante ! Dieu soit loué !

Myriam se jeta au cou de Sam, lui murmurant frénétiquement :

– Vous ne pouvez pas savoir combien j'ai prié pour que ce jour arrive. Vous devez m'aider. J'ai perdu mon fils, en plus de mon mari. Je dois leur parler à tous les deux. Vous êtes capable d'entrer en contact avec eux, je le sais.

Les autres clients se retournèrent en l'entendant sangloter. Jake également. Il ne voulait pas que Jarman ou le juge apprennent que Myriam avait parlé à Sam.

Il lui fit signe d'emmener Myriam dans la réserve. L'entourant de son bras, Sam la guida derrière les rideaux, en prenant bien soin de la maintenir dos aux clients. Pour sa part, elle avait soigneusement dissimulé ses cheveux sous un chapeau à brides.

Elle installa la fille du juge sur une chaise puis s'assit en face d'elle.

– Dites-moi pourquoi vous êtes bouleversée, l'encouragea-t-elle en lui prenant les mains.

Ne serait-ce pas merveilleux si Myriam lui révélait tout sur-le-champ sans qu'il fût nécessaire d'avoir recours à une séance ? se prit à espérer Sam.

Hélas, il n'en fut rien. Celle-ci se contenta de réitérer qu'elle voulait entrer en contact avec les deux défunts. Après de feintes protestations, Sam accéda à sa demande, lui faisant jurer le secret.

– Personne ne doit être au courant, même pas votre cercle spirite. Compris ?

– Comme vous voudrez, promit Myriam, profondément émue.

– Pouvez-vous sortir de chez vous sans vous faire remarquer ?

– Oui, sans difficulté. Avec la pendaison de demain, mon mari ne dormira pas à la maison. Il doit rester devant la prison, car on dit qu'il pourrait y avoir des problèmes. Je sortirai dès que mon père sera endormi. Il se couche tôt, à vingt et une heures au plus tard. Dites-moi où je devrai me rendre.

Sam crispa les mâchoires à l'idée que c'était Jarman qui gardait le prisonnier. Elle n'avait qu'une hâte : prouver que c'était lui qui devrait finir pendu haut et court.

Une fois qu'elle lui eut donné toutes les instructions, Sam prit congé de Myriam. Il ne restait plus qu'à attendre.

La journée lui parut interminable. Elle répéta tout attentivement avec Jake et Aigle Intrépide, et en particulier ce que devait dire la voix d'outre-tombe. Quoique satisfaite du résultat, elle songea soudain que l'effet serait plus probant si Jake imitait une voix d'enfant.

– Il y a des chances qu'elle désobéisse à son défunt mari si c'est lui qui lui demande de dénoncer Jarman. En revanche, si c'est son enfant, elle n'hésitera pas un instant.

Jake promit de faire de son mieux.

– Je ne suis pas sûr d'être très convaincant en petit garçon, Sam. Enfin, je vais quand même essayer de m'entraîner.

Elle lui dit de ne pas s'inquiéter et continua à contempler les aiguilles de l'horloge qui semblaient avancer au ralenti. Puisqu'elle n'avait pas le droit à l'échec, elle réussirait. Paul serait libéré. Pourtant, leur histoire était finie. Elle lui rendrait la vie, espérant pouvoir en échange cesser de penser à lui. Elle travaillerait d'arrache-pied, oubliant le passé. La vie devait continuer. Elle y parviendrait, puisqu'il le fallait.

Finalement, il fut neuf heures du soir. Au fond du couloir, Aigle Intrépide se tenait prêt à agir, mais Myriam n'arrivait pas. Dix, onze heures, bientôt minuit. Elle devait avoir changé d'avis.

– Ton plan a échoué, déclara Aigle Intrépide. A moi d'agir, maintenant. Je vais rassembler mes guerriers pour qu'ils fassent évader Esprit Sauvage.

Jake intervint à son tour, tout aussi inquiet :

– Il a dû se passer quelque chose chez le juge. Je ferais mieux d'aller voir.

– Non, moi. Vous deux, restez ici. Tenez-vous prêts au cas où je réussirais à la ramener.

Elle se tourna vers Aigle Intrépide pour le prier de lui laisser un peu plus de temps et, à la lueur de la bougie, lut dans son regard une inébranlable résolution.

– Les Kansas attaqueront juste avant l'aube, lâcha-t-il.

Il venait de lui accorder quelques heures supplémentaires.

Jake lui proposa de prendre son cheval et lui indiqua où il l'avait laissé. Elle se précipita dehors.

En moins de dix minutes, elle arrivait devant la maison du juge. Remarquant de la lumière à l'une des fenêtres, elle en déduisit que le père de Myriam n'était pas encore couché – c'était sans doute pourquoi celle-ci n'avait pas encore osé s'éclipser.

Descendant de cheval, elle parcourut à pied le reste du chemin. Elle se rapprocha furtivement de la fenêtre illuminée et jeta un œil prudent dans la pièce, le bureau, apparemment. Quigby était assis sur un canapé, devant une cheminée, en compagnie d'un inconnu. Tous deux étaient déjà passablement éméchés, elle le vit à leurs rires et à leurs gestes mal assurés lorsqu'ils portèrent leur verre à leurs lèvres.

– Je porte un toast au meilleur bourreau du Kansas, voire de tout le pays ! déclarait Quigby. Rien ne me fait plus plaisir que de vous voir rallonger le cou de ces crapules. Et prenez-vous-y tout doucement, surtout, qu'ils aient le temps de souffrir.

Sam secouée par un éclair de rage, fut tentée de fracasser la fenêtre pour le traiter de brute sans cœur. Mais chaque chose en son temps : elle devait d'abord retrouver Myriam et l'emmener en ville.

La maison était petite. Sam en eut vite fait le tour, donnant de petits coups à chaque fenêtre. Elle entendit enfin Myriam demander d'une voix effrayée :

– Qui est là ?

Myriam ne connaissait pas sa véritable identité. Sam se pencha, répondant à voix basse :

– C'est moi. Céleste. Suivez-moi. Les esprits frémissent ce soir, je le sens.

Elle aurait dû avoir honte de duper ainsi cette pauvre femme, mais la fin justifiait les moyens.

Sous la lune presque pleine, Sam remarqua l'expression de joie qui se peignait sur le visage de Myriam lorsqu'elle ouvrit la fenêtre.

– Vous êtes venue pour moi ? Dieu soit loué. Je ne pouvais aller à pied en ville aussi tard et je n'osais pas seller un cheval, de peur que Père m'entende.

Sam l'aida à enjamber la fenêtre et la guida jusqu'à l'endroit là où elle avait laissé l'unique monture.

– En temps normal, j'aurais attendu une autre nuit, nota-t-elle calmement, une fois dans sa chambre. Mais comme je vous l'ai dit tout à l'heure, les esprits se manifestent de façon particulièrement vive, et je ne voulais pas manquer cette occasion.

– Non, non, ne vous excusez pas. Commencez, je vous en prie, implora Myriam en se dandinant sur sa chaise.

Elle ferma les yeux, serra très fort les mains de Sam.

Qu'elle était naïve et crédule, songea Sam, prise de pitié.

Se rappelant la performance de madame Félice à Paris, elle se lança dans des incantations. Au bout de quelques instants, Aigle Intrépide souffla sur la bougie. Myriam poussa un soupir.

– Pas un bruit. Sinon vous allez les chasser... murmura Sam... Montrez-vous, Thomas Appleby. Faites-nous signe.

Lorsqu'une forme blanche s'éleva dans la pièce, Myriam sursauta de nouveau. Sam lui avait pourtant demandé de garder les paupières closes, tout en sachant qu'elle n'en ferait rien. Elle voulait que la veuve voie et entende tout : par exemple, le coup sec que l'Indien donna sur la table au moment précis où il fit disparaître le spectre. Il avait, cependant, soulevé le guéridon un peu trop tôt, mais Sam le savait pressé d'en finir. Non seulement Myriam devait leur indiquer où était caché l'argent, si elle le savait, mais il fallait que ses indications fussent suffisamment précises pour qu'ils le retrouvent. Si c'était le cas, Jake avait promis qu'il se ferait fort de trouver des renforts pour empêcher la pendaison et de faire venir d'urgence le marshall de Salina.

Sam retint sa respiration puis toussa deux fois. C'était le signal convenu pour que Jake commence à parler.

Silence.

Elle toussa de nouveau, en vain.

Elle s'éloigna alors du scénario prévu :

– Thomas Appleby, si vous êtes parmi nous, parlez, je vous en prie. Votre femme a le cœur gros. Elle a un secret qui lui pèse horriblement. Aidez-la à libérer son esprit pour que son âme retrouve la paix.

C'est alors que Sam entendit la voix, d'abord faible et hésitante. Luttant contre des tremblements de joie, elle s'émerveilla du talent que mettait Jake à imiter la voix aiguë d'un petit garçon.

– Maman, tu dois leur dire.

Myriam dégagea brusquement ses mains de celles de Sam.

– Tommy, s'écria-t-elle. Tommy, c'est bien toi ? Doux Jésus, mon petit, parle-moi, je t'en prie.

– Dis-leur, maman. Dis-leur où le méchant homme a caché la boîte. Dis-leur.

– Tommy, mon Tommy, vas-tu bien ? Es-tu heureux ? Parle à maman, mon chéri, je t'en supplie.

Sam saisit les mains de Myriam pour l'empêcher de se lever de sa chaise.

– Calmez-vous. Vous lui avez fait peur. C'est fini.

– Non, pas encore.

Espérant qu'Aigle Intrépide avait disparu comme prévu, Sam se hâta de rallumer la chandelle. Effectivement, elles étaient seules. Myriam la dévisageait, livide et bouleversée. Ignorant sa dernière réplique, Sam s'arma de courage pour demander :

– Le message de votre fils a-t-il une signification pour vous ?

– Oh oui ! Tommy se rappelle que je lui ai appris la différence entre le bien et le mal, répliqua Myriam qui émergeait de son hébétude. Il veut que je fasse le bien, que je dise ce qu'a fait cet homme. Mais c'est impossible, car celui-ci a menacé de tuer le grand-père de Tommy. Rappelez-le. Je dois lui expliquer pourquoi je ne peux pas.

S'emparant de la main de Sam, elle la serra de toutes ses forces.

– Faites-le revenir, implora-t-elle, au bord de l'hystérie. Tout de suite. Il le faut.

– Je ne peux pas, Myriam. Pas ce soir, désolée. Les esprits sont partis. Mais de quoi s'agit-il ? Qui veut tuer le grand-père de Tommy ? Pourquoi ? Qui est le méchant homme ?

– Je ne peux pas vous le dire. Il tuerait mon père. Il me ferait enfermer. Il dit que je suis folle et que tout le monde le sait.

– Il y a peut-être un moyen. Si vous laissez quelqu'un d'autre trouver ce méchant homme, il ne pourra pas se retourner contre vous.

Myriam regarda Sam, espérant qu'elle détienne une réponse. Puisqu'elle avait assez de fluide pour entrer en contact avec Tommy, sa sagesse était sans doute grande.

– Le méchant homme a-t-il caché quelque chose ? Si c'est le cas et si vous l'avez vu, dites-moi où. Je ferai comme si c'était moi qui l'avait trouvé et il ne sera pas fâché contre vous. Il ne sait pas que vous l'avez vu faire, n'est-ce pas ?

Lorsque Myriam hocha la tête, Sam sentit son cœur bondir dans sa poitrine. Elle avait eu raison depuis le début de ce cauchemar. Myriam avait bien vu Jarman cacher la caisse !

Tentant de dissimuler sa propre angoisse, elle sentit la panique s'insinuer en elle. Le temps pressait de plus en plus. Elle craignit qu'Aigle Intrépide ne perdît patience et donne le signal de l'attaque.

Myriam observa attentivement le visage de Sam en s'efforçant de dominer le tourbillon d'émotions qui l'engloutissait. Une fois sa résolution prise, elle prit une longue inspiration. Et, comme si le fardeau qui lui avait tant pesé venait enfin de lui être ôté, elle déclara joyeusement :

– Vous avez raison. Je vais vous dire où il a caché la caisse. Vous n'aurez qu'à aller la chercher. Il vous en voudra, mais n'ayez crainte. Il n'osera jamais vous faire de mal à vous.

27

Sam ne voulait pas laisser deviner à Myriam que la séance était un coup monté. Elle ne s'en serait pas remise. Il lui faudrait plus tard inventer quelque excuse pour ne pas en accepter une seconde. Mais, chaque chose en son temps. Il fallait d'abord aller chercher cette caisse.

La tension avait été grande. Myriam pleurait doucement, la tête dans les mains. Sam patienta jusqu'à ce qu'elle se reprît, et finisse par ébaucher un sourire.

Alors, elle la pressa de sortir. Elles enfourchèrent de nouveau le cheval de Jake. Aigle Intrépide les suivait à distance, mais eût-il été à côté de Myriam que celle-ci ne l'aurait probablement pas remarqué, tant elle nageait dans le bonheur.

– Il m'a parlé ! ne cessait-elle de répéter. Ce souvenir m'accompagnera à jamais, même si vous ne parvenez plus jamais à communiquer avec lui !

Sam n'avait pas l'intention de la contredire.

La maison baignait dans l'obscurité. A l'évidence, après ce qu'ils avaient bu, le juge et le bourreau devaient dormir profondément. Cette fois, persuadée que Sam réussirait à empêcher la pendaison, Myriam entra par la porte.

Aigle Intrépide se matérialisa immédiatement à côté de Samantha.

– Dépêchons-nous.

Les nerfs à fleur de peau, Sam acquiesça, et le conduisit jusqu'à l'église, dont la forme pointue se profilait dans la nuit.

– La chaire doit se trouver devant, fit-elle en ouvrant la porte.

Aigle Intrépide avança et se pencha pour déplacer à tâtons les planches disjointes. Lorsque ses doigts touchèrent la caisse, il poussa un petit cri de joie.

Sam lui donna un coup de coude.

– Il n'y a pas une minute à perdre. Il faut trouver Jake.

Elle avait déjà parcouru presque toute l'allée centrale lorsqu'elle s'interrogea soudain :

– Mais au fait, où est-il donc ? Pourquoi est-il parti si vite, sans attendre de voir si j'arriverais à faire parler Myriam ? C'est à lui de jouer, maintenant que nous avons retrouvé l'argent.

A bout de patience, le brave posa la caisse à terre.

– Assez. Je vais alerter mes frères.

– Non ! s'écria Sam. Pas au point où nous en sommes ! Nous avons encore le temps. Il nous attend sans doute dans son épicerie.

Aigle Intrépide reprit la caisse.

– Bon, je vais avec toi. Mais je n'attendrai pas longtemps.

Pour ramener Myriam chez elle, ils avaient dû contourner le magasin et la prison attenante. Apercevant de la lumière vive dans cette direction, Sam se précipita, tenaillée par l'angoisse.

– Plus de torches, donc plus de gens, observa tristement l'Indien. Il y a un problème. Je vais appeler mes braves.

Sam retint le cheval d'Aigle Intrépide par la bride.

– Non. Nous avons ici la preuve de la culpabilité de Jarman. Ne pars pas. Attends que je sache ce qui se passe.

Avant qu'il ait eu le temps de protester, elle était descendue de cheval et s'était approchée de la prison. Tout à coup, elle se raidit.

La potence baignait dans le halo sinistre des torches des badauds. Les mains attachées dans le dos, un homme gravissait les marches, poussé par un autre. Seigneur, mais...

Elle vacilla, frappée de vertige. Ils s'apprêtaient à pendre Paul !

Un hurlement s'éleva en elle, venu des tréfonds de son âme. Elle courut vers la scène macabre, aussi vite que ses jambes flageollantes le lui permettaient.

– Arrêtez ! Vous ne pouvez pas faire ça ! Il est innocent ! Le coupable, c'est Jarman Ballard. J'en ai la preuve.

Tous les regards s'étaient tournés vers elle. Jarman, qui avait mené Paul à la potence, se tourna face à la foule, le visage grimaçant de rage :

– Faites-la taire ! hurla-t-il.

Puis il ordonna au bourreau qui attendait à côté de lui :

– Et vous, agissez, que nous n'ayons plus à craindre une attaque des Indiens.

Jake émergea de la foule pour attraper Sam par le bras.

– J'ai tout fait pour empêcher ça, lui confia-t-il, l'air affolé. J'étais dans la chambre comme convenu, quand j'ai entendu quelqu'un annoncer que l'exécution était avancée parce qu'on avait repéré des Indiens. A mon arrivée, Ballard avait déjà convaincu le juge. Je n'ai rien pu faire.

– Mais j'ai trouvé l'argent ! s'écria Sam. A l'endroit précis que Myriam nous avait indiqué. Mon Dieu...

Elle n'acheva pas sa phrase. Le bourreau avait déjà mis une cagoule sur la tête de Paul et lui serrait la corde autour du cou. L'homme recula pour vérifier le bon fonctionnement de la trappe qui devait s'ouvrir sous le supplicié.

Au bord de l'évanouissement, Sam s'arracha à l'étreinte de Jake, et avança vers l'échafaud en hurlant.

La trappe s'ouvrit. Au même instant, un coup de feu retentit. La balle sectionna la corde au moment précis où Paul disparaissait sous la potence.

Jake se retourna pour savoir qui avait tiré. Un Indien se tenait là, assis sur son cheval, la carabine à la main. Il tenait devant lui une caisse en bois.

Dégainant son revolver, Jake hurla à ceux sur qui il pouvait compter :

– Emparez-vous de Ballard. C'est lui le vrai coupable, nous en avons la preuve, à présent. Toi, va au bureau du télégraphe. Enfonce la porte si nécessaire. Fais appeler le marshall fédéral de Salina.

Jarman tentait de prendre son revolver sous sa veste, mais le bourreau le lui arracha.

La foule s'écarta devant Sam qui se précipitait sous la potence pour ôter sa cagoule à Paul.

– Tout va bien maintenant, souffla-t-elle.

Quelqu'un avait déjà coupé les liens de Paul. Il la prit dans ses bras et la serra contre lui.

– Comment avez-vous fait ? C'est Aigle Intrépide qui m'a sauvé. Je t'avais pourtant dit de ne pas l'appeler. Dieu merci, tu es têtue comme une mule !

Émergeant avec peine de leurs retrouvailles, ils trouvèrent le juge, blême de rage, en pleine discussion avec Jake.

– Je veux que l'Indien se balance au bout d'une corde, vous m'entendez ! Et vous, rangez votre arme et dites à vos hommes de faire de même, sinon ce sera votre tour. Je ne veux pas qu'une milice s'empare de ma ville !

Se tournant vers le bourreau, il ajouta :

– Et vous, rendez son arme à mon gendre, sinon je

trouverai bien quelqu'un pour vous passer la corde au cou.

Ce dernier, dubitatif, n'eut pas le temps de répondre. Sur sa monture, Aigle Intrépide s'était frayé un passage à travers la foule pour déposer la caisse aux pieds du juge.

– Je l'ai trouvée là où Jarman l'avait cachée, annonça Sam à la cantonade.

Quigby marqua une hésitation, puis il éclata de rire.

– Vous vous imaginez peut-être que je vais croire une histoire aussi abracadabrante ? C'est Ramsey qui vous a dit où la trouver pour sauver sa peau !

Jake prit la parole :

– C'est votre fille qui...

Il interrogea Sam du regard. Devait-il mentionner les circonstances de cette révélation ? Comprenant que non, il la laissa poursuivre.

– C'est Myriam qui m'a dit où trouver l'argent. Elle avait vu Jarman le cacher sous la chaire de la chapelle en face de chez vous.

Dans un rugissement, Jarman s'empara soudain du revolver que lui avait pris le bourreau et le pointa sur Sam. Mais Aigle Intrépide veillait, carabine à la main.

Jarman était déjà mort en touchant le sol.

Contemplant le cadavre, Jake prit Quigby par l'épaule.

– Vous feriez mieux de rentrer chez vous, Monsieur le juge, et de rédiger votre lettre de démission avant que les autorités compétentes ne l'exigent. Et vous tous, rentrez chez vous, fit-il en s'adressant à la foule. Il n'y a plus rien à voir.

Sam commençait à être mal à l'aise. Elle sentait le bras de Paul autour de sa taille, mais leur histoire d'amour était terminée. Elle avait hâte de réintégrer le refuge du Lucky Steer, où elle n'avait besoin d'aucun homme.

Elle n'eut pas le temps de remercier Aigle Intrépide, déjà parti prévenir ses guerriers. Dès qu'ils furent seuls,

Paul la serra plus fort. Lorsqu'il voulut s'emparer de sa bouche, elle recula en détournant les yeux :

– Il faut que je rentre.

Il ne voulait pas la laisser partir. Un avenir radieux les attendait. A moins que... Il lui prit le menton pour l'obliger à le regarder.

– Cela veut dire que ta réponse est non ?

– Non à quoi ? Tu ne m'as rien demandé.

– Je parle de la lettre que j'ai glissée sous ta porte dimanche dernier. – il relâcha son étreinte – Tu tiens donc tant que ça à l'argent, au jeu ? Quelle déception !

A voir le dépit de Paul, elle laissa sa rancœur s'exprimer sans retenue.

– C'est plutôt moi qui suis déçue, Paul Ramsey. J'ai cru à ta sincérité. D'abord, tu me fais croire que tu ne parles pas. Ensuite, tu inventes une histoire saugrenue de fils de chef apache ; tu disparais du jour au lendemain. J'arrive pourtant à te pardonner, à croire que tu tiens à moi et que je peux te faire confiance. Et à la première contrariété, tu te fais consoler par Louretta. Et voilà que tu inventes cette histoire de lettre. J'en ai assez, assez !

Il pressa la main sur la bouche de Sam.

– Ne t'énerve pas comme ça, Sam, fit-il en riant. Je n'ai aucune envie d'entendre des chapelets d'injures.

De sa main libre, il parvint à lui maintenir les bras derrière le dos. Dans la lueur d'une torche oubliée contre une poutre de la potence, les yeux de chat étaient animés de reflets fauves. Elle le fusilla du regard en se débattant.

– As-tu lu ma lettre ? répéta-t-il. Je ne te laisserai pas partir avant d'avoir obtenu ma réponse. Je te faisais mes excuses et te demandais si tu voulais m'épouser. Je disais aussi que je reviendrais hier pour savoir ce que tu avais décidé...

Il se tut et la relâcha. Les éclairs de rage avaient soudain laissé la place au bonheur.

– Tu as laissé une lettre sous ma porte... bredouilla-t-elle. Précisais-tu que nous nous étions disputés à l'hôtel ?

– Bien sûr.

C'était encore une manigance de Louretta !

Soulagée, Sam éclata de rire à son tour et lui raconta ce qui s'était passé. Paul comprit comment Jarman l'avait piégé : il avait connu avec précision la date de son retour à Abilene grâce à la lettre volée par Louretta.

– Il a tout minuté. Louretta a réussi à te faire enrager en prétendant qu'elle m'avait vu. Un plan parfait qui, Dieu soit loué, n'a pas fonctionné... Au fait, ajouta-t-il en l'étreignant, qu'as-tu décidé ?

Elle le prit par le cou et fit la moue, feignant de réfléchir à sa proposition.

– Je ne suis pas certaine. Cela demande réflexion. Le mariage n'est pas une chose à prendre à la légère, surtout si je dois vendre le saloon.

– N'y compte pas trop. Cela pourrait me plaire d'avoir une riche épouse... répliqua-t-il, malicieux.

Ils se mirent en route. Devant l'épicerie de Jake, elle nota qu'il ne la raccompagnait pas vers le Lucky Steer mais se dirigeait vers la direction opposée.

– Où allons-nous ?

– Dans un endroit où notre entente est parfaite, répondit-il en la serrant un peu plus. Le grenier à foin.

Sam se sentit plus heureuse qu'elle ne l'avait jamais été. Et ce n'était certainement rien comparé à ce que l'avenir leur réservait.

Jake choisit ce moment pour sortir en courant de son épicerie, agitant les bras.

– Je voulais vous dire que j'étais désolé d'avoir dû vous quitter précipitamment, expliqua-t-il. Je n'ai même pas eu le temps de prévenir l'Indien. Comment avez-vous réussi à vous en tirer sans moi et à lui faire croire que c'était la voix de son mari ?

Interdit, Paul regarda Jake, puis Sam.

– De quoi parle-t-il ?

– Je ne sais pas, lâcha-t-elle en dévisageant Jake.

Parcourue par un frisson, elle réussit à demander :

– Ce n'est donc pas vous qui avez parlé en imitant la voix d'un petit garçon ?

– La voix d'un petit garçon ? répéta-t-il. Je n'étais même pas là, voyons ! Non, l'Indien a dû être très convaincant.

Sur ces mots, il repartit en hochant la tête.

– Vas-tu enfin me dire ce que tout cela veut dire ? fit Paul en la secouant légèrement.

– Plus tard, lui promit-elle en se blottissant contre lui.

Car il fallait d'abord qu'elle le comprît elle-même.

Rendez-vous au mois de décembre
avec un nouveau roman de la collection

Aventures et Passions

Le 4 décembre 2000

La faute d'Anastasia

de Johanna Lindsey (n° 5707/G)

La famille Mallory au grand complet est réunie au château de Haverston pour Noël, quand on découvre au pied du sapin un étrange paquet sans aucune indication. Il s'agit du journal des grands-parents de Jason, l'aîné des enfants, qui raconte comment ils se sont connus et aimés, elle la gitane et lui l'aristocrate, en dépit des conventions sociales. Cela pourrait-il servir d'exemple à Jason, lui-même amoureux de sa gouvernante depuis des années et n'osant l'avouer ?

Ce mois-ci, découvrez également
deux nouveaux romans de la collection

Amour et Destin

Le 2 novembre 2000

Mortelle jalousie

de Karen Robards (n° 5695/J)

Depuis quelque temps, Jessica, âgée de quinze ans, mène la vie impossible à sa mère Grace. Un soir, celle-ci découvre que sa fille a une nouvelle fois fait le mur. Croyant l'apercevoir dans le jardin, elle sort, et ne trouve que l'ours en peluche de Jessica... avant que deux policiers ne ramènent l'adolescente à son domicile ivre morte. Grace, convaincue que sa fille est prise dans un engrenage malgré elle, demande de l'aide à l'inspecteur Tony Marino...

Le 22 novembre 2000

Photo de famille

de Sandra Kitt (n° 5696/I)

À la tête d'une célèbre galerie d'art new-yorkaise, mère d'une belle jeune fille et courtisée par un avocat en vogue, Gayla Patton semble avoir tout pour être heureuse. Mais lorsqu'un de ses associés lui propose d'exposer les œuvres d'un jeune artiste prometteur, son passé la rattrape. En effet, celui-ci n'est autre que le jeune Noir orphelin recueilli par la mère de Gayla lorsqu'ils étaient enfants...

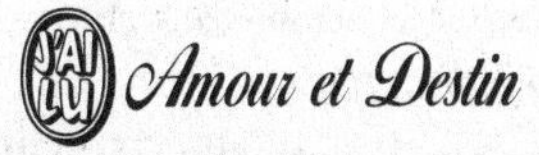

Quand l'amour donne aux femmes le choix de leur destin

5699

Achevé d'imprimer en Europe (France)
par Maury-Eurolivres - 45300 Manchecourt
le 24 octobre 2000.
Dépôt légal octobre 2000. ISBN 2-290-304646

Éditions J'ai lu
84, rue de Grenelle, 75007 Paris
Diffusion France et étranger : Flammarion